Studi di Storia dell'Arte 8

In copertina: *Alberto Piazza,* Apostoli attorno al sepolcro (particolare),
Berlino, Staatliche Museen, Gemäldegalerie.

Studi di Storia dell'Arte

8

1997

ediart

Dicembre 1997

LEONILDE DOMINICI
EDITORE

Direttore Responsabile
MARCELLO CASTRICHINI

Autorizzazione Tribunale di Perugia
decreto n. 18 del 14/4/1992

ISBN 88-85311-27-X
Tel. e fax 075/8942411 - email: **ediart@full-service.it;** Catalogo: **http://vol.tin.it/ediart**

Studi di Storia dell'Arte

Sommario

I. Martino Piazza, Crocifissione, *Berlino, Staatliche Museen, Gemäldegalerie.*
II. Martino Piazza, Sacra famiglia con donatore, *Milano, collezione privata.*
III. Cesare da Sesto e Bernazzano, Battesimo di Cristo (particolare del paesaggio), *Milano, collezione Gallarati Scotti.*
IV. Martino Piazza, Adorazione del Bambino, Bergamo, collezione privata.

V. *Martino Piazza,* Fuga in Egitto, *Milano, collezione della Banca Commercio e Industria.*

VI. Alberto Piazza, Adorazione dei Magi*, collezione Salamon.*

VII. Alberto Piazza, San Gerolamo penitente, *Berlino, Staatliche Museen, Gemäldegalerie.*

VIII. Alberto Piazza, Apostoli attorno al sepolcro, *Berlino, Staatliche Museen, Gemäldegalerie.*

IX. Anton Maria Maragliano, Visione in Patmos, *Ponzone d'Acqui, Oratorio di San Giovanni Evangelista.*

X. *Giovanni Segantini,* Pascoli alpini, *Milano, Pinacoteca di Brera.*
XI. *Giuseppe Viner,* Fecondazione, *da 'Dedalo', 1925.*

XII. *Lorenzo e Bartolomeo Torresani,* Evangelisti e Profeti, *Narni, S. Agostino, volta della cappella di S. Sebastiano.*

GERT KREYTENBERG

LA TOMBA DELL'IMPERATORE LATINO DI COSTANTINOPOLI AD ASSISI

Immediatamente dopo la santificazione di Francesco, Papa Gregorio IX pose la prima pietra per la costruzione della chiesa di San Francesco ad Assisi (fig. 1). In origine questa chiesa con l'orientamento del coro verso ovest, dovette essere stata progettata come chiesa doppia su una pianta a forma di T e con una navata di solo tre campate con un nartece antistante; non erano stati realizzati il transetto est della chiesa inferiore e le sue cappelle attigue.

Questo progetto prevedeva due funzioni diverse: la chiesa inferiore assumeva la funzione di chiesa sia sepolcrale che conventuale, alla chiesa superiore invece spettava il ruolo di chiesa papale. Nel 1230, quando le ossa del Santo furono traslate nella nuova chiesa, quella inferiore con il transetto ovest e con la navata a tre campate avrebbe dovuto essere stata già completata. Ed anche la chiesa superiore con le quattro campate della navata avrebbe dovuto essere stata terminata nel 1253, l'anno della consacrazione di Papa Innocenzo IV. Questo significa che in quel periodo la navata della chiesa inferiore era stata allungata di una campata con l'ingresso da una ulteriore campata attigua verso sud. L'edificio adiacente verso nord con la volta a botte fu costruito solo nel periodo intorno al 1300, o poco dopo, nel contesto di un progetto di ampliamento della chiesa inferiore che prevedeva l'aggiunta delle cappelle attigue[1].

La tomba dell'imperatore latino di Costantinopoli (figg. 2-6) è addossata alla parete est della navata della chiesa inferiore. Questo muro è spartito dai costoloni della volta della quarta campata della navata e comprende due archi a scudo. Sotto l'arco di sinistra in una nicchia poco profonda, ma che occupa quasi tutta l'altezza del muro, è situata la tomba spostata leggermente in avanti, mentre il fastigio e i pinnacoli laterali sfiorano quasi la volta. Su un basamento semplice e un massiccio zoccolo articolato da alcuni gradini posa il sarcofago[2]; piccoli pilastrini dividono il fronte in sei pannelli con archetti ciechi nei quali sono stati applicati gli stemmi. Agli angoli due di questi pilastrini sono stati riuniti a una parasta messa di traverso. I laterali delle paraste formano un tabernacolo con statuette di santi[3]. Un riquadro con uno stemma fiancheggiato dalle paraste occupa i lati del sarcofago. Su di esso s'innalza un baldacchino monumentale con un arco trilobato sotto il fastigio. Il baldacchino posa su quattro pilastri ed i due anteriori assumono anch'essi una posizione di traverso continuando così l'orientamento definito dalle paraste sottostanti. Sul sarcofago, fra i pilastri del baldacchino, si trova la camera funeraria le cui tende vengono tirate indietro da due angeli per poter rendere visibile la figura del defunto sul letto di morte. Nel grande spazio libero sovrastante la camera funeraria troneggia la Madonna col Bambino su un sedile appoggiato sul retro e spostato leggermente a destra rispetto al centro, circa a metà dell'altezza del muro, mentre a sinistra un principe incoronato siede con le gambe accavallate su un faldistorio portato da un leone.

Il monumento è problematico sotto molti aspetti[4]. Infatti, malgrado lo stemma, l'identificazione sia del defunto che del committente è incerta; come pure è alquanto discussa la questione della collocazione, della datazione e dell'artefice; dubbi circondano anche l'aspetto originario e l'appartenenza al complesso del principe troneggiante sul leone. Inoltre le varie questioni si intrecciano condizionandosi reciprocamente, non semplificando un'eventuale risoluzione.

Le identificazioni e lo stemma

Il francescano Fra Bartolomeo da Pisa (+1401) nella sua opera "*De conformitate vitae beati Francisci ad vitam Domini Iesu*", redatta probabilmente fra il 1385 e il 1390, ha tramandato che Giovanni di Brienne, re di Gerusalemme e imperatore di Costantinopoli, morto in questa città nel 1237, condusse una vita francescana, essendo stato un terziario, e che fu sepolto ad Assisi. "*Hic sepultus est Assisii, etsi super sepulturam in habitu regali sit sculptus*"[5]. Questa frase è la prima menzione della tomba. In un atto notarile del 4 agosto 1418 si parla di un "sepolcro dell'Imperatore di Costantinopoli" ed in un altro documento del 3 agosto 1488 si legge "*sepulcrum Imperatricis Costantinopolitanae*"[6]. Nel più antico elenco delle sepolture redatto nel 1509 il sagrestano di San Francesco, P. Galeotto, scriveva che "il corpo della Regina di Cipro" aveva trovato sepoltura nella tomba "nel mezzo della ecclesia avanti la porta"; inoltre egli annotava, senza dare un'indicazione più precisa, che nella chiesa era stato sepolto "*Giovanni di Jerusalem et imperatore constantinopolitano*"[7]. Nella seconda edizione delle *Vite* del 1568 il Vasari scriveva: "...di marmo la sepoltura della regina di Cipro con molte figure, ed il ritratto di lei particolarmente a sedere sopra un leone per dimostrare la fortezza dell'animo di lei ..."[8]. Fra Ludovico da Pietralunga, membro del convento di San Francesco e morto nel 1580, ricordava, nella prima descrizione della chiesa tramandataci, che si tratta di "un assai bello sepulcro della Regina Eugubea... quale era Regina di Cipro"[9]. Nella tradizione delle fonti antiche, fino ad arrivare al primo quarto del nostro secolo, il defunto fu identificato o come Giovanni di Brienne o come la Regina di Cipro[10]. Solo il Gerola ha prestato attenzione all'arme (figg. 3, 4, 7) collocato nella tomba per ben undici volte[11]. Una croce divide lo scudo in quattro parti; ciascun quarto dimostra in mezzo un cerchio con una croce e nei quattro angoli quattro piccole crocette. Questo stemma rimanda ad un imperatore latino di Costantinopoli.

Prima di studiare lo stemma stesso ci pare necessario di chiarire brevemente il contesto storico al quale appartiene. La quarta crociata, iniziata nel 1202, terminò nel 1204 con la conquista di Costantinopoli da parte di una forza militare composta da un'armata dominata dai fiamminghi e da una flotta veneziana. Il regno greco fu spartito fra condottieri fiamminghi e Venezia. Teodoro Laskaris, appartenente alla linea imperiale della dinastia comnena, raccolse la nobiltà greca presso Nicea, situata solo poco al sud di Costantinopoli, e fu qui proclamato imperatore nel 1206; a Costantinopoli si era stabilito l'impero latino, denominato anche Romania, che disponeva però solo di un territorio limitato. Nel 1204 Baldovino I di Fiandra era stato proclamato primo imperatore latino. Già nel 1206 gli succedeva come imperatore suo fratello Enrico I di Fiandra che regnò fino al 1216. La loro sorella Jolanda da Fiandra era sposata con Pietro di Courtenay, che saliva sul trono per alcuni mesi nel 1217. Il figlio di questa coppia Roberto di Courtenay, probabilmente per questioni di età, diventò imperatore solo nel 1221 e morì alcuni anni dopo nel 1228. Suo figlio Baldovino di Courtenay, nato nel 1217, era ancora un bambino; per questo come sostituto fu eletto imperatore nel 1229 Giovanni di Brienne, conte di Brienne-sur-Aube nella Champagne, nato nel 1148, e , già partecipe alla quarta crociata, nel 1208 era diventato re di Gerusalemme. Sua figlia Isabella nel 1225 sposò l'imperatore Federico II, il quale dopo soltanto tre anni dal matrimonio, nel 1228, allontanò suo suocero dal regno assumendo lui stesso il titolo di re di Gerusalemme. Dopo di che Giovanni di Brienne, per la sua età avanzata di 81 anni, era predestinato a sostituire il giovane Baldovino, al quale l'imperatore Giovanni, già nel 1229, aveva dato in sposa sua figlia Maria di Brienne. Dopo la morte di Giovanni, nel 1237, Baldovino II salì sul trono di Costantinopoli, dal quale fu cacciato nel 1261 dall'imperatore greco Michele Paleologo. Comunque, con questo episodio la storia dell'impero latino di Costantinopoli non finì affatto: il regno continuava ad esistere come realtà giuridica fino alla fine del Trecento. Nel 1261 Baldovino II trovò esilio nell'Italia del sud nel regno svevo di re Manfredo. Dopo che nel 1266 gli svevi persero la battaglia di Benevento, il loro regno fu occupato dal vincitore Carlo I d'Angiò, un stretto alleato di Papa Clemente IV. Appena Carlo I si stabilì a Napoli stipulò, sicuro del sostegno del Papa, un contratto con Baldovino II a Viterbo il 27 maggio 1267; l'accordo prevedeva che Baldovino consegnasse a Carlo I la sovranità sul principato di Acaia sul Peloponneso e sulle isole nell'Egeo; in compenso Carlo I gli assicurava il suo aiuto per la riconquista di Costantinopoli. Inoltre fu concordato che il figlio di Baldovino, Filippo di Courtenay, probabilmente nato intorno al 1240, dovesse sposare la figlia di Carlo, Beatrice d'Angiò. Questo matrimonio fu celebrato nel 1273. Nello stesso anno morì Baldovino II e Filippo di Courtenay fu eletto imperatore titolare di Costantinopoli. Quest'elezione dunque legava l'impero legittimo anche alla casa Angiò a Napoli. Filippo I rimaneva a corte al servizio di Carlo I fino alla sua morte avvenuta nel 1283. L'unica sua figlia, Caterina di Courtenay, ereditò il titolo imperiale che fu tramandato ancora per alcuni generazioni senza che il regno si potesse più risollevare[12].

Il Gerola scoprì lo stesso stemma della tomba di Assisi su tre sigilli (figg. 8-10), pubblicati dal Schlumberger (1890) in un articolo sui sigilli e sulle bolle degli imperatori latini di Costantinopoli[13]. Secondo l'iscrizione in latino e greco, appartenevano a Filippo di Courtenay. Il primo sigillo è datato 1263, dunque già relativo ad un periodo successivo all'espulsione degli imperatori latini da Costantinopoli; il secondo esemplare fu usato ancora dopo la morte di Filippo[14]. Alcuni anni più tardi nel 1901 il Schlumberger scoprì un sigillo appartenente ad Enrico I (1206-1216), che rappresenta una variazione (fig. 11) di quest'ultimo stemma. In seguito, basandosi sui sigilli pubblicati dal Schlumberger, il Prinet (1911) ha supposto che non si trattava di uno stemma relativo agli imperatori del casato dei Courtenay e dei loro discendenti, ma che questo stemma era quello generalmente usato dagli imperatori latini[15]. Il Gerola, considerando il fatto che la variante dello stemma applicato sulla tomba di Assisi, appare sui sigilli di Filippo di Courtenay solo dal 1263 in poi, ha identificato il defunto della tomba con l'imperatore titolare Filippo I, il cui monumento funebre sarebbe stato eretto immediatamente dopo la sua morte nel 1283[16]. In seguito lo stesso Gerola si è convinto che la tomba sarebbe stata destinata a Giovanni di Brienne, commissionata attorno al 1326 da un lontano discendente Gualtieri VI di Brienne[17]. Il Gerola dunque, a proposito della discussione sull'arme, condivideva l'opinione del Prinet.

Contrariamente a questa posizione si sottolinea che lo stemma della tomba di Assisi (figg. 3-4, 7) non sembra probabile appartenere a nessuno degli imperatori latini di Costantinopoli (1204-1261), e neanche a Giovanni di Brienne. Le armi apparse sui loro sigilli e sulle loro bolle, dimostrano attributi araldici diversi (per esempio un leone rampante). Anche lo stemma messo in relazione dallo Schlumberger nel 1901 con l'imperatore Enrico non concorda con quello della tomba (figg. 11,7). Questo stemma, dunque, appare per la prima volta su un sigillo del 1263 del giovane Filippo di Courtenay- *"figlio dell'imperatore"*- ed in seguito in quelli usati da suoi successori.

Perciò, tenendo presente l'aspetto dello stemma, la tomba di Assisi rappresenta il monumento funebre per Filippo di Courtenay. Se quel monumento fu eretto per Filippo, immediatamente dopo la sua morte nel 1283, o invece per Giovanni di Brienne intorno al 1326, questo lo si può dedurre dalla tipologia della tomba, dall'architettura del monumento e dallo stile delle sculture. E qui nasce la domanda sul ruolo del maestro-progettista e dell'artista-esecutore[18].

Lo scultore e la collocazione originaria

Per quanto riguarda le sculture della tomba imperiale (figg. 2, 4, 5, 6), malgrado le diverse proposte per una datazione fra il 1283 ed il 1330, c'è consenso nell'affermare che l'artista-esecutore fu notevolmente influenzato dalla scultura francese[19]. Quest'aspetto viene confermato dall'attribuzione della tomba allo scultore senese Ramo di Paganello, di cui è documentato un soggiorno oltralpe, in quanto gli fu dato il permesso nel 1281 di ritornare da lì a Siena: *"Item cum Magister Ramus filius Paganelli de partibus ultramontanis, qui olim fuit civis senensis, venerit nunc ad civitatem Sen: pro serviendo operi beate Marie de Senis; ex eo quod est de bonis intalliatoribus et subtilioribus de mundo qui inveniri possit...."*[20]. Il problema di quest'attribuzione consiste nella mancanza di opere documentate di Ramo di Paganello che possono consentire un confronto.

Il Valentiner, primo a riconoscere le concordanze artistiche fra le figure di Cristo e dei dodici apostoli del rilievo di bronzo (figg. 16-19), che decora l'architrave della Porta del Vescovado della Cattedrale orvietana, e le sculture della tomba imperiale (figg. 4-6, 21, 22, 25, 26), ha rivendicato la paternità di Ramo di Paganello per il rilievo di bronzo, anche se era ben consapevole del fatto che un altro - cioè Rubeus - aveva firmato il rilievo: RUBEU(s) FEC(it) h(oc) OP(us). Nel 1277 Rubeus - anche questo sapeva il Valentiner - aveva creato il grande bacile di bronzo della Fontana Maggiore di Perugia, opera autenticata da una iscrizione. Valentiner pensava che il Rubeus *"signed the three bronze caryatids"* sull'apice della fontana di Nicola e Giovanni Pisano; queste figure comunque si presentano fedeli allo stile dei maestri pisani e sono fondamentalmente differenti dal rilievo orvietano. Perciò il Valentiner concludeva che anche a Orvieto il rilievo non fu modellato dal Rubeus, ma che da lui fu solamente fuso in bronzo. Su un aspetto il Valentiner vedeva chiaro: *"If he had been the sculptor, this little padellaio would have been the creator of the monumental tomb in Assisi - which is most unlikely"*. Dunque, indipendentemente dal Ragghianti, il Valentiner arrivava alla conclusione che il rilievo orvietano sarebbe attribuibile a Ramo di Paganello[21]. Sebbene le tre portatrici d'acqua non siano delle cariatidi, non è appropriata l'affermazione che Rubeus abbia firmato questo trio. Un'iscrizione si trova sul bordo del bacile di bronzo; per primo è nominato Bonasegna come *"magister huius operis"*, seguono Geraldino de'Buschetti come podestà ed Anselmo di Alzate come capitano del popolo di Perugia - confermando così l'anno 1277 - ed infine è iscritto :*"Rubeus me fecit"*. Una seconda iscrizione sul pilastro di bronzo sotto il bacile indica i nomi di Matteo da Correggio ed Ermanno da Sassoferrato, che nel 1278 rivestivano la carica di podestà e di capitano del popolo[22]. Nel 1277, quando Nicola e Giovanni Pisano arrivavano a Perugia, il bacile di bronzo era già stato fuso o era in procinto di essere fuso; perciò l'opera dovrebbe essere stata creata tenendo presente un primo progetto della fontana, comunque prima di essere inclusa nel progetto realizzato nel 1277/78 da Nicola e Giovanni Pisano. In conseguenza il pilastro bronzeo, che porta la bacinella, doveva essere stato fuso nel 1278. Probabilmente nello stesso anno - giudicando gli aspetti stilistici - Giovanni Pisano ha modellato le portatrici d'acqua fondendole in bronzo con l'aiuto di Rubeus[23]. Per nessun motivo si può negare la firma di Rubeus sul rilievo bronzeo dell'architrave (figg. 16-19) della Porta del Vescovado del Duomo di Orvieto. Indubbiamente è merito di Gramaccini e di Lunghi di aver riferito ultimamente il giusto riconoscimento al messaggio semplice e chiaro:" *Rubeus fecit hoc opus*" e con ciò di aver ripresentato questo scultore-bronzista per un lungo periodo completamente ignorato[24].

Il Valentiner, come il Venturi, ha qualificato il Rubeus del rilievo bronzeo orvietano come *"little padellaio"*, cioè come un'operaio che produce delle padelle e delle pentole[25]. Questa denominazione si basa su una nota del Milanesi, che ha identificato il Rubeus, autore del bacile perugino del 1277, con il *"Rosso padellario"* che nel 1264 ricevette diversi pagamenti per la guarnizione in rame della palla della cupola della Cattedrale di Siena; sottolineava comunque che questo è solo una congettura non sicura e dimostrabile[26]. Il patinare una palla con rame era compito di un artigiano, che appunto lavorava in rame e produceva anche delle padelle; lavori, questi, che senz'altro appartenevano ad un'altra categoria meno esigente e diversa che quella dell'attività di un fonditore di bronzo. Il Bacci ed ultimamente il Lunghi hanno esplicitamente respinto l'identificazione del Rosso senese del 1264 con il Rubeus perugino del 1277[27].

Di diverso carattere si presenta la problematica delle monumentali figure a tutto tondo in bronzo del grifo e del leone rappresentate sopra il portale della Sala dei Notari del Palazzo dei Priori a Perugia. Secondo i documenti il grifo era già in lavorazione nel maggio 1274 ed ambedue le figure bronzee erano state compiute nel 1 marzo 1275[28]. Nel 1281 il grifo ricevette le ali, la coda del leone fu aggiunta ed ambedue gli animali furono indorati e collocati sulla fontana appena terminata da Arnolfo di Cambio sulla stessa piazza a Perugia[29]. In maniera convincente il Lunghi ha attribuito a Rubeus le due figure bronzee del grifo e del leone, cioè ad un artista che in questa città, come testimonia il bacile di bronzo da lui firmato e datato 1277, è documentato come un vero maestro nel fondere il bronzo. Inoltre il Lunghi ha notato che in tutt'Italia nel Dugento non si trovano ulteriori opere figurative in bronzo dimensionalmente comparabili. L'esempio cronologicamente e geograficamente più vicino è il rilievo bronzeo, firmato da Rubeus, con *Cristo fra i dodici apostoli* della Cattedrale di Orvieto[30].

Il monaco silvestrino Fra Bevignate fu consultato dal governo della città di Perugia quasi per tre decenni dal 1260 circa fino al 1290 per i più importanti impegni e incarichi architettonici che dovevano regalare un aspetto nuovo all'antico centro [31]. Fra questi lavori di urbanistica troviamo l'impianto della Fontana Maggiore realizzato sotto la sua guida, mentre Nicola e Giovanni Pisano creavano le sculture in marmo e Rubeus aggiungeva il bacile in bronzo. Più tardi Fra Bevignate assunse fino al 1301 la direzione dei lavori per la nuova costruzione della Cattedrale orvietana, di cui la posa della prima pietra risale al 1290. In quel periodo furono costruiti i muri esterni del Duomo, i pilastri nell'interno ed una parte del tetto[32]. Dunque è sotto la guida di Fra Bevignate, con il quale era in rapporti di collaborazione a Perugia che Rubeus elaborò attorno al 1295 il rilievo bronzeo dell'architrave.

L'architrave (figg. 16-19) consiste in una lastra trasversale rettangolare e molto allungato, uno spazio che presenta non poche difficoltà per inserire una composizione a rilievo. Rubeus ha risolto il suo compito di rappresentare Cristo con i dodici apostoli in maniera tale che alla figura di Cristo in trono venga assegnato il centro; sei apostoli sono distribuiti per ogni lato con scarto minimo fra ciascuna figura. Chi considera una tale composizione come una semplice disposizione a fila, non riconosce il carattere solenne di questa messa in scena della corte celeste. La monotonia di una semplice sequenza viene evitata dalla diversità dei comportamenti delle figure, alle quali non si può negare una certa vivacità. Gli apostoli in piedi raggiungono l'altezza del Cristo seduto; non sono solo la sua altezza e la sua posizione centrale a sottolinearne l'importanza quanto il fatto che il trono posa leggermente sollevato su una soglia (con la firma) e che la testa coll'aureola, come unico elemento figurativo, s'incrocia con il listello superiore della cornice. Anche se Cristo siede sul trono in maniera frontale, il suo portamento non è affatto rigido, ma sciolto, un effetto questo provocato sia dalla variazione nella disposizione delle gambe e dal movimento delle braccia, sia in particolare dal flusso dinamico nelle vesti generosamente drappeggiate. Con il suo volume vigoroso la figura di Cristo risalta dalla superficie di fondo come è riconoscibile anche da un punto di vista laterale. Sul lato sinistro di Cristo , guardando, è stato collocato Pietro, sull'altro lato si trova Paolo, entrambi con gli attributi canonici. Le figure sono modellate in maniera tale che il profilo è leggermente affilato all'indietro e staccato dal fondo piano del rilievo. Andamento questo che genera particolarmente l'impressione di plasticità ed di dinamismo sottolineata dallo slancio a S che attraversa le figure fino alle teste quasi violentemente piegate. Le figure dei due apostoli e di Cristo concordano nel drappeggio delle vesti e nella modellazione del tessuto, ed in maniera uguale si presentano la forma della testa e l'aspetto del viso con gli occhi particolarmente pungenti. Mentre i cinque apostoli sulla destra di Paolo s'apparentano del tutto alle tre figure centrali nel loro modo leggero e flessibile, i cinque apostoli accanto a Pietro presentano invece un comportamento più goffo, condizionato dal risalto delle due gambe e dall'allineamento frontale dei piedi.

Nella concezione del rilievo, cioè nel collocare le figure avanti al fondo piano del rilievo e sul listello inferiore, Rubeus segue l'esempio francese, analogo alla scultura senese, come avviene nel rilievo per la consacrazione del cimitero in San Francesco in Siena datato 1298[33]. A questo proposito basti citare come esempio francese l'ancona d'altare di Saint-Germer-de-Fly, eseguita fra il 1259 e il 1266, ora nel Musée de Cluny a Parigi, che dimostra un'analoga composizione paratattica[34]. Tuttavia i personaggi del rilievo di Rubeus anche nella concezione figurativa si orientano verso gli esempi francesi, richiamati particolarmente nella struttura e nei drappeggi delle tre figure centrali e in quella dell'apostolo Andrea (la terza figura da destra)[35] (figg. 18,20).

Come precedentemente ha notato il Valentiner[36], il Cristo firmato da Rubeus e la Madonna della tomba imperiale di Assisi (figg. 22-23) s'assomigliano nel taglio della figura e nel modellato delle pieghe, come si nota specialmente osservando le gambe. Comparando il viso di Gesù bambino seduto sul ginocchio della Madonna con quello di Cristo, si trovano affinità nell'impostazione larga e nello sguardo pungente. Valentiner e Lunghi hanno confrontato gli apostoli sia dell'architrave che della tomba (figg. 20,21) indicando in maniera convincente le conformità artistiche[37]. Come nell'architrave la veste di Paolo, (fig. 18) toccando il pavimento, si comprime in maniera tale che le sue pieghe quasi stanno per rompersi, questo motivo riappare simile nell'angelo (fig. 5) a destra nella camera funeraria della tomba. Il motivo della manica che gradualmente cala giù si presenta ugualmente nel braccio alzato dell'angelo e in quello proteso del Cristo benedicente (fig. 23). L'apostolo Andrea dell'architrave (fig. 20) nelle sue proporzioni, nella sua mobilità ed anche nei drappeggi delle vesti è comparabile all'imperatore seduto sul leone (fig. 25). Dunque le figure, sia dell'architrave che della tomba, usano lo stesso linguaggio artistico. Perciò si suppone che li abbia creati un solo artista, cioè Rubeus.

Il Ragghianti, seguito dal Lunghi, ha messo in rapporto artistico le sculture della tomba con una *Madonna* lignea (fig. 27) conservata nel Museo dell'Opera del Duomo di Orvieto[38]. L'attribuzione a Rubeus viene confermata paragonando quest'ultima scultura con quella dell'apostolo Barnaba all'estremo lato destro dell'architrave o con una delle figure del sarcofago della tomba imperiale di Assisi (fig. 26). La statua della Madonna dovrebbe essere stata eseguita intorno al 1295, quasi contemporaneamente all'architrave. Però mi pare ancora più importante un'osservazione di Valentiner che, paragonando le figure di Cristo nell'architrave e della Madonna nella tomba (figg. 22-23) con la statua più grande del naturale di Papa Bonifacio VIII in trono collocata sopra la Porta della Rocca di Orvieto (fig. 24), annota in modo lapidario: *"I believe we can recognize without difficulty the same artist"*[39]. Il Valentiner ha ragione, solo che quest'artista non è da identificare - secondo il Valentiner - con Ramo di Paganello, ma con Rubeus conformemente alla firma sull'architrave.

Basandosi probabilmente su delle fonti più antiche, Cipriano Manente (1561) nelle sue *"Istorie"* racconta che Papa Bonifacio VIII confermò al comune di Orvieto il possesso di Val di Lago e di Acquapendente e che il comune in seguito fece fare due statue in onore ed in memoria di Sua Santità per collocarle una sopra la Porta Maggiore e l'altra sopra la Porta Postierla[40]. Comunque la ragione per questa manifestazione di onorificenza nei confronti di Bonifacio VIII era piuttosto valida: in conseguenza della sede papale vacante per più di due anni dopo la morte di Papa Niccolò IV (4.4.1292 - 5.7.1294; seguito da Papa Celestino V) il comune di Orvieto si era impossessato delle proprietà terriere papali nella regione di Val di Lago e di Acquapendente. Nella controversia seguente fra Papa Bonifacio VIII (eletto il 24.12.1294) e la città di Orvieto infine fu stipulato un contratto fra le due parti privilegiando la città, la quale s'impegnava di collocare le statue con l'effigie del Papa sopra le due soprannominate porte. Inoltre, per l'anno 1297, Bonifacio fu eletto podestà e capitano del popolo di Orvieto, dove soggiornò poi insieme alla curia nella seconda metà dell'anno 1297. La statua sopra la porta Postierla, anche nominata Porta della Rocca (fig. 24) dovrebbe essere stata eseguita più o meno in quel periodo 1296/97 da Rubeus, mentre il suo pendant in onore del Papa sopra la Porta Maggiore dovrebbe risalire al 1300 circa[41].

Il monumento funebre dell'imperatore ad Assisi (fig. 2), che Rubeus ha eseguito dopo la morte di Filippo da Courtenay nel 1283 e prima della sua attività a Orvieto intorno al 1295, è stato eretto in maniera un po' angusta, in parte dentro ed in parte aggettanti fuori da una nicchia muraria nella parete posteriore della quarta ed ultima campata della navata della chiesa inferiore di San Francesco (fig. 1). Il fiore a croce sul fastigio del baldacchino della tomba e il pinnacolo a sinistra perforano la volta della campata. Perciò lo Hertlein supponeva che la tomba non si trovasse al suo posto d'origine, ma che essa avesse trovato la sua collocazione odierna intorno alla metà del Trecento. Originariamente il monumento dovrebbe essere stato eretto nel lato nord, immediatamente adiacente, della quarta campata, che allora era stato chiuso da un muro, in seguito abbattuto durante la costruzione del transetto con una copertura a volta a botte[42]. Nella sua argomentazione Hertlein non si rese conto che l'orientamento sia della figura del defunto, sia degli angeli nella camera funeraria, esclude questa ipotetica collocazione, in quanto la figura del defunto e gli angeli in questa maniera non si orienterebbero verso l'altare, ma al contrario verso il lato opposto. Il Lunghi invece ha pensato che la tomba avesse avuto il suo posto, in origine, in uno dei due fronti del transetto ovest e che intorno al 1300 sia stata rimossa a causa del nuovo fabbricato aggiunto della Cappella di San Niccolò oppure quella di San Giovanni. Quest'ipotesi viene esclusa dalle osservazioni di Schenkluhn, secondo cui fin dal principio esistevano cappelle nelle testate del transetto sostituite poi dalle due cappelle attuali[43]. Dunque non può essere vera l'idea che la tomba imperiale originariamente fosse stata eretta in un'altra parte del San Francesco e che fosse stata spostata in seguito nella posizione attuale. Rubeus ha eseguito la tomba proprio per la collocazione attuale.

Il defunto ed il committente della tomba

Vari argomenti sono stati addotti per identificare il defunto del monumento funebre con Giovanni di Brienne: primo, Fra Bartolomeo da Pisa nella sua opera *"De conformitate vitae beati Francisci ad vitam Domini Jesu"*, redatto nel 1385/90 ca., tramanda che Giovanni di Brienne fu sepolto lì. Secondo, soprattutto Gerola, Wolff e Hertlein notavano che Giovanni di Brienne, avendo conosciuto personalmente San Francesco, probabilmente partecipò alla cerimonia di canonizzazione di costui nel 1228 ad Assisi; comunque nei suoi ultimi anni di vita come imperatore egli si fece terziario; inoltre gli autori fanno presente che l'*"Imperator Constantinopolitanus"* fu uno dei più noti laici nel primo periodo dell'ordine e che la famiglia Brienne fin dal principio si legò all'ordine francescano[44]. Terzo, Gualtiero VI di Brienne fu indicato come donatore del monumento funebre eretto per Giovanni deceduto un secolo prima. Quest'indicazione si basa su un paragrafo scritto dal Vasari che pensava di aver visto lo stemma di Gualtieri VI, duca di Atene, negli affreschi di Pietro Lorenzetti nella chiesa inferiore, attribuendo queste pitture però a Pietro Cavallini[45]. Con ciò il ruolo di Gualtiero VI come donatore in San Francesco ad Assisi sembrava aver trovato conferma[46].

Le fonti riguardanti la tomba ad Assisi fanno notare un continuo e lento cambiamento nella denominazione del defunto: da Giovanni, imperatore di Costantinopoli ad imperatore e poi da imperatrice di Costantinopoli a regina di Cipro ed infine Eugubea, regina di Cipro. Già il Gerola ha supposto che anche Fra Bartolomeo da Pisa, nella sua indicazione, abbia contribuito ad una differenziazione del nominativo, in quanto teneva in mente la persona Giovanni da Brienne come un uomo dedito ai modi di vita francescana, come un membro del Terzo Ordine ed infine come re di Gerusalemme e come imperatore di Costantinopoli legato all'ordine francescano[47]. Giovanni di Brienne morì nel 1237 a Costantinopoli e probabilmente fu sepolto lì; e nessuna fonte e nessun documento indicano una traslazione delle sue spoglie in Francia o in Italia[48]. Perciò Hertlein riteneva che il monumento funebre fosse un cenotafio. In definitiva Gualtiero VI da Brienne non può essere considerato il committente della tomba. La nota vasariana riguardante lo stemma di Gualtiero VI negli affreschi del Lorenzetti resta inverificabile; gli affreschi comunque sono stati eseguiti prima del presunto soggiorno di Gualtiero VI ad Assisi nel 1326/28[49] e con ciò si esclude la sua persona come committente degli affreschi. Ed anche come donatore della tomba non si può pensare a Gualtiero VI, visto che la tomba - come abbiamo dimostrato prima - è stata eseguita fra il 1283 e il 1295.

Ulteriori aspetti impediscono l'identificazione del defunto con Giovanni di Brienne: Gualtiero VI non era un discendente di Giovanni, ma egli apparteneva ad un altro ramo di questa famiglia. Giustamente il Gerola ha sottolineato che lo stemma dell'imperatore di Costantinopoli solo dal 1263 è documentato in questo modo e che così probabilmente ancora non è stato usato nel 1237. Per di più Gerola ha osservato che la tomba avrebbe dovuto recare non solo l'arme dell'imperatore di Costantinopoli, ma anche quello del re di Gerusalemme, se il monumento fosse stato destinato a Giovanni da Brienne. Infine il Gerola ha fatto notare che ambedue le figure imperiali della tomba rappresentano degli uomini di età media, mentre Giovanni da Brienne morì nell'età straordinaria di quasi novant'anni. Anche se non ci sono da aspettarsi dei segni di ritrattistica nelle figure, nel caso di Giovanni di Brienne alcuni tratti della particolare età certamente avrebbero potuto caratterizzare le figure[50].

L'attribuzione delle sculture della tomba a Rubeus porta ad una datazione prima del 1295, cioè prima dell'attività orvietana dell'artista. In conseguenza il defunto sarebbe da identificare coll'imperatore titolare di Costantinopoli Filippo di Courtenay, morto nel 1283. Anche l'arme inserito nella tomba può dare una conferma, in quanto il blasone fu usato in questa variazione, anche più volte, solo da Filippo di Courtenay[51]. Soltanto questo motivo offre già una solida base per l'identificazione del defunto con Filippo di Courtenay.

L'importanza di Filippo di Courtenay come imperatore titolare di Costantinopoli non è stata adeguatamente valutata nella letteratura riguardante la tomba ad Assisi[52], neanche dagli autori che legano questa figura alla tomba.

Quando il 26 febbraio 1266 Carlo I d'Angiò con l'aiuto di Papa Clemente IV sconfisse Manfredi nella battaglia di Benevento e conquistò, con un colpo di mano, anche il regno svevo nell'Italia del sud e la Sicilia, prese anche l'imperatore latino di Costantinopoli Baldovino II di Courtenay, che era stato espulso nel 1261 da Costantinopoli dal suo rivale greco l'imperatore Michele VIII Paleologo trovando poi ospitalità alla corte di Manfredi. Carlo I non aveva ancora del tutto assicurato il suo potere nel regno svevo dell'Italia del sud, quando volgeva il suo sguardo verso est. Nel maggio del 1267, presso la curia papale a Viterbo, Carlo I stipulò due contratti, intesi a convalidare le sue pretese sui territori dell'impero greco di Costantinopoli. Il 24 maggio 1267 Guglielmo di Villehardouin, principe di Acaia, sottopose il suo principato alla supremazia di Carlo I; nel 1271 il contratto ebbe come conseguenza anche il matrimonio dei loro figli, Filippo d'Angiò ed Isabella. Il 27 maggio 1267 Baldovino II dovette cedere a Carlo I in gran parte i suoi diritti come imperatore latino ed in particolare il predominio sul principato di Acaia. In seguito la politica di Carlo I fu sempre caratterizzata dalla premura di espandere la sua influenza sulla Grecia e sull'Albania e di strappare nuovamente Costantinopoli al regime dell'imperatore greco Michele Paleo-logo. Nello spirito di questa politica Carlo I nel 1273 dette in sposa la sua figlia Beatrice al figlio di

Baldovino II Filippo di Courtenay, il quale già nello stesso anno ereditò il titolo d'imperatore di Costantinopoli. Filippo rimase strettamente legato a Carlo I anche dopo la morte, avvenuta nel 1275, della moglie dalla quale aveva avuto la figlia Caterina. Dopo che negli anni settanta del Dugento la politica di Carlo I non trovò l'incondizionato appoggio dei papi Gregorio X (1271-76) e Niccolò III (1277-80), anche a causa dell'abile diplomazia svolta dal suo avversario, l'imperatore Michele VIII, la situazione cambiò quando nel 1281 a Orvieto Martino IV fu eletto Papa con l'aiuto di Carlo I. Il 3 luglio Martino IV organizzò un incontro a Orvieto fra Carlo I, il suo genero ed imperatore titolare Filippo di Courtenay ed una delegazione della repubblica di Venezia stipulando un contratto *'per il ripristino dell'impero latino occupato dai Paleologi'* e pianificando per l'aprile 1282 una spedizione in comune contro Costantinopoli. Martino IV inflisse all'imperatore Michele VIII la scomunica per eresia. Però, poco prima dell'inizio della crociata, la Sicilia si ribellò al dominio di Carlo I: avvenne il lunedì di Pasqua del 1282 (30 marzo) con i Vespri siciliani, scegliendo in seguito la protezione della casa aragonese. La crociata contro Costantinopoli fu cancellata[53].

Nel nostro contesto è importante notare che Filippo di Courtenay ebbe legami familiari con Carlo I assumendo, proprio come imperatore titolare di Costantinopoli, un ruolo importante e legittimato nel disegno politico e militare di Carlo I. Filippo morì alla fine dell'anno 1283. Dunque la tomba di Assisi, che reca l'arme di Filippo di Courtenay, può essere stata commissionata da una persona sola, cioè da Carlo I, che morì a Foggia all'inizio del 1285. Perciò la commissione per l'erezione del monumento funebre di Assisi dovrebbe risalire all'anno 1284.

L'imperatore sul leone

L'appartenenza alla tomba della statua dell'imperatore sul leone (figg. 2,31) fu messa in discussione da Panofsky e poi contestata da Merz (fig. 28) e Herzner; infine lo Hertlein ha negato l'affinità delle figure dell'imperatore e del leone collocandole indipendentemente l'una dall'altra nella sua ricostruzione della tomba (fig. 29)[54]. Panofsky era dell'opinione che "la Madonna è stata raggruppata insieme ad una statua con fini ritrattistici originariamente destinata a tutt'altro uso, probabilmente di carattere profano" nella zona del baldacchino della tomba che, secondo il Panofsky, simbolizzerebbe il regno celeste[55]. Convincentemente lo Hertlein ha obiettato: "Inoltre la figura eseguita per uno scopo profano rimane difficilmente immaginabile in una chiesa francescana, anche se al limite essa potrebbe essere ritenuta appropriata nell'ambito di una tomba. Nella chiesa e nella cerchia del convento di Assisi non si trova nessun luogo adatto dove si sarebbe potuto erigere un monumento in onore dell'imperatore di Costantinopoli. Infine bisognerebbe tenere presente che la figura apparteneva alla tomba già alla fine del Trecento. Sarebbe stato insolito se in quell'epoca fossero stati mescolati dei monumenti di carattere profano e sacro. Il confronto stilistico evidenzia che le figure della Madonna e dell'imperatore sicuramente sono state eseguite dalla stessa mano. Addirittura ci sono affinità che le distinguono dalle altre sculture del monumento. In ambedue le figure le pupille sono state rese con pasta vitrea"[56]. Ovviamente il Hertlein non riusciva a dare un senso alla figura dell'imperatore seduto sul leone dichiarando poi in modo lapidario e senza dare una motivazione: "Infatti questa combinazione non è originaria". Perciò l'autore divideva l'imperatore dal leone per il cui ulteriore uso bisognava per giunta inventare un *pendant* ed un ulteriore sarcofago[57]. A questa separazione della figura dell'imperatore dal leone si opponeva di nuovo lo Herzner: "Dunque difficilmente si può considerare un caso il fatto che apparentemente questa statua, nel suo aspetto tramandatoci - cioè il regnante in trono sul dorso di un leone - corrisponde esattamente alla descrizione, già citata, della rappresentazione di Carlo I d'Angiò nella sua tomba napoletana: 'in abito reale sedente sopra un leone'. In ogni caso questa frase non può essere interpretata in senso tale che il re cavalcasse un leone come un cavaliere. Evidentemente il Capecelatro si era sentito obbligato di spiegare più precisamente il notevole "ensemble" aggiungendo infatti che il leone fu l'arme particolare scelta da Carlo: '...sopra un leone, che fu sua particolare impresa'. Inoltre l'appartenenza del leone nel contesto di un'impresa risulta oltre modo probabile, in quanto le figure di leoni, portatori di un sarcofago, di tale grandezza e con un tale posizionamento in diagonale del passo, come peraltro li vorrebbe inserire Hertlein nella sua ricostruzione, risulterebbero essere stati senza modello nella scultura sepolcrale italiana di quel periodo. Ma la figura in trono ad Assisi potrebbe davvero essere identificata con Carlo I d'Angiò?". In questo caso ovviamente la figura non poteva aver fatto parte del monumento imperiale; e Herzner annota, che "in ogni caso si escluderebbe sicuramente una destinazione sepolcrale a causa della posizione delle gambe simile a quella di un giudice profano"[58]. Herzner non ha discusse le ragioni adottate da Hertlein, come risposta al Panofsky, per l'eliminazione della figura dell'imperatore dalla tomba; comunque esse sono valide anche contrapposte all'opinione di Herzner. Quest'ultimo non ha preso in considerazione che la statua imperiale è stata già testimoniata sopra la tomba nel tardo Trecento, quando gli Angiò erano ancora i reggenti di Napoli; ed in quel tempo mai si sarebbe osato collocare la statua di Carlo I da Angiò in veste di giudice sulla tomba di un imperatore di Costantinopoli. Il tentativo di Herzner di separare la statua dalla tomba secondo una lettura storico-artistica è malfondato: "Inoltre, sembra evidente, che la figura del reggente, quasi senza corporeità, stilisticamente non leghi affatto con le altre sculture della tomba". Quest'opinione di Herzner non è accettabile[59]. In ogni caso l'immagine dell'imperatore sul leone non rimane un esempio unico e perciò il leone non si dovrebbe intendere come un'impresa di Carlo I d'Angiò. Inoltre Herzner non ha citato sia il saggio di Bloch sulla *Madonna sul leone*, significativo anche per l'immagine dell'imperatore sul leone, sia le indicazioni dello stesso Bloch nel *Lexikon der christlichen Ikonographie* sotto la voce *Löwe* ed infine le osservazioni di Ladner in relazione alle due statue in onore di Bonifacio VIII a Orvieto: "Su ambedue le porte della città troneggia Bonifacio VIII, in alto ed in maniera imponente sopra l'arco della porta, su quella della Porta della Rocca il papa è rappresentato seduto su un leone"[60] (figg. 33-34).

La figurazione dell'imperatore sul leone trova la sua origine nei cicli scultorei delle cattedrali francesi (fig. 32). "Per la prima volta nelle pareti dei portali ovest di St.Denis, intorno al 1140, appare un ciclo composto da statue maschili accompagnate da alcune figure femminili; queste statue, considerate come dei reggenti francesi, furono distrutte durante la rivoluzione francese, ma fortunatamente esse sono sopravvissute attraverso i disegni di Bernard de Montfaucon. Indubbiamente si tratta dei personaggi del vecchio testamento e la loro rappresentazione si inserisce nella lunga iconografia riguardante la genealogia di Cristo. Evidentemente la seconda figura della serie dei reali, che segue quella dei patriarchi, era collocata su un leone; si dovrebbe identificarla o come re Salomone secondo la sua disposizione o come Davide secondo l'attributo. Le statue delle pareti del portale nord di Chartres posano su dei basamenti simili, qui comunque Davide porta una lancia. Senz'altro l'inserimento degli avi di Cristo nella chiesa sepolcrale della casa reale francese assumeva un carattere politico intendendoli appunto come dei prototipi del reame francese. Intorno al 1220 nella galleria della facciata ovest della chiesa di Notre Dame a Parigi è stato concesso ai reali stessi una loro zona propria di rappresentanza: fino alla rivoluzione francese il centro è stato occupato dal sovrano seduto sul leone (la statua attuale risale alla metà dell'Ottocento). Questo concetto vale anche per le statue, eseguite poco dopo, nella galleria di reali della facciata ovest della cattedrale di Chartres, per quelle della facciata ovest della cattedrale di Amiens (fra il 1220-1236) ed inoltre per quelle del transetto sud della cattedrale di Reims (1230 ca.) (fig. 32), dove insolitamente il sovrano sul leone non occupa il centro della galleria"[61]. Nelle gallerie di reali la figura imperiale sul leone è da identificare con la persona di re Pipino[62]. "Quest'immagine è il prototipo di tutte le seguenti figurazioni di reali su un basamento a forma di leone, come per esempio la statua di Carlo Magno, che decora il pilastro d'ingresso a sud del Duomo di Fulda (1440 ca.), come le immagini dell'imperatore Carlo IV(?) e del duca Alberto II d'Asburgo sulla torre sud della cattedrale viennese di S. Stefano (1339/80 ca.) o come la figura dell'imperatore Enrico VII appartenente ad un stallo del coro di S. Gangolfo ed oggi conservata nel Museo Diocesano di Treviri (1360 ca.)"[63]. Questa serie si può completare con un elenco di altre statue, ma in posizione seduta anziché in piedi: l'immagine di Carlo I d'Angiò appartenente alla sua tomba già nel Duomo di Napoli (1333) tramandatoci dalla descrizione di Capecelatro, la figura di Papa Bonifacio VIII (figg. 33-34) sopra la Porta della Rocca a Orvieto (1296/97) e quella dell'imperatore titolare Filippo di Courtenay (fig. 31) sopra la sua tomba ad Assisi (1284).

" Se il re Pipino il Piccolo è stato osannato come primo e per il momento unico sovrano troneggiante sul leone, evidentemente s'intendeva creare un'analogia con una rappresentazione corrispondente di re Davide. Storicamente qui si rinnova l'idea della 'imitatio regis Davidis' attraverso il sovrano a partire dall'epoca bizantina raggiungendo l'apice sotto il regno dei Carolingi e nuovamente sotto quello dei Capetingi. Re Pipino sul leone è la personificazione di Davide, il leone di Giuda e fondatore di una nuova dinastia; e come Davide egli è il sacerdote reale legittimato, solamente per l'unzione sacerdotale ricevuta, contro il diritto e la tradizione di stirpe"[64].

Sicuramente quest'immagine del sovrano sul leone, che rievoca la figura di Davide, re di Giuda era conosciuta sia alla corte napoletana che alla curia papale, corrispondendo probabilmente alle loro rispettive idee[65]. Dunque, tenendo presente che il committente era il re Carlo I d'Angiò stesso, suocero del defunto, non può stupire il fatto di incontrare quest'immagine ad Assisi nella tomba dell'imperatore latino di Costantinopoli, Filippo di Courtenay. E quando il comune di Orvieto commissionò allo scultore, che eseguì questa tomba, la statua in onore di Papa Bonifacio VIII sopra la Porta della Rocca, non fu sorprendente il motivo del Pontefice troneggiante sul leone[66].

Lo stato originario e la tipologia della tomba

Nella tomba di Filippo di Courtenay i pinnacoli ed il fiore a croce sconfinano nel fastigio ed invadono perfino la volta. Lo Hertlein supponeva pertanto: "che, poiché la chiesa inferiore in nessun altro punto è più alta, la tomba (fig. 2), prima, avrebbe dovuto essere più bassa. È così probabile che il basamento attuale (sotto lo zoccolo della figura), durante la sua ristrutturazione posteriore, sia stato alzato in modo inadeguato, finché il monumento non si sia potuto adattare più all'altezza dell'ambiente della chiesa"[67]. Comunque bisognerebbe escludere che durante uno spostamento della tomba sia stato aggiunto il semplice basamento, con la conseguenza che i pinnacoli ed il fiore a croce non avrebbero più trovato lo spazio sufficiente in alto. Inoltre non è esatto dire che la chiesa inferiore in nessun'altro punto è più alta, va però affermato che nessuna delle pareti più alte - come si è dimostrato - è adatta come luogo per l'innalzamento della tomba. Pertanto il monumento, incluso il suo basamento, si trova al suo posto d'origine.

La struttura inferiore della tomba muraria (fig. 2) è composta da un semplice basamento e da uno zoccolo, che consiste in più gradini e profili variati nella forma e nel colore del marmo. Gli angoli del basamento e dello zoccolo sono stati rinforzati da aggetti sia sul fronte che sui lati. Su questa struttura inferiore posa il sarcofago circondato da piccoli pilastri, che con esso creano una unità strutturale. I pilastri formano un'architettura, che racchiude in se il sarcofago. Sulla facciata del sarcofago questi pilastri delimitano sei riquadri e ciascuno di essi è decorato con un arco cieco e con uno stemma; ogni laterale contiene un riquadro. Le paraste, riunendo quasi due pilastri, sono posizionate in diagonale. Dei piccoli tabernacoli, inseriti nei loro laterali, offrono lo spazio per delle statuette, come anche al centro davanti ai laterali del sarcofago un'altra statuetta troverebbe posto. Sulle paraste del sarcofago posano quattro pilastri, che portano un monumentale baldacchino (fig. 2) coperto da una volta a crociera ogivale a cassettoni; sulla fronte è stato inserito un arco trilobato sul quale s'innalza il fastigio. Nelle pareti laterali i pilastri del baldacchino sono stati ravvicinati, ma non si trovano del tutto accostati; sopra le strette arcate sono stati inseriti un pannello rettangolare per un arme ed un piccolo fastigio. Il muro chiude il lato posteriore. Sul sarcofago è stata collocata la camera funeraria racchiusa dalle tende, che è ambientata nel vano libero sotto il grande baldacchino, appoggiandosi solamente con il retro al muro posteriore. Due angeli tirano le tende sul lato anteriore permettendo così la vista della figura del defunto. L'ala aggiunta dell'angelo destro (fig. 2), che s'aggira avanti il pilastro del baldacchino, dimostra, che la camera funeraria è rimasta nella sua posizione originaria.

Secondo il Panofsky lo spazio (figg. 2,6) molto alto sopra la camera funeraria simboleggerebbe il regno celeste. Quest'ambiente riceve una statua con la *Madonna col bambino* ed un'altra raffigurante l'imperatore titolare *Filippo di Courtenay* seduto in posa imperiale con le gambe accavallate su un faldistorio[68], che viene portato da un imponente e ruggente leone. La statua si trovava lì già nel Trecento e dobbiamo accettare la sua appartenenza alla tomba, confermata anche dalle conformità stilistiche con la figura della Madonna. Il portamento del leone e dell'imperatore assegnerebbe al gruppo scultoreo una collocazione al lato sinistro del centro e la sua altezza evidentemente è stata accordata alla dimensione del baldacchino. La Madonna con il Gesù Bambino è seduta su un trono ampio e rialzato sul lato destro del vano sotto il baldacchino. Ed è importante notare che la Madonna si trova in una posizione leggermente più elevata in confronto al sovrano in trono sul leone. Dunque ambedue le figure sono in una giusta relazione l'una con l'altra. Nessun argomento potrebbe indurre a voler spostare il suo trono, solo perché la Madonna assume una disposizione centrale in altri monumenti funebri[69]. Qui la parte centrale è vacante; evidentemente essa era occupata in alto da un affresco raffigurante, probabilmente per ragioni iconografiche, l'immagine del Padre Eterno o di Cristo come giudice. Nessuno degli autori, che hanno studiato il monumento, ha preso in considerazione l'affresco piuttosto danneggiato sulla parete del vano del baldacchino come parte integrante del programma iconografico, cioè come quella parte della decorazione tombale, che ha assegnato alle statue dell'imperatore sul leone e della Madonna in trono il loro rispettivo posto formalmente e contenutisticamente adeguato.

La compattezza della parte inferiore (fig. 2) - del basamento, dello zoccolo ed del sarcofago architettonicamente racchiuso - è caratteristica per una formazione relativamente agli inizi dello sviluppo del monumento funebre monumentale a muro nel gotico italiano; i primi esempi sono le tombe per i Papi Clemente IV (+1268) ed Adriano V (+1276) in S. Francesco a Viterbo. Pietro Oderisi ha firmato il monumento per Clemente IV portandolo a termine nel 1272[70]. Delle prime opere eseguite da Oderisi e dal figlio Pietro fanno parte il reliquiario per Edoardo il Seguace e la tomba per Re Enrico III nella Westminster Abbey a Londra (1268/72)[71]. Il più prestigioso artefice di monumenti sepolcrali, appartenente alla prossima generazione, era Arnolfo di Cambio, uscito dalla bottega di Nicola Pisano: per il Cardinale Guglielmo De Braye (+1282) in San Domenico a Orvieto (fig. 30), per il notaio apostolico Riccardo Annibaldi (+1289) in San Giovanni in Laterano a Roma e per il Papa Bonifacio VIII, ancora vivente (1296-1300) nella Basilica di San Pietro a Roma [72]. Già nella sua prima tomba Arnolfo variò la pesante struttura a forma di blocco caratteristica dei primi monumenti e cercò l'arricchimento della decorazione scultorea. In confronto ai primi esempi ridusse il basamento e lo zoccolo in altezza. La struttura architettonica della tomba di Clemente IV, che racchiude il blocco del basamento, viene riportata sul sarcofago - decorato con l'arme - della tomba De Braye creando, in maniera innovativa, intorno al suo *gisant* una camera funeraria le cui tende vengono tirate da due chierici. Sopra il sarcofago le figure del defunto e del suo patrono da un lato, come anche quella del fondatore dell'ordine Domenico dall'altro lato, alzano lo sguardo verso la Madonna col Bambino. La differente larghezza dello zoccolo e del sarcofago indica che oltre il sarcofago rimaneva ancora lo spazio sufficiente per il baldacchino, che si estendeva su tutta la struttura e del quale sono rimasti soltanto alcuni frammenti. Osservando la tomba De Braye (1282/83) si possono notare delle affinità con la tomba di Filippo di Courtenay ad Assisi tenendo comunque presente, che la tomba De Braye non si presenta nel suo aspetto originario. Tuttavia, nella struttura del basamento, dello zoccolo, del sarcofago e della camera funeraria la tomba imperiale è comparabile a quella del Cardinale. Evidentemente sullo zoccolo non solo è stato posato il sarcofago, ma anche il baldacchino, che racchiudeva un grande vano sopra la camera funeraria e che offriva lo spazio necessario per ricevere un gruppo scultoreo strutturato in altezza. Il baldacchino della tomba De Braye avrebbe dovuto essere somigliante a quello della tomba ad Assisi, solo che il monumento orvietano non presenta negli angoli il posizionamento di traverso dei pilastri del baldacchino. Non è certo un caso che proprio nel ciborio d'altare, compiuto da Arnolfo di Cambio nel 1293, in Santa Cecilia a Trastevere a Roma, si può constatare questa disposizione di traverso delle paraste.

A partire della metà degli anni settanta del Dugento Arnolfo di Cambio era in stretti rapporti sia con Carlo I d'Angiò a Napoli che anche con la curia papale. Quando i Perugini nel 1277 vollero affidare ad Arnolfo di Cambio l'esecuzione di una fontana, dovettero chiedere a Carlo I l'esenzione dal servizio dello scultore[73]. E quando Carlo I ebbe l'intenzione di erigere alla fine del 1283 o all'inizio del 1284 un monumento funebre per il suo genero e stretto socio in politica, cioè l'imperatore titolare di Costantinopoli Filippo di Courtenay, per qualsiasi ragione fosse ad Assisi[74], dovrebbe aver chiesto ad Arnolfo di Cambio il progetto della tomba secondo un programma già elaborato. Infine Rubeus ha eseguito il lavoro negli anni 1284/85.

Note

Questa ricerca è nata durante un soggiorno di studio nel Trinity Term 1994 come Visiting Fellow dell'All Souls College in Oxford. Ringrazio tutti i Fellows dell'All Souls per la cortese ospitalità e la generosa collaborazione. Una particolare riconoscenza va a Sir John Pope-Hennessy*(+) e* Julian Gardner. *Sono molto grato a* Martina Ingendaay Rodio *per la traduzione del testo tedesco in italiano.*

1) Per la costruzione di San Francesco vedi: B. KLEINSCHMIDT, *Die Basilika San Francesco in Assisi*, I, Berlin 1915, pp. 7-28, 94-131; I. B. SUPINO, *La Basilica di San Francesco d'Assisi*, Bologna 1924, pp. 13-48; E. HERTLEIN, *Die Basilika San Francesco in Assisi. Gestalt - Bedeutung - Herkunft*, Firenze 1964, pp. 1-69; G. ROCCHI, *La Basilica di San Francesco ad Assisi*, Firenze 1982, pp. 31-83; J. POESCHKE, *Die Kirche San Francesco in Assisi*, München 1985, pp. 13-16, 59, 96, 99; W. SCHENKLUHN, *San Francesco in Assisi: Ecclesia specialis*, Darmstadt 1991, pp. 19-124; J. WIENER, *Die Bauskulptur von San Francesco in Assisi*, Werl 1991, pp. 274-279.

2) E. HERTLEIN, *Das Grabmonument eines Lateinischen Kaisers von Konstantinopel*, in 'Zeitschrift für Kunstgeschichte', XXVIII, 1966, p. 9, indicava come zoccolo l'elemento decorato con lo stemma e supponeva la mancanza di un sarcofago. Anche E. LUNGHI, *'Rubeus me fecit': scultura in Umbria alla fine del Duecento, in* 'Studi di Storia dell'Arte', II, 1991, p. 15, parla del "basamento". Invece proprio quest'elemento corrisponde esattamente al sarcofago della tomba del Cardinale Guglielmo De Braye (+1282) in San Domenico ad Orvieto eseguita da Arnolfo di Cambio; vedi anche: A. M. ROMANINI, *Arnolfo di Cambio e lo 'stil novo' del gotico italiano*, Milano 1969, pp. 23-56; A. M. ROMANINI, *Ipotesi ricostruttive per i monumenti sepolcrali di Arnolfo di Cambio. Nuovi dati sui monumenti De Braye e Annibaldi e sul sacello di Bonifazio VIII*, in: J. Garms-A. M. Romanini (Ed.), *Skulptur und Grabmal des Spätmittelalters in Rom und Italien*, Atti del Convegno (Roma, 4-6-luglio 1985),Wien 1990, pp. 109-113.

3) Nella descrizione di San Francesco scritta da

Fra Ludovico da Pietralunga da Città di Castello (+1580) si parla di dodici apostoli. La descrizione: Assisi, Biblioteca Comunale, Ms. no. 148, pubbl.: Due preziose descrizioni della Basilica Francescana di Assisi, in 'Boll. della R. Deputazione di Storia Patria per l'Umbria', XXVIII, 1927, pp. 15-16 (nell'appendice vedi: B. Marinangeli, p. 234); B. KLEINSCHMIDT, *Die Basilika San Francesco in Assisi, III. Dokumente und Akten zur Geschichte der Kirche und des Klosters*, Berlin 1928, pp. 8-26.- Hertlein, 1966, p. 42, n. 41, annota al riguardo, che esistevano solamente otto statuette, delle quali si sono conservate sei (mancano le statuette in mezzo ad ambedue i lati stretti del sarcofago); Lunghi, 1991, p. 15, parlava di "apostoli", ma nel sottotitolo delle figure 7 e 9 indica una figura come "S. Francesco".

4) Uno sguardo sugli studi recenti ci può confermare questo fatto: E. PANOFSKY, *Grabplastik. Vier Vorlesungen über ihren Bedeutungswandel von Alt-Ägypten bis Bernini*, Köln 1964, p. 94 n. 2; H. MERZ, *Das monumentale Wandgrabmal um 1300 in Italien. Versuch einer Typologie*, Diss. München 1965, pp. 77-81; Hertlein, 1966, pp. 1-50: P. SCARPELLINI (ed.), *Fra Ludovico da Pietralunga, Descrizione della Basilica di S. Francesco e di altri santuari di Assisi*, Treviso 1982, pp. 183-189; V. HERZNER, *Herrscherbild oder Grabfigur? Die Statue eines thronenden Kaisers und das Grabmal Heinrichs VII von Tino da Camaino in Pisa*, in: *Iconografia. Anleitung zum Lesen von Bildern. Festschrift Donat de Chapeaurouge*, München 1990, pp. 44-46: LUNGHI, 1991, pp. 9-23.

5) *Fra Bartholomaeo da Pisa, De conformitate vitae beati Francisci ad vitam Domini Jesu*, in: 'Analecta Franciscana', IV, QUARACCHI 1906, p. 347. Vedi anche: HERTLEIN, 1966, p. 35, 49 n. 182 - Per Giovanni di Brienne vedi più indietro e n. 12.

6) La prima citazione in: Archivio Notarile di Assisi, Protocollo di Ser Benvenuto di Stefano 1418, c. n. 23, f. 97, citata da P. G. ABATE, *Per la storia e l'arte della Basilica di S. Francesco in Assisi*, in: 'Miscellanea Francescana', LVI, 1956, p. 18. La seconda citazione in: 'Archivio Notarile di Assisi', Protocollo di Girolamo di Caro, 1469-1490, X, n. 5, 3. Agosto 1488, citata da ABATE, 1956, p. 18. Vedi anche HERTLEIN, 1966, p. 1.

7) KLEINSCHMIDT, III, 1928, p. 65; HERTLEIN, 1966, p. 1ss.

8) G. VASARI, *Le Vite de' più eccellenti pittori, scultori ed archittetori*, ed. G. Milanesi, I, Firenze 1878, p. 296.

9) Fra Ludovico da Pietralunga, ed. 1927, p. 15; Kleinschmidt, III, 1928, p. 28, leggeva "Elisabea"; Hertlein 1966, p. 2. - Hertlein 1966, p. 38 n. 8: "Nelle descrizioni della chiesa dal Sei- fino all'Ottocento si parla quasi sempre di due monumenti funebri nella chiesa inferiore, di quello della regina di Cipro nella campata iniziale e della tomba dell'imperatore di Costantinopoli, per la quale gli autori invece non sono mai stati in grado di indicare un posto preciso". Con indicazioni bibliografiche.

10) A. VENTURI, *Storia dell'arte italiana, IV. La scultura del Trecento*, Milano 1906, p. 142: regina di Cipro; Kleinschmidt, I, 1915, p. 153ss: Maria d'Antiochia, regina di Gerusalemme; Supino, 1924, pp. 68-72: Giovanni da Brienne; G. Graf Vitzthum - W. F. VOLBACH, *Die Malerei und Plastik des Mittelalters in Italien*, Potsdam 1924, p. 179: regina di Cipro; H. THODE, *Franz von Assisi und die Anfänge der Kunst der Renaissance in Italien*, 3. ed., Berlin 1926, p. 297: Giovanni da Brienne.

11) G. GEROLA, *Chi è il sovrano sepolto in San Francesco d'Assisi?*, in: 'Dedalo', VIII, 1927/28, pp. 67-81.

12) Per l'impero latino di Costantinopoli e per la storia della Grecia nel Duecento vedi: W. MILLER, *The Latins in the Levant. A History of Frankish Greece, 1204-1566*, London 1908; R. L. WOLFF, *Romania: The Latin Empire of Constantinople*, in: 'Speculum', XXIII, 1948, pp. 1-34; J. LONGNON, *L'Empire latin de Constantinople et la principauté de Morée*, Paris 1949; S. RUNCIMAN, *A History of the Crusades*, 3 vol., Cambridge 1951-54; D. M. NICOL, *The Despotate of Epiros*, Oxford 1957; W. MILLER, *Essays on the Latin Orient*, Amsterdam 1964; K. M. SETTON, *A History of the Crusades*, II; R. L. WOLFF - H. W. HAZARD, *The later Crusades, 1189-1311*, Madison-Milwaukee-London, 2. ed., 1969, con contributi di: J. LONGNON, *The Frankish States in Greece, 1204-1311* (pp. 235-274); E. H. McNeal - R. L. Wolff, *The Fourth Crusade* (pp. 153-185); R. L. WOLFF, *The Latin Empire of Constantinople, 1204-1261* (pp. 187-232); R. L. WOLFF, *Studies in the Latin Empire of Constantinople*, London 1976; D. E. QUELLER, *The Fourth Crusade. The Conquest of Constantinople, 1201-1204*, Leicester 1978.
Dello sviluppo storico dopo il 1261 e della persona di Carlo I d'Angiò si parla in: E. G. LÉONARD, *Les Angevins de Naples*, Paris 1954; S. Runciman, *The Sicilian Vespers. A History of the Mediterranean World in the Later Thirteenth Century*, Cambridge 1958; D. J. GEANAKOPLOS, *Emperor Michael Palaeologos and the West, 1258-1282. A Study in Byzantine-Latin Relations*, Cambridge, Mass. 1959; C. DE FREDE, *Da Carlo I d'Angiò a Giovanna I, 1263-1382*, in: E. PONTIERI ed altri (ed.), *Storia di Napoli, III. Napoli angioina*, Napoli 1969, pp. 5-333; J. R. STRAYER, *The Political Crusades of the Thirteenth Century*, in: 'Setton', II, 1969, pp. 343-375; D. M. NICOL, *The Last Centuries of Byzantium, 1261-1453*, London 1972; P. HERDE, *Carlo I d'Angiò*, in: 'Dizionario Biografico degli Italiani', XX, Roma 1977, pp. 227-235; A. NITSCHKE, *Carlo II d'Angiò*, in: 'Dizionario Biografico degli Italiani', XX, Roma 1977, pp. 227-235; P. HERDE, *Karl I. von Anjou*, Stuttgart 1979; N. HOUSELEY, *The Italian Crusades:*

The Papal-Angevin Alliance and the Crusades against Christian Lay Powers, 1254-1343, Oxford 1982; N. HOUSELAY, *The Later Crusades from Lyons to Alcazar,* Oxford- New York 1992.
Il personaggio di Giovanni da Brienne viene discusso in: L. BÖHM, *Johann von Brienne, König von Jerusalem und Kaiser von Konstantinopel,* Heidelberg 1938; L. BREHIER, *Jean de Brienne,* in: 'Dictionnaire d'Histoire et de Geographie Ecclesiastique', X, Paris 1938, pp. 698-709; R. L. WOLFF, *The Latin Empire of Constantinople and the Franciscans,* in: 'Traditio', II, 1944, pp. 213-237.
Per la figura di Filippo di Courtenay vedi: C. MINIERO RICCIO, *Genealogia di Carlo I d'Angiò, prima generazione,* Napoli 1857, p. 35; R. L. WOLFF, *Mortgage and Redemption of an Emperor's Son: Castile and the Latin Empire of Constantinople,* in: 'Speculum', XXIX, 1954, pp. 54-84; Runciman,1958, ed.1992, pp. 137, 158, 162, 166, 194, 198, 210, 270; Herde, 1979, pp. 83-98.

13) Gerola,1927/28,pp. 67-70. G. SCHLUMBERGER, *Sceaux et bulles des Empereurs Latins de Constantinople,* in: 'Bulletin Monumental', LVI, ser. VI, tom. VI, 1890, tav. III. 6, IV, V, vedi anche pp. 20-22.

14) SCHLUMBERGER, 1890, pp. 20-22, tav. III. 6 - V.

15) G. SCHLUMBERGER, *Un nouveau sceau de l'Empereur Henri Ier d'Angre de Constantinople,* in: 'Revue Numismatique', ser. IV, V, 1901, pp. 396-397. M. PRINET, *Les armoiries des Empereurs Latins de Constantinople,* in: 'Revue Numismatique', ser. IV, XV, 1911, pp. 250-256.

16) GEROLA, 1927/28, p. 70.

17) G. GEROLA, *Giovanni e Gualtero di Brienne in S. Francesco in Assisi,* in: 'Archivum Franciscanum Historicum', XXIV, 1931, pp. 330-340. L'autore s'appella al Vasari (Vasari, ed. Milanesi, I, 1878, p. 540), il quale credeva di aver trovato un'arme di Gualtieri VI, il duca di Atene, negli affreschi di Pietro Lorenzetti nel transetto della chiesa inferiore di San Francesco attribuiti dal Vasari a Pietro Cavallini. Gerola supponeva, che Gualtieri VI da Brienne potrebbe aver donato gli affreschi commissionando contemporaneamente la tomba per l'antenato. La datazione degli affreschi di Pietro Lorenzetti è in discussione, in quanto rimane incerto, se essi sono stati eseguiti prima, durante o dopo il dominio ghibellino ad Assisi dal settembre 1319 fino al marzo 1322 (S. BRUFANI, *Eresia di un ribelle al tempo di Giovanni XXII: Il caso di Muzio di Francesco d'Assisi,* Perugia-Firenze 1988); vedi J. POLZER, *Pietro Lorenzetti's artistic origin and his place in Trecento Sienese painting,* in: 'Jahrbuch der Berliner Museen', XXXV, 1993, p. 72 n. 15, che concorda con l'opinione di Carlo Volpe, che una decorazione pittorica fu impedita per un certo periodo non dallo spirito patriottico dei ghibellini, ma dall'oppressione guelfa dal 1322 in poi e che la rivolta ghibellina del 1319 sotto la guida di Muzio di Francesco (p. 91 n. 35) non necessariamente avrebbe condizionata una interruzione, ma che certamente avrebbe avuto un suo significato la vittoria papale il 29 marzo 1322. Nell'articolo di Polzer si trovano ulteriori indicazioni bibliografiche.

18) Finora questi quesiti hanno trovato una serie di risposte leggermente variate fra di loro riguardante l'identificazione, la datazione, l'attribuzione e la definizione stilistica: E. ZOCCA, *Catalogo delle cose d'arte e di antichità d'Italia,* Roma s.a. (1936), pp. 18-19: Filippo - inizio del Trecento- "un cosmatesco piuttosto rozzo" - dopo la tomba De Braye; E. CARLI, *Scultura del Duomo di Siena,* Torino 1941, pp. 15, 37: Filippo- maestro con influenze francesi; Wolff, 1944, pp. 234-237: Giovanni; C. L. RAGGHIANTI, *Scultura lignea senese (e non senese),* in: 'La Critica d'Arte', VII, 1950, pp. 489-495: Filippo- 1308- Ramo di Paganello; P. TOESCA, *Il Trecento,* Torino 1951, p. 195ss, 369: probabilmente Giovanni- fine Duecento- "scultore oltramontano" con influenze francesi ed inglesi e con parentela con le opere di Nicola e Giovanni Pisano; W. R. VALENTINER, *The Master of the Tomb of Philippe de Courtenay in Assisi,* in: 'The Art Quarterly', XIV, 1951, pp. 3-18: Filippo- prima del 1293- Ramo di Paganello- committente la corte napoletana; J. POPE-HENNESSY, *Italian Gothic Sculpture,* London 1955, p. 21 (2a ed., 1972, p. 19; 3a ed., 1985, p. 19): Filippo - Ramo di Paganello(?); Abate, 1956, p. 16; Giovanni; P. E. SCHRAMM, *Herrschaftszeichen und Staatssymbolik,* III, Stuttgart 1956, p. 845: Giovanni; M.WUNDRAM, *Toskanische Plastik von 1250 bis 1400,* in: 'Zeitschrift fur Kunstgeschichte', XXI, 1958, p. 260: Filippo- prima del 1310- Ramo di Paganello; M. H. LONGHURST, *Notes on Italian Monuments of the 12th to 16th Centuries,* London 1962, C 28: riferisce solo la bibliografia fino al 1936; H. DECKER, *Gotik in Italien,* Wien-München 1964, p. 283: Giovanni- 1260 ca.- scultore francese- primo esempio di una tomba con baldacchino; Panofsky, 1964, p. 94 n. 2: Filippo- fine Duecento/ inizio Trecento - dopo la tomba De Braye; Merz, 1965, p. 77-81: Giovanni- 1326 ca. - donatore Gualtieri VI da Brienne; Hertlein, 1966, pp. 1-37: Giovanni - commissione 1326/28 - donatore Gualtieri VI da Brienne - maestro della fabbrica orvietana d'origine francese(?) - ricostruzione della tomba con il leone che porta un sarcofago; A. MIDDELDORF-KOSEGARTEN, *Anhang zu M.Seidel, Die Rankensaulen der Sieneser Domfassade,* in: 'Jahrbuch der Berliner Museen', XI, 1969, pp. 157-160: imperatore - indirizzo stilistico del 'Maestro di Batseba', "opera della scultura gotica sienese"; K. BAUCH, *Das mittelalterliche Grabbild. Figurliche Grabmäler des 11. bis 15. Jahrhunderts in Europa,* Berlin- New York 1976, p. 338 n. 368: Giovanni - dopo 1313 - donatore Gualtieri VI da Brienne; B. B. JOHANNSEN, *Zum Thema der weltlichen*

Glorifikation des Herrscher- und Gelehrtengrabmals des Trecento, in: 'Hafnia', VI, 1979, p. 101 n. 41: " il monumento problematico di un'imperatore latino di Costantinopoli"; SCARPELLINI, 1982, pp. 183-189: Giovanni - 1326 ca. - committente Gualtieri VI da Brienne - maestro nordico appartenente all'Opera del Duomo di Orvieto(?); HERZNER, 1990, pp. 44-46: Giovanni - 1330 ca. - l'imperatore in trono in origine non faceva parte del monumento; LUNGHI, 1991, pp. 14-16: Giovanni - fine Duecento - Rubeus.

19) Vedi anche la nota precedente.

20) G. MILANESI, *Documenti per la storia dell'arte senese*, I, Siena 1854, p. 157, n. 14.

21) VALENTINER, 1951, pp. 4, 7; RAGGHIANTI, 1950, pp. 489, 490, 495.

22) Riguardante le iscrizioni vedi ultimamente: LUNGHI, 1991, p. 9 con indicazioni bibliografiche.

23) La storia costruttiva della Fontana Maggiore vedi Lunghi, 1991, pp. 9-11 con indicazioni bibliografiche.

24) N. GRAMACCINI, *Zur Ikonographie der Bronze im Mittelalter*, in: 'Städel Jahrbuch', XI, 1987, pp. 149-153; LUNGHI, 1991, pp. 9-23.

25) VENTURI, IV, 1906, p. 36ss; Valentiner, 1951, p. 7.

26) G. VASARI, *Le vite de' più eccellenti pittori, scultori ed architettori*, ed. V. Marchese-C. Pini-G. Milanesi, I, Firenze 1846, p. 269. - I documenti in: 'Milanesi', I, 1854, p. 145; A. BAGNOLI, *Novità su Nicola Pisano scultore nel Duomo di Siena*, in: 'Prospettiva', 27, 1981, p. 44.

27) P. BACCI, *Fonti e commenti per la storia dell'arte senese*, Siena 1944, p. 63; Lunghi, 1991, pp. 11-12, che respingeva l'identificazione con un pittore omonimo documentato a Perugia fra 1293-1300.

28) F. SANTI, *Il grifo e il leone bronzeo del Palazzo dei Priori*, in: 'Perusia', IV, 1950, pp. 5-6; C. ZAZZERINI CUTINI, *Sulla datazione del grifo perugino*, in: 'Bollettino della Deputazione di Storia Patria per l'Umbria', LXIX, 1972, pp. 53-59; GRAMACCINI, 1987, p. 149 con l'attribuzione del grifo e del leone ad Arnolfo di Cambio ed a Rubeus; Lunghi, 1991, p. 12.

29) G. NICCO FASOLA, *La Fontana di Perugia*, Roma 1951, pp. 48-49, 60-61.- La fontana di Arnolfo di Cambio già prima del 1308 fu smantellata, vedi G. NICCO FASOLA, *La Fontana di Arnolfo*, in: 'Commentari', II, 1951, p. 101; A. REINTLE, *Zum Programm des Brunnens von Arnolfo di Cambio in Perugia 1281*, in: 'Jahrbuch der Berliner Museen', XXII, 1980, p. 150.

30) Lunghi, 1991, pp. 12-13. Bisognerebbe prendere in considerazione anche la statua bronzea di San Pietro in trono, probabilmente opera di Arnolfo di Cambio, in San Pietro a Roma; vedi anche A. M. ROMANINI, *Nuovi dati sulla statua bronzea di San Pietro in Vaticano*, in: 'Arte Medievale', IV, n. 2, 1990, pp. 1-46.

31) Per la figura di Fra Bevignate vedi: P. CELLINI, *Fra Bevignate*, in: 'Dizionario Biografico degli Italiani', IX, Roma, 1967, pp. 784-786, con indicazioni bibliografiche; M. C. BATTISTI, *Fra Bevignate nei documenti e nelle fonti*, tesi di laurea, Università di Perugia 1984/85, passim.

32) Riguardante la costruzione della Cattedrale di Orvieto vedi: L. FUMI, *Il Duomo di Orvieto e i suoi restauri*, Roma 1891; E. CARLI, *Il Duomo di Orvieto*, Roma 1965; R. BONELLI, *Il Duomo di Orvieto e l'architettura italiana del Duecento Trecento*, Roma, 2a ed., 1972; L. RICETTI (ed.), *Il Duomo di Orvieto*, Bari 1988, con indicazioni bibliografiche.

33) Per un contributo sul rilievo vedi: A. KOSEGARTEN, *Beiträge zur sienesischen Reliefkunst des Trecento*, in: 'Mitteilungen des Kunsthistorischen Institutes in Florenz', XII, 1966, pp. 207-215.

34) W. SAUERLÄNDER, *Gotische Skulptur in Frankreich 1140-1270*, München 1970, pp. 177-178, tav. 281.

35) Si potrebbe pensare alle figure dell'ancona d'altare proveniente da Saint-Germer-de-Fly, senza però insistere su una immediata influenza del modello. Gramaccini, 1987, p. 153, ha proposto una provenienza tedesca di Rubeus pensando specialmente all'ambiente artistico di Colonia.

36) VALENTINER, 1951, p. 8.

37) VALENTINER, 1951, pp. 7-8; LUNGHI, 1991, p. 15.

38) RAGGHIANTI, 1950, p. 490; Lunghi, 1991, p. 17. In più: A. GARZELLI, *Orvieto. Museo dell'Opera del Duomo*, Bologna 1972, p. 59.

39) VALENTINER, 1951, p. 8.

40) C. MANENTE, *Istorie*, I, Venezia 1561, p. 163.

41) In relazione alla statua vedi: G. B. LADNER, *Die Papstbildnisse des Altertums und des Mittelalters, II. Von Innozenz II zu Benedikt IX*, Città del Vaticano 1970, pp. 332-336, con indicazioni di fonti e bibliografia; M. BUTZEK, *Die kommunalen Repräsentationsstatuen der Päpste des 15. Jahrhunderts in Bologna, Perugia und Rom*, Bad Honnef 1978, pp. 63-65.

42) HERTLEIN, 1966, p. 6. Sicché la Cappella di Santa Caterina, situata sul lato nord del transetto est, già nel secondo decennio del Trecento è stata ornata con le vetrate di Giovanni di Bonino (vedi Lunghi, 1991, p. 16), in ogni caso il muro non ha potuto esistere così a lungo, finché negli anni venti del Trecento Gualtieri VI da Brienne avrebbe potuto fare erigere la tomba imperiale per un'antenato.

43) LUNGHI, 1991, p. 16. In disaccordo: SCHENKLUHN, 1991, pp. 26-27. Per la costruzione aggiunta della Cappella di San Nicola avanti il transetto nord e di quella di San Giovanni avanti il transetto sud, vedi: KLEINSCHMIDT, I, 1915, p. 25: ambedue 1310 ca.; I. HUECK, *Il Cardinale Napoleone Orsini e la Cappella di S. Nicola nella Basilica francescana*

ad Assisi, in: A. M. ROMANINI (ed.), *Roma Anno 1300*, Roma 1983, pp. 191-192: Cappella di San Nicola ante 1296/97 (prima fase della decorazione pittorica), Cappella di San Giovanni 1300/01; Poeschke, 1985, pp. 40-41: ambedue 1300 ca.; Wiener, 1991, pp. 219-244: Cappella di San Nicola ante 1306 (?), Cappella di San Giovanni poco prima del 1318.

44) GEROLA, 1931, pp. 330-340; R. L. WOLFF, *The Latin Empire of Constantinople and the Franciscans*, in: 'Traditio', II, 1944, pp. 231-237; HERTLEIN, 1966, p. 4 e pp. 32-34.

45) VASARI, ed. Milanesi, I, 1878, p. 540.

46) HERTLEIN, 1966, p. 34 :"e ci sono molti indizi, che Gualtieri abbia donato anch'essa".

47) GEROLA, 1927/28, p. 76

48) Vedi Hertlein, 1966, pp. 34-36 e p. 49 n. 182.

49) Vedi anche n. 17.

50) GEROLA, 1927/28, pp. 72-73 e p. 76.

51) Vedi: SCHLUMBERGER, 1890, pp. 20-22, tav. III. 6, IV, V, V bis.- Bisognerebbe sottolineare, che quest'arme non appare nè sui sigilli nè sulle bolle dei genitori di Filippo, l'imperatore Baldovino II di Courtenay e l'imperatrice Maria di Brienne (figg. 12,13), figlia dell'imperatore Giovanni di Brienne, di cui non si sono conservati nè un'arme nè un sigillo. I primi imperatori latini, Baldovino I di Fiandra ed Enrico I di Fiandra (figg. 14-15), avevano scelto il leone fiammingo per la loro arme; solo in un caso (fig. 11) il Schlumberger (1901, pp. 396-397) ha potuto indicare un sigillo con un'arme, che dimostra delle affinità con quello di Filippo di Courtenay, ma che comunque non concorda con esso in nessuna maniera.

52) È significativa la breve biografia apparsa in: Hertlein, 1966, p. 39 n. 15." Filippo di Courtenay è il figlio di Baldovino II di Costantinopoli e di Maria di Brienne (dunque il nipote di Giovanni di Brienne), nato nel 1243 a Costantinopoli. A Foggia, dove probabilmente Baldovino soggiornava dopo la sua espulsione dall'est nel 1261, Filippo sposò Beatrice d'Angiò, figlia di Carlo I d'Angiò. Poco dopo egli ereditò dal suo padre il titolo di imperatore di Costantinopoli. A Napoli nel Palazzo Capuano tenne una piccola corte. Filippo morì nel 1283, con molta probabilità fuori Napoli durante un viaggio su ordine di Carlo I".

53) Riguardante gli eventi storici sopra abbozzati vedi: MILLER, 1908, pp. 120-210; RUNCIMAN, 1958, pp. 78-256; STRAYER, 1969, pp. 343-375; NICOL, 1972, pp. 45-77; HERDE, 1979, pp. 50-51, 83-107; HOUSLEY, 1982, pp. 15-34; HOUSLEY, 1992, pp. 49-53.

54) PANOFSKY, 1964, p. 94 n. 2; MERZ, 1965, pp. 77-81; HERTLEIN, 1966, pp. 6-10, 26-29; HERZNER, 1990, pp. 44-46.

55) PANOFSKY, 1964, p. 92 n. 2.

56) HERTLEIN, 1966, pp. 26-27.

57) HERTLEIN, 1966, pp. 6-10.

58) HERZNER, 1990, pp. 45-46. La descrizione della tomba di Carlo I d'Angiò nel Duomo di Napoli è citata in F. CAPECELATRO, *Storia di Napoli (1640)* (Collezione di ottimi scrittori italiani in supplementi ai Classici Milanesi, IX-XII), Pisa 1820/21, IV, p. 253.- Per la tomba di Carlo I vedi: HERTLEIN, 1966, pp. 29-30, che esponeva, che la tomba del re, deceduto nel 1285, è stata eretta solamente nel 1333 su commissione di Roberto d'Angiò.

59) HERZNER, 1990, p. 46 n. 53.

60) P. BLOCH, *Die Muttergottes auf dem Löwen*, in: 'Jahrbuch der Berliner Museen', XII, 1970, pp. 253-294, in relazione all'imperatore sul leone vedi pp. 283-290; P. BLOCH, *Löwe*, in: 'Lexikon der christlichen Ikonographie', 3, Roma-Freiburg-Basel-Wien 1971, coll. 112-119, con indicazione dei saggi di J. G. PRINZ von HOHENZOLLERN, *Die Königsgalerie der französischen Kathedrale: Herkunft, Bedeutung, Nachfolge*, München 1965 (Pipino sul leone) e di H. LÜCKER, *Zur gotischen Plastik in Trier*, in: 'Wallraf-Richartz Jahrbuch', V, 1928, pp. 27-46 (Enrico VII sul leone); Ladner, II, 1970, pp. 332-336, citazione: p. 335. Inoltre J. GARDNER, *Boniface VIII as a patron of sculpture*, in: A. M. ROMANINI (ed.), *Roma Anno 1300*, Roma 1983, p. 517, che ha notato i leoni senza però metterli in relazione con la statua del Papa.

61) BLOCH, 1970, p. 283.

62) BLOCH, 1970, pp. 284-286.

63) BLOCH, 1970, p. 286.- Appoggiandosi sulla tesi di Hertlein, il Bloch, 1970, p. 286 n. 104, ha escluso da questa serie la figura dell'imperatore della tomba di Assisi.

64) BLOCH, 1970, pp. 286-287; per la genesi della relazione fra Re Davide ed il leone di Giuda: pp. 287-290.

65) L'immagine dell'imperatore in trono sul leone dovrebbe aver influenzato anche la rappresentazione del sovrano sui sigilli di Carlo II d'Angiò, nel 1284 ancora da principe e più tardi da Re; qui i leoni, che decorano il faldistorio, in certo qual modo si sono resi autonomi, cosicché l'imperatore troneggia direttamente sui due leoni; per questo sigillo vedi: L. BLANCARD, *Iconographie des sceaux et bulles conservés dans la partie antérieurs a 1790 des Archives Départimentales des Bouches-du-Rhone*, Marseille-Paris 1860, tavv. 11.2, 12.2.

66) Riguardante la statua di Bonifacio VIII sopra la Porta della Rocca (o Postierla): W. HAGER, *Die Ehrenstatuen der Päpste*, Leipzig 1929, pp. 28-29, nos. 3-4; LADNER, II, 1970, pp. 332-336; Butzek, 1978, pp. 63-65; J. GARDNER, *An introduction to the iconography of the medieval Italian city gate*, in: 'Dumberton Oaks Papers', 41, 1987, pp. 209-210.

67) HERTLEIN, 1966, p. 6.

68) Il portamento dell'imperatore è stato discusso

in: I. J. TIKKANEN, *Die Beinstellungen in der Kunstgeschichte*, Helsingfors 1912, pp. 163—164, con la citazione del diritto di Soest: "Il giudice dovrebbe sedersi sul suo seggio di giudice... il piede destro incavallato sopra il sinistro". P. BRIEGER, *English Art 1216-1307*, Oxford 1957, ed. 1968, pp. 149-150, ha pubblicato due miniature raffiguranti l'imperatore con le gambe incavallate: *Alessandro* (Cambridge, University Library, MS. Kk. IV. 25) e l'*Incoronazione di Re Davide* (New York, Pierpont Morgan Library-appartenente ad un salterio già nella Collezione Glazier); l'autore indicava l'atteggiamento da giudice annotando comunque in relazione all'immagine di Re Davide:" *in this case it can only represent the general posture of an oriental ruler*". HERTLEIN, 1966, pp. 26-29.

69) La mia sincera gratitudine va a Julian Gardner per la discussione stimolante sui problemi riguardante la tomba; ed è stata posta la questione, chi avrebbe potuto occupare il posto vacante.

70) Per le tombe di Clemente IV ed Adriano V vedi: A. M. D'ACHILLE, *Il monumento funebre di Clemente IV in S. Francesco in Viterbo*, in: J. GARMS-A. M. ROMANINI (ed.), *Skulptur und Grabmal des Spatmittelalters in Rom und Italien*, Atti del Convegno (Roma, 4-6 luglio 1985), Wien 1990, pp. 129-142; T. IAZEOLLA, *Il monumento funebre di Adriano V in S. Francesco alla Rocca a Viterbo*, in: GARMS-ROMANINI (ed.), 1990, pp. 201-216.

71) I due monumenti nella Westminster Abbey sono stati discussi in: P. C. CLAUSSEN, *Pietro di Oderisio und die Neuformulierung des italienischen Grabmals zwischen opus romanum und opus francigenum*, in: GARMS-ROMANINI (ed.), 1990, pp. 173-200; J. GARDNER, *The Cosmati at Westminster: some Anglo-Italian reflexions*, in GARMS-ROMANINI (ed.), 1990, pp. 201-216.

72) Riguardante le tombe di Arnolfo di Cambio vedi: M. MACCARONE, *Il sepolcro di Bonifacio VIII nella Basilica Vaticana*, in: A. M. ROMANINI (ed.), *Roma Anno 1300*, Roma 1983, pp. 753-771; A. M. ROMANINI, *Arnolfo e gli 'Arnolfo' apocrifi*, in: A. M. ROMANINI (ed.), *Roma Anno 1300*, Roma 1983, pp. 27-52; A. M. ROMANINI, *Nuove ipotesi su Arnolfo di Cambio*, in: 'Arte Medievale', I, 1983, pp. 157-220; I. HERKLOTZ, *'Sepulcra' e 'Monumenta' del Medioevo*, Roma 1985, pp. 170-210; P. RÉFICE, *Per una lettura del monumento De Braye: analisi e documentazione*, in: 'Arte Medievale', II ser., II, n. 2, 1988, pp. 141-153; ROMANINI, *(Ipotesi)* 1990, pp. 107-128.
Il coetaneo di Arnolfo Giovanni Pisano con la tomba per Margherita di Brabante, moglie di Arrigo VII, ha creato a Genova un monumento funebre avveniristico introducendo delle figure di portatori; vedi in merito M. SEIDEL, Giovanni Pisano a Genova, Genova 1987, pp. 65-163; J. POPE-HENNESSY, *Giovanni Pisano's Tomb of Empress Margaret: A critical reconstruction*, in: 'Apollo', CXXVI, n. 307, 1987, p. 223. All'inizio del Trecento il disegno architettonico per le tombe cambiò con l'introduzione di mensole che portano il sarcofago; i primi monumenti funebri con mensole sono: Tino di Camaino, Arca di San Ranieri, 1302/06 (Pisa, Museo dell'Opera del Duomo); Gano di Fazio, Tomba per il vescovo Tommaso d'Andrea, 1303/05 (Casole d'Elsa, Collegiata); al riguardo vedi M. SEIDEL, *Studien zu Giovanni di Balduccio und Tino di Camaino. Die Rezeption des Spätwerks von Giovanni Pisano* in 'Städel Jahrbuch', 5, 1975, pp. 71-78; G. BARDOTTI BIASION, *Gano di Fazio e la tomba - altare di Santa Margherita da Cortona*, in 'Prospettiva', 37,1984, p. 2; G. KREYTENBERG, *L'Arca di San Ranieri - questioni tipologiche e iconografiche*, in: 'Storia ed Arte nella Piazza del Duomo', 4, conferenze 1992/93, Pisa 1995, pp. 25-51.
Inoltre, considerando la tipologia tombale, non si può escludere una datazione della tomba dell'imperatore latino ad Assisi intorno al 1300. Paragonando, intanto, si nota che nessuna tomba napoletana possiede nè un basamento massiccio nè una struttura architettonica che racchiude il sarcofago.

73) REINLE, 1980, pp. 121-122.

74) Probabilmente Filippo di Courtenay morì qui; vedi anche n 52.

Nel corso di stampa di questo articolo sono stati pubblicati due contributi sull'argomento: J. WIENER, *Das Grabmal des Johann von Brienne in San Francesco in Assisi*, in: 'Römisches Jahrbuch der Biblioteca Hertziana', 31, 1996, pp. 47-90; e J. WIENER, *Das Grabmal des Johann von Brienne Kaiser von Konstantinopel und König von Jerusalem*, Düsseldorf 1997. Questi due contributi di identico contenuto non hanno reso superflua la pubblicazione del presente articolo.

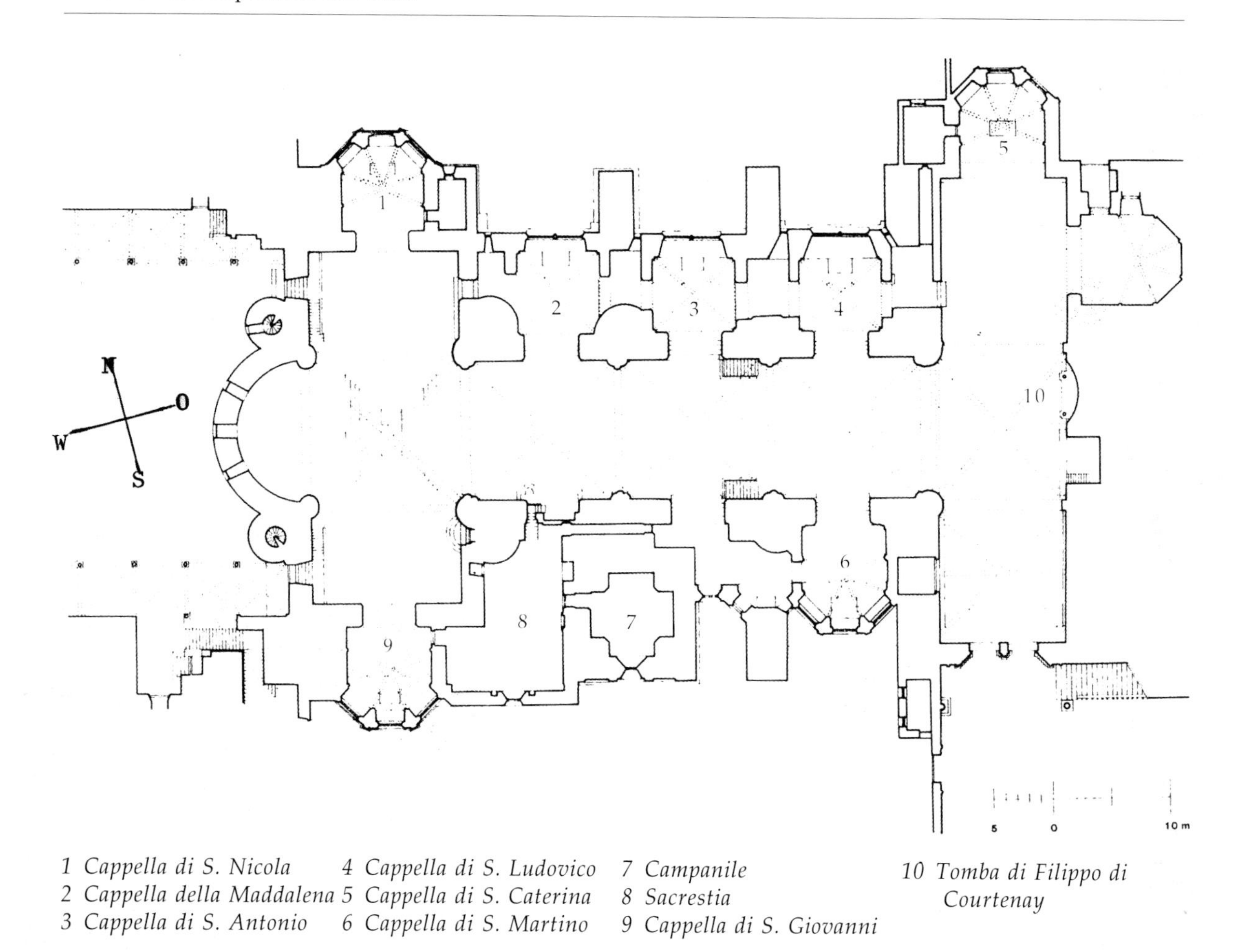

1. *Assisi, San Francesco, chiesa inferiore:* pianta.

2. Tomba di Filippo di Courtenay, *imperatore titolare di Costantinopoli, 1284/85. Assisi, San Francesco, chiesa inferiore.*

3. *Tomba di Filippo di Courtenay:* basamento e sarcofago.
Assisi, San Francesco, chiesa inferiore.

4. *Tomba di Filippo di Courtenay:* sarcofago, lato sinistro. *Assisi, San Francesco, chiesa inferiore.*

5. *Tomba di Filippo di Courtenay:* camera funeraria.
Assisi, San Francesco, chiesa inferiore.

6. *Tomba di Filippo di Courtenay:* l'imperatore troneggiante e la Madonna col Bambino. *Assisi, San Francesco, chiesa inferiore.*

7. Arme della tomba di Filippo di Courtenay (secondo Gerola).

8. Sigillo di Filippo di Courtenay, figlio dell'imperatore (1263).

9. Sigillo di Filippo di Courtenay (1284). Archives de l'Yonne.

10. Sigillo di Filippo di Courtenay (secondo de Wree, 1642).

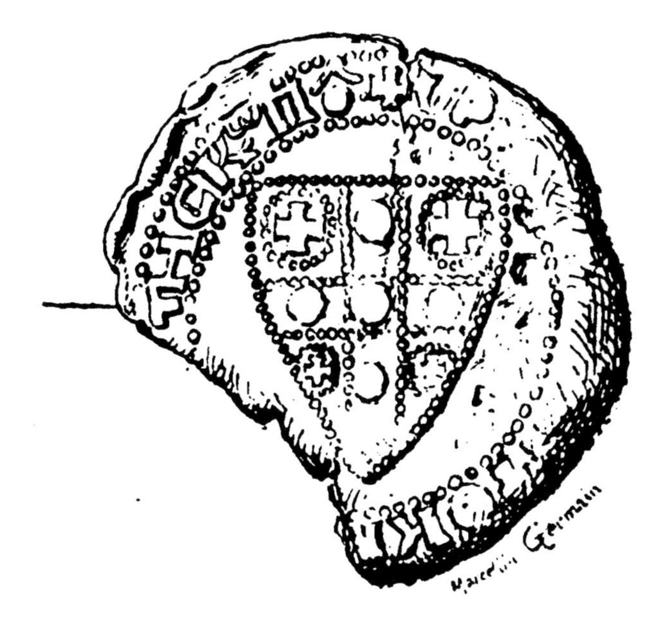

11. *Sigillo dell'imperatore Enrico I. (1206/16). Già Coll. Schlumberger.*

12. *Sigillo di Baldovino, figlio dell'imperatore (1236). Archives du epartement du Nord (Abbaye de Marquette).*

13. *Sigillo di Maria da Brienne (1248). Parigi, Archives Nationales.*

14. *Bolla di Baldovino I. (1204/05) . Già Parigi, Collezione privata.*

15. Bolla di Enrico I (1206/16). Donaueschingen, Coll. Fürstenberg.
16. Rubeus, Architrave bronzeo con Cristo e gli apostoli, *1295 ca. Orvieto, Duomo, Porta del Vescovado.*

19. *Rubeus,* Apostoli, *1295 ca. Orvieto, Duomo, Porta del Vescovado.*

(alla pagina precedente)

17. *Rubeus,* Apostoli, *1295 ca. Orvieto, Duomo, Porta del Vescovado.*

18. *Rubeus,* Pietro, Cristo e Paolo, *1295 ca. Orvieto,Duomo, Porta del Vescovado.*

20. *Rubeus,* Apostolo, *1295 ca. Orvieto, Duomo, Porta del Vescovado.*
21. *Rubeus,* Apostolo, *1284/85. Tomba di Filippo di Courtenay. Assisi, San Francesco, chiesa inferiore.*

22. Rubeus, Madonna, *1284/85. Tomba di Filippo di Courtenay. Assisi, San Francesco, chiesa inferiore.*

23. Rubeus, Cristo, *1295 ca. Orvieto, Duomo, Porta del Vescovado.*

24) Rubeus, Statua di Papa Bonifazio VIII, *1296/97. Orvieto, Porta della Rocca.*
25) Rubeus, Imperatore, *1284/85. Tomba di Filippo di Courtenay. Assisi, San Francesco, chiesa inferiore.*

26) Rubeus, Santo, *1284/85. Tomba di Filippo di Courtenay. Assisi, San Francesco, chiesa inferiore.*
27) Rubeus, Madonna, *1295 ca. Orvieto, Museo dell'Opera del Duomo.*

28) Tomba di Filippo di Courtenay: *ricostruzione H. Merz.*
29) Tomba di Filippo di Courtenay: *ricostruzione E. Hertlein.*

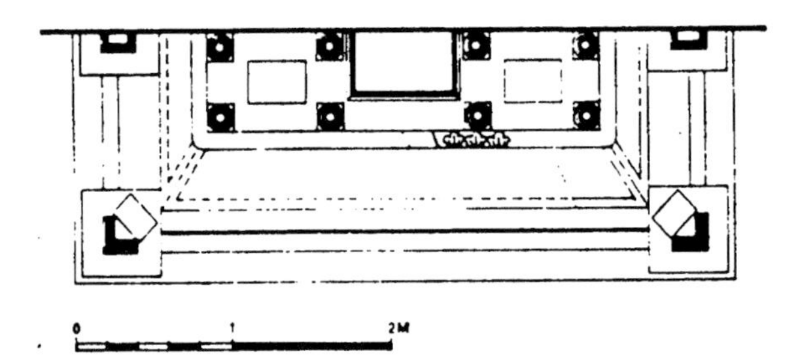

30) Arnolfo di Cambio, Tomba del Cardinale De Braye, *1282/83. Orvieto, S. Domenico: ricostruzione A. M. Romanini.*

31) *Rubeus,* Imperatore sul leone, *1284/85. Tomba di Filippo di Courtenay.*
32) Re Pipino sul leone, *seconda metà del Dugento, Reims, Cattedrale, transetto sud, lato ovest del torrione sud-ovest.*

33) Orvieto, Porta della Rocca, *interno con la statua di Papa Bonifazio VIII sul leone.*
34) Orvieto, Porta della Rocca, *esterno con un leone.*

CRISTINA DE BENEDICTIS

LA FORTUNA DELLA DIVINA COMMEDIA NELLA MINIATURA SENESE

ricordati di me che son la Pia:
Siena mi fe'; disfecemi Maremma:
salsi colui che 'nannellata pria
disposando m'avea con la sua gemma.

Pia dei Tolomei non è soltanto una delle figure indimenticabili della *Commedia*, ma anche una prova della profonda conoscenza di Dante della vita, del personaggi, delle leggende di Siena[1]. Così molte altre figure: Provenzan Salvani, Sapia, Ghino di Tacco e la tripudiante brigata spendereccia, immortalati in eterno nei primi canti dell'Inferno e del Purgatorio, documentano la familiarità del poeta con la storia della città.

Ma se Dante in molti passi del poema mostra la conoscenza di Siena, quanto la città ghibellina recepisce e comprende il suo pensiero, l'insondabile profondità dottrinaria e allegorica della Commedia?

L'opera di Dante trova, come è noto, a Firenze grande fortuna a soli dieci anni dalla sua morte e la più precoce reazione non soltanto da parte dei letterati, ma anche degli artisti che a partire dagli anni trenta del secolo, la assumono come fonte figurativa. Infatti in questo decennio il suo ritratto, opera di un allievo di Giotto, compare negli affreschi della cappella della Maddalena al Bargello e contemporaneamente Pacino di Bonaguida e la sua operosa bottega iniziano ad illustrare le cantiche del poema.

Ma ancor prima della morte di Dante un' eco del suoi versi si registra a Siena nella *Maestà* di Simone Martini. Nei quattordici endecasillabi rimati sottostanti il grandioso affresco del Palazzo Pubblico, firmato e datato da Simone nel 1315, in cui la Vergine si proclama protettrice di Siena ricordando i principi morali e religiosi del buon governo e si fa portavoce della politica guelfo-angioina dei Nove, un illustre dantista ha riconosciuto un qualche ricordo della maniera stilistica della Commedia[2]. Chi rimo' le terzine sottostanti la *Maestà* di Simone aveva dunque già nel 1315 pratica con lo stile di Dante e ne seguiva le forme. Anche negli affreschi del *Buon Governo*, eseguiti negli anni 1338-1340 da Ambrogio Lorenzetti nello stesso Palazzo Pubblico, la scritta sotto la figura della Giustizia come quella più tarda sottostante la figura di Eva della chiesa di Montesiepi, denunciano una chiara intonazione dantesca; una prova della diffusione a Siena dei versi di Dante. Ma echi del suo stile nelle scritte dedicatorie o esplicative negli affreschi del Martini e del Lorenzetti nel Palazzo Pubblico di Siena, simbolo e sede del governo oligarchico dei Nove, attengono al piano della ripresa letteraria e della diffusione della fama del poeta attraverso la tradizione scritta. Altro e diverso piano è invero quello relativo all'utilizzazione del suoi scritti, *in primis* quello della *Divina Commedia* come fonte figurativa e come stimolo alla creazione di nuove iconografie da questa desunte ed a questa ispirate[3].

Se a Firenze la *Commedia* offre materia ai miniatori già dall'inizio degli anni trenta, a Siena l'utilizzo degli scritti di Dante da parte degli artisti appare assai più tardo ed è documentato soltanto intorno alla metà del Trecento. Ritardo che andrà analizzato nelle sue cause in rapporto allo svolgimento della cultura locale. Tale ritardo non è d'altronde imputabile alla tradizione figurativa senese contraddistinta da caratteri autonomi già dalla fine del Duecento e caratterizzata da una ricchissima produzione di pittura su tavola ed a affresco come da libri miniati a destinazione sia sacra che profana.

Le due splendide illustrazioni a piena pagina dell'*Inferno* della Biblioteca Augusta di Perugia (Ms. L. 70), posteriori di circa un ventennio alle più antiche versioni miniate di area fiorentina, denunciano una meditata assimilazione del testo dantesco e un'altissima qualità artistica che le annoverano tra i capolavori della miniatura italiana[4]. Il loro autore sembra risolvere senza sforzo i problemi posti dalla interpretazione della *Commedia*; un testo considerato nel Trecento fonte d'ispirazione e di dottrina come la *Bibbia*, ma arduo ad essere visualizzato per la preponderanza degli elementi allegorici, fantastici e mistici e per la difficoltà di rappresentare il concetto dantesco - estraneo alla pittura gotica - della terza dimensione. Le illustrazioni della Commedia non si rivolgevano agli incolti, ma ai dotti, mirando non a competere o sostituirsi al testo ma a costituire un appoggio visivo alla sua comprensione. Le due scene miniate presuppongono dunque un destinatario di grande cultura - purtroppo a noi ignoto - in grado di apprezzare l'alta qualità artistica di un prodotto di lusso e di comprendere e rintracciare le sequenze narrative e gli episodi del primo canto.

Il racconto si svolge secondo una lettura bustrofedica dal basso a sinistra verso destra continuando in alto da destra a sinistra, in due pagine consecutive; ciò prova la cultura e l'abilità compositiva del suo autore. La prima scena (fig. 1) condensa con mirabile disinvoltura, concatenandoli, sei episodi del primo canto. Dante addormentato "nella selva oscura, si volge a retro a rimirar lo passo che non lasciò giàmai persona viva" poi "giunto al pie' di un colle" vede "le spalle vestite già dei raggi del pianeta". Nel secondo registro, nella parte superiore del foglio, poi con perfetta aderenza al testo, incontra la lonza "leggiera e presta molto" il leone rabbioso e la lupa che lo "ripigneva là dove il sol tace".

La seconda scena con altrettanta efficacia narrativa, mostra Dante in ginocchio che indica a Virgilio la causa del suo terrore, la lupa che sbuca minacciosa dal margine della cornice, quasi a sottolinearne il piano di posa rispetto a quella, e poi rassicurato dal suo contatto, si avvia ad iniziare il lungo viaggio (fig. 2).

Il senso di continuità degli otto episodi, la restituzione del paesaggio in scala monumentale, la concezione fantastica delle due scene non costituiscono soltanto un supporto alla comprensione del testo, ma si pongono sullo stesso piano stabilendo un equivalente visivo di potenza pari al pensiero di Dante. La rappresentazione empirica dello spazio e la grandiosità compositiva indicano la competenza di un grande, già sperimentato artista ben al corrente delle conquiste della pittura su tavola in grado di padroneggiare perfettamente i propri mezzi espressivi, mutuandoli dalla decorazione in grande e trasponendoli nel campo ristretto della pagina.

Tale altezza poetica, sia esecutiva che immaginativa e così raro livello qualitativo hanno reso possibile la proposta di ascrivere le due scene ad uno dei grandi numi della pittura gotica a Siena, Pietro Lorenzetti[4]. Ma sulle opere del Lorenzetti, dense di sperimentazioni spaziali e atmosferiche scalabili lungo il corso del quarto decennio del Trecento, si esempla Niccolo' di Ser Sozzo. Prolifico e dotato miniatore, ma anche attivo pittore, secondo un nesso inscindibile tra le due arti che costituisce un tratto distintivo della cultura figurativa senese lungo il corso di due secoli. Egli annovera nella sua attività giovanile un capolavoro, la miniatura a piena pagina che decora un registro conosciuto come il *Caleffo dell'Assunta* e che contiene importanti atti ufficiali del Comune di Siena.

La composizione eseguita per corredare un documento di uso amministrativo, databile a dopo il 1336, svela una costante della civiltà locale; "la volontà e la capacità di far scaturire delle forme di bellezza da qualunque manifestazione della vita pubblica e privata"[5]. Si tratta di una delle massime conquiste della miniatura italiana e una delle più alte espressioni del gotico a Siena. Straordinaria è infatti l'abilità di Niccolo' di Ser Sozzo, che vi si firma, apponendo un'iscrizione propiziatoria alla Vergine Assunta "SALVA VIRGO SENAM VETEREM QUAM NOSCIS AMENAM", perché protegga l'antica e splendida città, nel portare i singoli elementi coloristici e formali ad unità assoluta, distillando a tal punto le diverse sollecitazioni formali del Martini e del Lorenzetti, fino al punto di rendere inintelleggibili le fonti.

L'importanza di questa commissione pubblica affidatagli dal Comune di Siena dovette segnare per l'artista un riconoscimento di qualità, tale da spiegare i rilevanti incarichi successivi quali il complesso liturgico dei libri corali eseguiti per la Collegiata di San Gimignano, libero comune in competizione con Siena e all'epoca in forte ascesa economica e sociale.

La esecuzione dei sette corali - databili agli anni 1340-1342 - dovette essere eseguita contemporaneamente agli affreschi del *Nuovo Testamento* nell'intento, come era uso, di rinnovare sia il corredo liturgico che la decorazione pittorica della chiesa. Il complesso dei corali commissionato al capobottega ed eseguito sotto la sua supervisione, fu però affidato in massima parte, come era costume nelle botteghe miniatorie medievali, all'opera degli allievi. Fra questi è da riconoscere oltre al giovane Lippo Vanni, un dotato collaboratore di estrazione duccesca, conosciuto come il Maestro di S. Eugenio poiché decora libri di coro un tempo nel monastero di S. Eugenio a Siena passati in seguito alle Soppressioni, alla Biblioteca della Badia di Cava dei Tirreni[6].

Nei corali di San Gimignano Niccolo' di Ser Sozzo accentua l'adesione all'arte di Pietro Lorenzetti e per suo tramite ai problemi spaziali e ambientali. Nel foglio raffigurante il santo patrono della città adorato dal monaci, l'artista padroneggia le novità strutturali del Lorenzetti mediante un'interna misura normalizzante ottenuta sia attraverso la disposizione armonica degli elementi figurativi sia mediante l'accordo ritmico dei toni coloristici giocati sull'azzurro profondo, sul rosa arancio e sul verde tenero (fig. 3). La scaltrita capacità dell'artista di mutuare nella pagina la monumentale possanza e l'arduo sperimentalismo prospettico e costruttivo che contraddistinguono le opere di Pietro Lorenzetti, rende possibile di riconfermargli le due illustrazioni dell'*Inferno* di Perugia. In esse Niccolò perviene ad una intima consonanza con la visione dantesca e al punto di massimo accostamento, non più raggiunto, con la poetica del Lorenzetti, costruendo una composizione che fonde lo spazio reale con quello onirico[7].

Le due scene illustranti il primo canto dell'*Inferno* dovettero costituire il prototipo e il modello su cui si esempla la affiatata e operosa bottega miniatoria di Niccolò di Ser Sozzo, che replica, semplificandone le invenzioni, il partito decorativo e ornamentale dei corali di San Gimignano.

La *Divina Commedia* (Ms. Plut. 40. 3) della Biblioteca Laurenziana di Firenze, è stata a lungo considerata un prodotto della illustrazione fiorentina anche a causa dello stemma mediceo che compare sulla pagina che illustra il primo canto dell'*Inferno* (fig. 4). Il codice della *Commedia* appartenne all'umanista e storico di San Gimignano, Mattia Lupi che lasciò alla metà del Quattrocento la sua ingente biblioteca a vantaggio degli studi alla Collegiata della sua città natale. La biblioteca venne poi acquisita dal granduca Cosimo I de' Medici nel 1568; in quell'occasione furono apposti lo stemma e le cornici rettangolari che inquadrano i versi[9]. Le miniature che illustrano l'inizio delle tre cantiche sono peraltro lontane dalla monumentalità e dalla visionaria potenza delle scene della *Commedia* di Perugia: puntano, pur con grazia narrativa, solo sull'episodico.

La carta raffigurante l'inizio della seconda cantica (fig. 5), con Dante e Virgilio in fervido colloquio nella navicella che "lascia dietro sé mar sì crudele" in cui nuotano le anime purganti e quella del primo canto del *Paradiso*, ove la Vergine e Cristo assisi su un trono formato dai nove cerchi celesti scalati in profondità, adorati nella classica posa dei committenti e dei donatori, da Dante e da Beatrice, nascono evidentemente senza l'ausilio iconografico del modello (fig. 6).

In un codice della *Divina Commedia* (Ms. I. VI. 29) della Biblioteca Comunale di Siena comprendente l'*Inferno* e due canti del *Purgatorio* (fig. 7), di assai minor tenuta qualitativa, e in cattive condizioni di conservazione, gli schemi iconografici e i partiti decorativi si modellano ancora sullo stile di Niccolò di Ser Sozzo che intorno alla metà del secolo convogliava con la sua bottega, le più importanti commissioni di illustrazione libraria sia a destinazione religiosa che profana.

Ad un dotato allievo di Niccolò di Ser Sozzo, in questi stessi anni va riferita anche la ricca decorazione di un codice di destinazione e di contenuto profano; *La Retorica ad Erennio* (Ms. Lat. XI. 143), difficile e forse spurio testo di Cicerone conservato nella Biblioteca Marciana di Venezia. L'opera era così rara che si sentì l'esigenza di illustrarla partitamente. Già nella pagina di apertura la vivida raffigurazione di una lezione di retorica con il maestro attorniato da scolari e uditori, presuppone un committente - forse un importante esponente del governo dei Nove - in grado di utilizzare a fini politici e di consenso un trattato di eloquenza (fig. 8). Questi testi come quelli della *Commedia* erano rivolti ad un pubblico ristretto e di élite, per il quale come è documentato nel 1360, anni in cui è databile il codice di retorica, Nofrio da Siena "leggeva Virgilio, Lucano e tucti alteri vectera et anche Dante a chi volesse udirlo"[10]. Anche le illustrazioni dei tre codici della *Commedia* si collegano tutti dunque allo stile del miniatore e pittore Niccolò di Ser Sozzo, lungamente attivo a San Gimignano, città dalla quale proviene il manoscritto della Laurenziana di Firenze che faceva parte della ricca biblioteca dell'umanista Mattia Lupi.

Non è un caso dunque che nella Collegiata di San Gimignano, città nella quale Dante in veste di ambasciatore di Firenze nel Palazzo Pubblico aveva perorato, nel maggio del 1299, la necessità di una lega guelfa dei comuni toscani, venisse affrescata una impressionante raffigurazione del *Giudizio Universale* con la rappresentazione dell'Inferno e del Paradiso. Gli affreschi della Collegiata, furono affidati - a completamento della decorazione del Vecchio e del Nuovo Testamento delle navate - a Taddeo di Bartolo, prolifico pittore aperto ad esperienze extraregionali e fiorentine, che in questi stessi anni, (intorno al 1413), svolgeva nel Palazzo Pubblico di Siena un tema umanistico; la rappresentazione degli uomini illustri che si poneva come monito e incitamento alla virtù del perfetto governante[11]. Il *Giudizio Universale* di San Gimignano, unica rappresentazione ad affresco in area senese di temi danteschi, si modella sul crudo realismo degli affreschi di Nardo di Cione della cappella Strozzi in S. Maria Novella a Firenze, che costituiscono il più esplicito omaggio della pittura monumentale alla *Commedia*.

Esigue dunque in terra di Siena per tutto il Trecento le visualizzazioni della *Divina Commedia*. Queste esigue testimonianze non devono comunque portare alla troppo facile conclusione di una sostanziale incomprensione del pensiero di Dante. Numerosi fatti e circostanze scalabili lungo il corso del secolo documentano invece la grande diffusione del poema, la sua reazione presso la classe colta, avvalorata dai testi presenti in città , la preoccupazione costante del Concistoro e dello Studio, (la locale Università) per l'insegnamento e la lettura pubblica del poema cui attese poi continuativamente dal 1396 al 1445, il grammatico Giovanni di Ser Buccio da Spoleto. Diffusione dunque sul piano letterario della lingua e del pensiero di Dante a Siena - come provano i versi esplicativi degli affreschi di Simone Martini del 1315 e quelli più tardi di Ambrogio Lorenzetti nel Palazzo Pubblico - cui non corrispose, come accadde invece a Firenze ed anche in altri centri, una fervida e creativa utilizzazione del suoi scritti come fonte figurativa e come stimolo per la creazione di nuove e complesse iconografie. Una dicotomia quindi tra diffusione letteraria e chiusura e censura figurativa la cui spiegazione è insita nella cultura artistica di Siena.

Per il Trecento l'esiguo numero dei commenti visivi alla *Commedia* di Dante, legati tutte all'operosità di Niccolò di Ser Sozzo e della sua bottega - è spiegabile essenzialmente con un rifiuto da parte degli artisti senesi ad utilizzare fonti figurative, non solo estranee alla cultura locale, ma appartenenti ad una città da sempre nemica. È significativo ricordare d'altronde che i sentimenti di reciproco odio e di irriducibile antagonismo trovano nella *Commedia* radici determinanti; nelle prime due cantiche numerosi sono infatti i personaggi e le figure di Siena, mentre poi nel *Paradiso* non vi è alcun posto per i senesi.

Il rifiuto e l'opposizione degli artisti senesi alle sollecitazioni culturali della civiltà fiorentina, che può leggersi come una peculiare declinazione di orgoglio e di spirito di parte, costituì uno straordinario cemento di identità civile e professionale. L'arte svolse infatti a Siena un ruolo primario nella coscienza civica cittadina. La conservazione e manutenzione del proprio patrimonio d'immagini, che spiegano quindi il parziale rifiuto della *Divina Commedia*, che si tradusse in un vero e proprio conservatorismo artistico, rappresentò un legante di indubbio valore sia difensivo che offensivo.

Con il Quattrocento il clima culturale a Siena muta progressivamente, l'antagonismo con Firenze si smorza e la città si mostra allora più aperta alle sollecitazioni culturali ed artistiche degli altri centri, come fanno fede le presenze straniere di Donatello, Gentile da Fabriano, Jacopo della Quercia e Lorenzo Ghiberti.

Non cambiano invece le linee della committenza e del mecenatismo, le quali, a differenza di Firenze ove spesseggiano le commissioni private da parte delle famiglie egemoni, queste sono gestite quasi esclusivamente dalle grandi istituzioni sia religiose che laiche. Non meraviglia quindi che il numero dei codici illustrati della *Divina Commedia*, un prodotto di lusso destinato a personaggi colti e facoltosi, si riduca a soli tre esemplari. Due di essi sono scalabili all'inizio e intorno agli anni venti, il terzo negli anni quaranta del Quattrocento. I primi due codici, di più modesta fattura, di cui ignoriamo la provenienza e il destinatario, presuppongono quindi un pubblico colto, ma di limitata disponibilità finanziaria.

Il codice (Ms. Canon Ital. 109) della Bodleian Library di Oxford, databile all'inizio del secolo, reca una sola illustrazione a piena pagina; la ormai canonica raffigurazione dell'incontro di Dante con le tre fiere in procinto di intraprendere il viaggio agli inferi.

Il secondo codice (Ms. 2600) della Biblioteca Nazionale di Vienna (fig. 9), ricondotto recentemente in ambito senese e databile intono al 1420 in coincidenza con gli inizi del pittore tardogotico Giovanni di Paolo, reca invece tre disegni all'inizio di ogni cantica. I disegni mostrano l'adesione e l'apertura all'arte fiorentina evidente nel ritratto di Dante sul margine destro della prima pagina che illustra il primo canto dell'*Inferno*, ritratto che si esempla sull'affresco giottesco della cappella della Maddalena al Bargello[12].

L'approccio al poema è ora completamente mutato. Nel Trecento alla *Commedia* si attribuiva un indiscusso valore di fonte, come rivelatrice di verità eterne e inconfutabili, considerando il viaggio di Dante come un evento reale pur non riuscendo a comprenderne appieno il valore allegorico e fantastico. È invece merito degli umanisti aver inteso l'incommensurabilità della visione dantesca nel suo straordinario insieme di compendio di conoscenze, *summa* della cultura medioevale, e d'invenzione poetica. In conseguenza di questo nuovo e più filologico approccio mutano anche i commenti visivi e i corredi illustrativi.

La *Divina Commedia* (Ms. Yates Thompson 36) del British Museum di Londra costituisce una prova di questa nuova sensibilità nell'accostarsi ad un testo di così difficile penetrazione, ed è anche la più lussuosa e impegnativa decorazione a carattere profano eseguita a Siena nella prima metà del Quattrocento. Il codice consta di numerose iniziali decorate e istoriate e di 115 miniature che commentano e visualizzano i più salienti passi di ogni canto. Fu compiuto per un destinatario illustre; come fa fede la raffinata qualità dell'esecuzione: Alfonso V d'Aragona, re di Napoli, alleato del comune di Siena e promotore della cultura rinascimentale nel Meridione. Le circostanze della commissione di un prodotto di tale rilevante qualità destinato ad un mecenate ed umanista e al colto proprietario di una delle più importanti biblioteche dell'epoca, l'Alfonsina, al cui ampliamento concorsero i maggiori letterati italiani, non sono note. È probabile peraltro supporre che tale impresa fosse affidata ad artisti già conosciuti a Siena da Antonio Beccadelli, noto sotto il nome di Panormita che in qualità di ambasciatore di Alfonso d'Aragona, fu in città per la terza volta nel 1434. La decorazione del codice fu eseguita poco più tardi; questo è infatti databile a dopo il 1438, poiché vi compare in prima pagina lo stemma del re con i quarti di Ungheria, Angiò e Gerusalemme documentato dopo tale data, e prima del 1444, poiché in due scene il duomo di Firenze appare privo del coronamento brunelleschiano a lanterna, iniziato dopo quell'anno[13].

L'esecuzione del commento visivo è opera di due distinti artisti. Una doppia commissione dovuta forse ad un rifiuto o ad una impossibilità materiale del primo miniatore oppure alla straordinaria intelligenza critica di chi scelse - come crediamo potesse aver fatto il Panormita - gli esecutori valutandone le diverse possibilità espressive e inventive.

Il primo miniatore è responsabile del commento visivo delle due prime cantiche come della scelta di una precisa tipologia, di matrice classica, basata sulla narrazione continua di campi rettangolari della stessa larghezza della scrittura.

I commenti visivi colgono con immediatezza i diversi registri espressivi del poema rappresentando non soltanto gli eventi ma anche le reazioni dei protagonisti. Si veda l'incontro di Dante con le tre fiere in cui si condensano sei episodi salienti del primo canto come nella illustrazione trecentesca del codice di Perugia, oppure l'impressionante rappresentazione della selva dei suicidi (fig. 10); la raffigurazione degli avari che mostra Dante e Virgilio a cospetto di Pluto che si erge a guardia del quarto cerchio, con i dannati connotati nel loro *status* terreno di cardinali e papi, costretti a voltar "pesi per forza di poppa" (fig. 11); i tre cerchi del violenti, (fig. 12) i cui corpi disarticolati e scultorei sono assimilati alle rocce in un paesaggio petroso che ricorda quelli di Domenico Veneziano, oppure, in uno del più toccanti e celebri passi della *Commedia*: la storia in due sequenze del conte Ugolino (fig. 13). Questi è raffigurato prima in colloquio con Dante e Virgilio con in alto il sogno profetico dei figli inseguiti dalle bramose cagne, e di nuovo in atto di mordersi le mani per la disperazione, chiuso con i figli già morti nella torre sbarrata per sempre da un atletico nudo che ricorda le figure del *Diluvio* di Paolo Uccello a S. Maria Novella.

L'artista, è stato da tempo identificato in Nicola d'Ulisse, pittore e miniatore attivo a Siena e in Umbria e già noto per l'esecuzione del lussuoso Messale miniato dopo il 1428 per celebrare l'elezione a cardinale di Antonio Casini[14]. Bruciando le giovanili inflessioni tardogotiche di matrice settentrionale e lombarda, mostra nell'illustrazione delle due cantiche, grande aderenza al testo unita a capacità di innovare la già consolidata iconografia dantesca e di utilizzare le novità spaziali e volumetriche della pittura rinascimentale fiorentina per conferire alle immagini il massimo di efficacia e di evidenza rappresentativa.

Per concludere l'illustrazione del codice per Alfonso d'Aragona fu scelto il mistico e sensitivo Giovanni di Paolo, già famoso nelle due arti sorelle, la miniatura e la pittura, per la straordinaria capacità inventiva di dar vita a nuove iconografie, come quella ufficiale di S. Caterina, legate al culto dei santi cittadini[15].

A lui spetta l'illustrazione del *Paradiso*, la più difficile cantica per la preponderanza dell'elemento allegorico e dottrinario. Giovanni di Paolo usa qui al meglio la propria sensibilità poetica di artista tardogotico per rappresentare il sublime, il simbolico, il fantastico, evitando la mera trascrizione visuale come l'episodico e l'esornativo. Concetti difficili come il mistero della *Redenzione* espresso nel canto VII, vengono visualizzati con estrema chiarezza; Beatrice rivolta verso Giustiniano in preghiera, spiega a Dante i tre avvenimenti cruciali dell'umanità; la *Cacciata dal Paradiso Terrestre*, l'*Annunciazione* e la *Crocefissione* (fig. 14). Il tema della *Cacciata* è più tardi ripreso dall'artista in uno dei più affascinanti e dotti dipinti dell'arte senese del Quattrocento che fonde la rappresentazione della Cacciata dall'Eden con la Creazione del mondo, nel quale sono ancora assenti gli animali e le piante, rappresentato secondo il sistema dantesco delle dodici sfere celesti, distinte per colore (fig. 15).

I complessi concetti danteschi, le similitudini ardite, le divagazioni mistiche, le iperboli sublimi vengono tradotte sulla pagina con straordinario estro narrativo e rappresentativo che permette all'artista di conciliare i dogmi della tradizione cattolica con lo spirito della *Commedia*.

Le scene che commentano i canti offrono altresì al pittore la possibilità di esprimere non soltanto tematiche d'attualità legate agli avvenimenti e alla tradizione di Siena, ma di legare fatti del passato con eventi graditi all'illustre destinatario. Frequenti sono le allusioni e gli omaggi tributati alle virtù guerresche e alle glorie della casa d'Aragona e a quelle del committente Alfonso V. Nella storia di Piccarda Donati e dell'imperatrice Costanza, ad esempio, Giovanni di Paolo aggiunge la figura, non presente nel III canto, di Corrado, nipote di Enrico V d'Aragona, riconoscibile dallo stemma della casata, che abbatte le mura di Napoli (fig. 16).

Altri canti permettono altresì, di dar voce al mai sopito spirito di parte nei confronti di Firenze. Nel canto IX, (fig. 1 7) la corruzione della chiesa, simboleggiata dal diavolo che versa denari ad un papa, il maledetto fiorino, e la condanna della città del poeta, secondo un'iconografia riassuntiva di rara efficacia visiva, producono un'indimenticabile veduta del duomo privo ancora della lanterna, del campanile di Giotto e del Palazzo della Signoria.

Altri passi del poema danno la misura delle capacità dell'artista di visualizzare concetti astratti rappresentando il Primo Mobile del nono cielo, (fig. 18) come un anello di luce dorata contesto di cherubini, ma anche di tributare nella rappresentazione del mappamondo al suo interno, un omaggio al grande pittore del Trecento Ambrogio Lorenzetti che nel Palazzo Pubblico di Siena aveva affrescato tale soggetto. L'immagine dominante del Cristo redentore viene di nuovo utilizzata dall'artista in un dipinto, ora alla Pinacoteca di Siena, raffigurante il *Giudizio Universale* con i beati e i dannati. Ancora Giovanni di Paolo raffigurerà più tardi il *Paradiso*, in cui, in omaggio al culto locale, in letizia e con sommesso stupore si rincontrano i più venerati santi e beati di Siena; una prova di come la *Commedia* avesse nutrito profondamente l'immaginazione e l'estro inventivo dell'artista. L'illustrazione del *Paradiso*, (fig. 19) termina con la visione dell'amor divino che lascia la mente sgomenta come quella di Nettuno alla vista della prima nave Argo[17];

Un punto solo m'è maggior letargo
che venticinque secoli all'impresa,
che fe' Nettuno ammirar l'ombra d'Argo.
Così la mente mia tutta sospesa,
mirava fissa, immobile e attenta
e sempre di mirar faceasi accesa.

L'artista riesce a visualizzare l'ultima delle grandi similitudini che costellano la cantica, rappresentando non soltanto quasi tangibilmente lo stupore di Argo alla vista della splendida imbarcazione, ma anche di tributare un ultimo omaggio alla Vergine sotto la cui protezione Siena, dopo la vittoria sui fiorentini a Montaperti, si era solennemente e devotamente posta.

Giovanni di Paolo illustrando il Paradiso sembra dunque aver ben corrisposto all'impegno sottoscritto nel 'Breve dell'Arte' dei pittori senesi "manifestatori per grazia di Dio delle cose miracolose operate per virtù e in virtù della Santa Fede", offrendone un'interpretazione personale e una rilettura che fonde esaltazione civica, spirito di parte e riaffermazione della propria tradizione figurativa.

Con questa lussuosa impresa per Alfonso V d'Aragona, che bene esprime le due anime dell'arte senese del Quattrocento; apertura alle novità protorinascimentali fiorentine nelle due prime cantiche e, omaggio e riflessione sui grandi artisti del passato nell'ultima, la miniatura gotica conclude a Siena in un'altissima testimonianza d'arte e d'invenzione, il proprio ciclo vitale. Rare dunque ma qualificatissime sono le prove della fortuna di Dante nell'arte senese.

Se nel Trecento la causa di tale lacuna va rapportata ad un peculiare ostracismo visivo, per il Quattrocento la mancata e limitata utilizzazione della *Divina Commedia* come fonte figurativa appare invece legata ad altre cause spiegabili col peculiare clima culturale fiorito a Siena lungo il corso della prima metà del secolo. Se vengono smorzandosi l'odio di parte e la censura visiva nei riguardi di una cultura antagonista, la città, pur aperta ora alle sollecitazioni esterne, dà vita ad un umanesimo che si caratterizza per una specifica accezione civica in cui la pressione e la passione politica assorbono ogni velleità letteraria. Non vi è spazio quindi per l'*otium* studioso, per la lirica e la storiografia. Lo spirito di parte, il *negotium* e l'esercizio di governo divengono occupazioni esclusive e totalizzanti, soppiantando e svilendo le altre attività. L'Umanesimo fu a Siena un movimento di corto respiro; le *humanae litterae* e la retorica occupano un posto subalterno, sono ritenute una tappa dell'educazione del perfetto governante che se ne serve in maniera strumentale[18]. Si spiega così il favore accordato ai trattati di retorica - come il bel codice della *Rethorica ad Herennium* di Cicerone miniato nel Trecento oppure le *Orationes* di Cicerone illustrate da Sano di Pietro intorno al 1470 - che costituiscono un genere congeniale al bisogni della classe di governo, finalizzati all'esercizio del potere di cui l'eloquenza rappresenta un potente strumento di consenso. La cultura si colora a Siena di un indubbio carattere professionale e professionalizzante; la giurisprudenza e la medicina sono infatti le attività più rispettate e gratificanti; gli umanisti al pari degli artisti partecipano attivamente agli uffici pubblici e al governo dello stato. La classe colta prestata e assorbita dalla politica, raramente si dedica alla letteratura e alla storiografia; rare sono per queste ragioni le imprese di committenza e di mecenatismo gestite e agite da laici e da privati; incanalandosi la committenza esclusivamente nelle grandi istituzioni sia civiche che ecclesiastiche. I più importanti committenti privati della prima metà del Quattrocento; il cardinal Casini, colto estimatore di Masaccio, Jacopo della Quercia e Donatello e Alfonso V d'Aragona, destinatario della splendida *Divina Commedia*, sintesi della bifronte cultura figurativa locale, non sono di Siena.

Una censura di tipo psicologico e di natura difensiva nel riguardi del proprio patrimonio figurativa, della propria tradizione d'immagini, una strumentale utilizzazione delle *humanae litterae* e un vuoto della committenza privata, stanno dunque alla base di questa singolare "sfortuna" visiva della *Divina Commedia* a Siena. Una sfortuna da intendersi quindi non come una reale incapacità di penetrare il senso e lo spirito del poema, quanto nel rifiuto permeato di amor di parte e di coscienza civica, a considerarlo una fonte creativa e iconografica.

"Ridon" dunque anche "le carte" miniate dagli artisti senesi, secondo la indimenticabile locuzione dantesca, capaci di dar vita a così rare e pur straordinarie visualizzazioni della *Commedia*.

A chiusura dell'analisi delle immagini scaturite e create a commento visivo del poema, si può ricordare una terzina di un dantista senese non di maniera, esplicativa di una condizione mentale della città più che subita agita in prima persona dagli artisti e dagli umanisti[20]. Ben comprendendo l'alterità e l'isolamento di Siena, il Saviozzo la dipinge come un fiore raro e solingo.

Sta dunque come fior sciolta dall'erba
languida, nuda e scalza tra le spine
negletta al mondo, e povera e superba.

Note

Questo testo ripercorre i contenuti di una conferenza da me tenuta il 29 Ottobre 1996 presso la "Lectura Dantis Metelliana" *di Cava dei Tirreni (Sa). Ringrazio per l'amichevole segnalazione di materiale dantesco la Prof.* Lionella Coglievina, *docente di Critica e Filologia Dantesca dell'Università di Firenze e padre* Attilio Mellone *OFM del Convento di San Francesco di Cava dei Tirreni.*

1) Dante, DC. Pg.V, 133-136.Sui rapporti tra Dante e Siena si vedano i saggi di vari autori sul 'Bullettino Senese di Storia Patria', XXVIII, 1921; A. LISINI, *Dante e le sue relazioni con Siena*, in 'La Diana', III, 1928, pp. 81-99 e l'*Enceclopedia Dantesca* alla voce *Siena*.

2) G. MAZZONI, *Influssi danteschi nella Maestà di Simone Martini (1315)*, in: 'Archivio Storico Italiano', XCIV,1936, pp. 144-162.

3) Sull'iconografia della DC.; M. SALMI *Problemi figurativi dei codici danteschi del Tre e Quattrocento,* Atti del I Congresso nazionale di studi danteschi, Firenze 1961, pp. 153-168; P. BRIEGER-M. MEISS-C. S. SINGLETON, *Illuminated Manuscripts of the Divine Comedy*, Princeton 1969, (con bibl. precedente).

4) Sulla D C. della Biblioteca Comunale di Perugia (Ms. L. 70) ; M. SALMI, *La miniatura italiana*, Milano, 1955, p. 30; ascritta a Pietro Lorenzetti da G. CHELAZZI DINI, in *'Il gotico a Siena'*, catalogo della mostra, Siena-Firenze 1982, pp. 229-232. e EAD in, *La pittura senese*, Milano 1997, p. 140.

5) E. CARLI, *Le tavolette di Biccherna e altri uffici dello Stato di Siena*, Firenze 1950, p. 2.

6) Sui codici conservati a Cava, M. ROTILI, *La miniatura nella Badia di Cava*, 2voll. Napoli 1976-1978, e sul Maestro di S. Eugenio; F. BOLOGNA, *Miniature rare del Trecento senese* in 'Prospettiva',11, 1977, pp. 47-54.

7) Sui rapporti tra Niccolò di Ser Sozzo e Pietro Lorenzetti; C. DE BENEDICTIS, *Pietro Lorenzetti e la miniatura*, in *Studi di Storia dell'arte in onore di Mina Gregori*, Milano 1994, pp. 21-25.

8) Sul complesso dei setti libri di coro di San Gimignano, sulla DC. della Biblioteca Comunale di

Siena (Ms. I.VI.29) e sulla *Retorica ad Erennio;* C. DE BENEDICTIS, *I Corali di San Gimignano* in 'Paragone', nn. 313, 315; 321, 1976, pp. 103-120; 87-95; 67-78; G. CHELAZZI DINI, 1982, pp. 226-228; 234; 243-246; 260-261.

9) Sui codici di Mattia Lupi, A. M. BANDINI, *Catalogus codicum latinorum Bibliothecae Laurentianae,* t. II, Firenze 1775, p. 94; G. TRAVERSARI, *Di Mattia Lupi e dei suoi Annales Geminianensis,*in 'Miscellanea Storica della Valdelsa', XI, 1903, pp. 10-27.

10) G. MAZZONI, 1936, p. 150.

11) S. SYMONIDES, *Taddeo di Bartolo,* Siena, 1965.

12) La DC. (Ms. Canon Ital. 109) della Bodleian Library di Oxford é ritenuta prodotto della miniatura senese di primo Quattrocento da M. SALMI, 1962, p. 179; O. PAECHT-J. ALEKANDER, *Illuminated Manuscripts in the Bodleian Library. Oxford. Italian School,* Oxford 1970, p. 66, la ritengono bolognese intorno al 1400; la DC. della Biblioteca Nazionale di Vienna (Ms. 1600) catalogata come fiorentina della fine del Trecento da B. DEGENHART-A. SCHMITT, *Corpus der Italienischen Zelchnungen 1300-1450,* vol. I-I, Berlin, Gebr. Mann 1968, p. 185-186, è ricondotta in area senese, in prossimità dell'attività giovanile di Giovanni di Paolo, da M. G. CIARDI DUPRÈ, *La libreria di coro dell'Osservanza e la miniatura senese del Quattrocento,* in *L'Osservanza a Siena. La Basilica e i suoi codici miniati,* Siena, Electa 1984, p. 126.

13) Sulla DC. (Ms. Yates Thompson 36) del British Museum di Londra, J. POPE-HENNESSY,*Lorenzo Vecchietta and Giovanni di Paolo. A Sienese Codex of the Divine Comedy,* Oxford and London, Phaidon 1947, ascrive le prime due cantiche a Lorenzo Vecchietta; M. MEISS,*The Yates Thompson Dante and Priamo della Quercia* in, 'The Burlington Magazine', CVI, 1964, pp. 403-412; e M. MEISS in: BRIEGER-MEISS-SINGLETON, 1969, pp. 70-80, a Priamo della Quercia, fratello minore dello scultore Jacopo; M. G. CIARDI DUPRÈ, 1984, pp. 141-142, propone cautamente il nome di Carlo di Giovanni.

14) G. CHELAZZI DINI,*Lorenzo Vecchietta, Primo della Quercia, Nicola d'Ulisse: nuove osservazioni sulla Divina Commedia Yates Tompson 36,* in *Jacopo della Quercia tra Gotico e Rinascimento.* Atti del convegno, Siena-Firenze 1975, pp. 203-228; e EAD, 1982, pp.371-376; EAD, 1997, pp. 246-247.

15) Su Giovanni di Paolo e la pittura del Quattrocento; P. ROSSI, *L'ispirazione dantesca in una pittura di Giovanni di Paolo,* in 'Rassegna d'Arte Senese', XIV, 1921, pp. 138-149; C. ALESSI, *La pittura a Siena nel primo Quattrocento,* in *La pittura in Italia. Il Quattrocento,* Milano 1986, pp. 315-327; *La pittura senese nel Rinascimento 1420-1500,* a cura di K. CHRISTIANSEN, L. B. KANTER, C. B. STRELKE, ed.it. Milano 1989, (con bibl. precedente).

16) M. SALMI, 1955, p. 30.

17) Dante, DC. Pd.XXXIII, 94-99.
Sulla diffusione della D. C. a Siena; L. ZDEKAUER, *Lo Studio di Siena nel Rinascimento,* Milano 1894; P. ROSSI, *Lectura Dantis,* Siena 1898; *Lo Studio e i testi. Il libro universitario a Siena, (secoli XII-XVII),* catalogo della mostra, Siena 1996, (con bibl. precedente).

18) Sulla cultura umanistica a Siena nel primo Quattrocento; G. FIORAVANTI, *Università e città: cultura umanistica e cultura scolastica a Siena nel '400,* Firenze 1981; ID. *Classe dirigente e cultura a Siena nel 1400,* in *I ceti dirigenti nella Toscana del Quattrocento,* V-VI convegno, Firenze 1987,pp. 473-484.

19) B. SANI, *Artisti e committenti a Siena nella prima metà del Quattrocento,* in *I ceti dirigenti nella Toscana del Quattrocento,* V-VI convegno, Firenze 1987, pp. 485-507.

20) *La pittura senese nel Rinascimento,* 1989, p. 120.

1. *Niccolò di Ser Sozzo,* Divina Commedia, Inferno, *c. I, Perugia, Biblioteca Augusta (Ms. L. 70, c. 1v.).*

2. *Niccolò di Ser Sozzo,* Divina Commedia, Inferno, *c. I, Perugia, Biblioteca Augusta (Ms. L. 70, c. 2v.).*

3. *Niccolò di Ser Sozzo,* San Gimignano in trono, *San Gimignano, Museo di Arte Sacra (Graduale LXVIII, c. 1r.).*

4. *Niccolò di Ser Sozzo (scuola),* Divina Commedia, Inferno, *c. I,* Incontro di Dante con le tre fiere, *Firenze, Biblioteca Laurenziana (Ms. Plut. XL. 3, c. 1r.).*

5. *Niccolò di Ser Sozzo (scuola),* Divina Commedia, Purgatorio, *c. I,* Dante e Virgilio e le anime purganti, *Firenze, Biblioteca Laurenziana (Ms. Plut. XL. 3, c. 83r.).*

6. *Niccolò di Ser Sozzo (scuola),* Divina Commedia, Paradiso, *c. I,* Cristo, la Vergine e angeli, Dante e Beatrice, *Firenze, Biblioteca Laurenziana (Ms. Plut. XL. 3, c. 165r.).*

7. *Niccolò di Ser Sozzo (scuola),* Divina Commedia, Purgatorio, *c. I,* Dante, Virgilio e le anime purganti, *Siena, Biblioteca Comunale (Ms. I. VI. 29, c. 67v.).*

8. *Niccolò di Ser Sozzo (scuola),* 'Rethorica ad Herennium', una Lezione di retorica, *Venezia, Biblioteca Nazionale Marciana (Ms. Lat. XI. 145, c. 1r.).*

9. Miniatore senese del 1420c. Divina Commedia, Inferno, *c. I,* Dante e Virgilio e le tre fiere, *Vienna, Biblioteca Nazionale (Ms. 2600, c. 1r.).*
10. Nicolò d'Ulisse, Divina Commedia, Inferno, *c. XIII,* Il cerchio dei suicidi, *Londra, British Museum (Ms. Yates Thompson 36, c. 23a.).*

11. *Nicolò d'Ulisse,* Divina Commedia, Inferno, *c. XI,* Il cerchio dei violenti, *Londra, British Museum (Ms. Yates Thompson 36, c. 20r.).*

12. *Nicolò d'Ulisse,* Divina Commedia, Inferno, *c. VII,* Il cerchio degli avari e dei prodighi, *Londra, British Museum (Ms. Yates Thompson 36, c. 12r.).*

13. *Nicolò d'Ulisse,* Divina Commedia, Inferno, *c. XXXIII,* Il racconto del conte Ugolino, *Londra, British Museum (Ms. Yates Thompson 36, c. 61r.).*

14. *Giovanni di Paolo,* Divina Commedia, Paradiso, *c. VII,* Il mistero della Redenzione, *Londra, British Museum (Ms. Yates Thompson 36, c. 141r.).*
15. *Giovanni di Paolo,* Creazione e cacciata dal Paradiso, *New York, Metropolitan Museum of Art, coll. R. Lehman.*
16. *Giovanni di Paolo,* Divina Commedia, Paradiso, *c. III, X, Storie di Piccarda e Costanza, Londra, British Museum (Ms. Yates Thompson 36, c. 134r.).*

17. Giovanni di Paolo, Divina Commedia, Paradiso, *c. IX,* L'avarizia della chiesa, *Londra, British Museum (Ms. Yates Thompson 36, c. 140r.).*

18. Giovanni di Paolo, Divina Commedia, Paradiso, *c. XXVIII,* Il primo mobile *(partic.), Londra, British Museum (Ms. Yates Thompson 36, c. 178r.).*
19. Giovanni di Paolo, Divina Commedia, Paradiso, *c. XXXIII,* Nettuno e la nave Argo, *Londra, British Museum (Ms. Yates Thompson 36, c. 190r.).*

FRANCO MORO

DUE FRATELLI, DUE DIFFERENTI PERCORSI: MARTINO E ALBERTO PIAZZA

a mia madre

Il desiderio di affrontare nuovamente l'argomento trattato dai tempi della mia tesi di laurea[1], nasce dall'intenzione di voler riassumere nel suo complesso e con il completo supporto delle immagini le novità cui sono giunto fin dal 1985. In quel testo era già chiaramente enunciata e precisata la distinzione e la nuova cronologia di entrambi i pittori che qui si ribadisce con una più organica esposizione e con le aggiunte venute alla luce nel corso degli approfondimenti svolti in questi anni.

Allo studio della situazione artistica lodigiana ho anche dedicato il successivo periodo trascorso alla Fondazione Longhi, ampliando il raggio delle conoscenze, riassunte nel volume che si apre con la pittura a Lodi[2]. Oltre a questi interventi, le mie proposte circa la distinzione delle due personalità sono state anticipate in altre occasioni[3]. Distinzione della figura di Martino da quella del fratello Alberto che i curatori della mostra[4] hanno poi accolto nella sua totalità.

Presupposto fondamentale per l'esito positivo della ricerca è stato il tipo di impostazione del problema: affrontato rigorosamente da zero, 'ex novo', prendendo in considerazione e valutando con scrupolosa attenzione ogni aspetto di quella che veniva considerata la bottega dei Piazza, ai loro tempi detti anche "Toccagni".

L'intenzione di orientare le ricerche verso un campo così incerto com'era quello dei fratelli Martino e Alberto (o Albertino) Piazza da Lodi, minato da errori d'interpretazione trascinatisi fino ai nostri giorni e a proposito dei quali le notizie certe sono così avare, è sorta dall'ipotesi di due percorsi artistici ben distinti. Tale personale convincimento si fondava sulla constatazione della sostanziale omogeneità di intenti e di stile alla base delle principali opere rimaste nel territorio lodigiano, tradizionalmente riferite ai fratelli Piazza e da quasi due secoli a questa parte concordemente attribuite dalla critica ad entrambi i pittori. Anche se vennero più volte sollevati dubbi e le oscillazioni sul prevalere dell'uno o dell'altro avrebbero dovuto segnalare una situazione tutt'altro che appianata, le ipotesi avanzate su quello che doveva essere il loro percorso non potevano risultare più discordanti. Costoro sono stati considerati attivi nella medesima bottega e autori in collaborazione delle opere che si conservano nel lodigiano a partire dagli studi ottocenteschi sino al più recente volume monografico[5].

Il tentativo, quindi, di erigere un definitivo spartiacque, dopo i molteplici e per lo più fuorvianti orientamenti della passata storiografia, mi consente di riproporre in tutta la sua complessità e vivacità culturale la situazione artistica lodigiana. Proprio verificando la coerenza che contraddistingue entrambi i nuclei di opere, sono giunto alla distinzione di due linee pittoriche che, seppure vengano ad intrecciarsi, presentano origini ed esiti assolutamente differenti, aprendo la strada ad una più vasta comprensione dei rapporti che intercorsero con gli artisti a loro contemporanei.

Per meglio comprendere la situazione venutasi a creare è opportuno ripercorrere brevemente le vicende critiche e storiografiche riguardanti i due artisti.

Nell'approfondimento della loro attività, verificata la scarsità di notizie documentarie, non ci soccorre neppure alcuna fonte storica a loro particolarmente vicina. La prima notizia dell'esistenza dei pittori Toccagni di Lodi risale ad oltre mezzo secolo dopo la loro scomparsa ed appare nel "Trattato" di Giovan Paolo Lomazzo. L'autore nomina i lodigiani in due passi distinti: una prima volta, incontriamo genericamente il nome del "Toccagno", al termine di un esteso elenco di artisti di varie scuole attivi nella prima metà del Cinquecento[6], in modo tale che la citazione possa essere riferita ad entrambi; forse questi è Martino, dal momento che, più oltre, "Albertino da Lodi" viene espressamente nominato tra gli autori delle raffigurazioni di uomini d'arme nella corte del castello di Milano. Dato l'interesse che riveste, vale la pena riportare il passo nella sua integrità: "De la quale cosa furono ritrovatori Giovan da Valle, Costantino Vaprio, il Foppa, il Civerchio, Ambrogio e Filippo Bevilacqui, & Carlo, tutti Milanesi, Faccio Bembo da Valdarno & Cristoforo Moreto Cremonesi, Pietro Francesco Pavese, Albertino da Lodi; i quali, oltre diverse altre opere loro, dipinsero intorno la corte maggiore di Milano quei baroni armati nei tempi di Francesco Sforza primo Duca di essa città"[7].

Il passo si presta ad una duplice interpretazione: quella prevalentemente accolta dalla critica ottocentesca e durata fino a tempi assai recenti, ha inteso questo artista attivo all'epoca di Francesco Sforza (1450-1466), dovendo anche ricorrere allo sdoppiamento della personalità di Alberto in due pittori dai connotati imprecisati, per giustificare l'ampio arco di tempo che si veniva a creare. Altrimenti si è preferito pensare ad un errore da parte del Lomazzo.

Nessuno ha interpretato il passo in maniera differente, intendendo cioè che le parole "nei tempi di Francesco Sforza" si riferiscano non tanto al momento di esecuzione degli affreschi ma a "quei baroni armati" vissuti all'epoca del "primo Duca di essa città". Personalmente ritengo che queste perdute figure di uomini d'arme siano state eseguite in momenti diversi, come sembra testimoniato dalla presenza nell'elenco di artisti di differenti periodi. Il fatto che tra costoro Lomazzo ricordi altri pittori contemporanei di Alberto, come Vincenzo Civerchio e "Pietro Francesco Pavese", da intendersi come il Sacchi, non fa che avvalorare l'ipotesi della loro partecipazione ad affrescare condottieri vissuti ai tempi di Francesco Sforza[8].

Il Lomazzo appare dunque l'unica fonte cinquecentesca che documenti l'esistenza di almeno uno dei fratelli e da allora fin verso la fine del Settecento il silenzio cala sui due pittori contribuendo a far sì che i loro ricordi si perdano nel tempo.

Viene in aiuto una fonte locale, la più significativa in assoluto, che ripercorrendo sinteticamente gli interventi artistici svoltisi nel complesso dell'Incoronata di Lodi, si propone come singolare e utile strumento per la storia della pittura lodigiana tra Quattro e Cinquecento. Si tratta della "Relatione" manoscritta del canonico Paolo Camillo Cernuscolo che, nel 1642[9], riassume le vicende della chiesa dell' Incoronata dalla fondazione ai suoi giorni. L'importanza dello scritto risiede nel fatto che egli trascrive i documenti perduti riguardanti la prima fase di attività nel Santuario mariano, dal 1488 al 1516.

Per quanto riguarda i nostri pittori, una prima indicazione risale all'anno 1514, quando "Si fanno trattati con i fratelli della Piazza appellati Toccagni per la Pittura della Chiesa". Questo passo, insieme al successivo secondo cui nel "1519 - Alberto, et Martino fratelli Toccagni pittori Lodigiani, accettano il carico di dipingere un Confalone", oltre a confermare la fondatezza del soprannome della famiglia, affianca i due artisti nell'impresa decorativa determinando l'abitudine ad accomunare la loro attività pittorica in un unico, inestricabile lavoro di bottega.

Altrimenti la situazione lodigiana non offre che una serie di interessanti documenti sulla storiografia locale[10] nei quali compaiono citate alcune opere riferite a loro, mentre ci troviamo di fronte al semplice ricordo del nome di Albertino sulla scorta del passo lomazziano nell'Abecedario dell'abate Pellegrino Antonio Orlandi e nella Storia pittorica di Luigi Lanzi [11].

A partire dalla prima metà del XIX secolo diventano più frequenti i contributi dedicati alla pittura lodigiana, che per la prima volta assume una propria autonomia all'interno della scuola milanese e di quella lombarda. La bibliografia riguardante i due pittori si infittisce, con giudizi legati soprattutto a valutazioni estetiche più che ad una approfondita ricerca storica.

Rivestono qualche interesse le guide di Cleto Porro dedicate a Lodi e ai suoi monumenti[12], per il fatto che forniscono alcune informazioni sulle opere nel territorio e il testo di Johann David Passavant[13], tra i primi ad accennare a entrambi gli artisti lodigiani, ritenendone scontata la collaborazione in bottega ma tentando ugualmente una distinzione. Egli assume quale postulato della loro attività il gonfalone dell'Incoronata raffigurante la Vergine, per il quale, come vedremo, esiste l'atto di commissione al solo Alberto. Ma la distinzione di stile avanzata dallo studioso non risulta convincente tanto che la stessa Emma Ferrari parecchi anni dopo affermerà che "anche l'occhio più attento non riesce a scoprire differenze di tecnica e di modellato là dove egli le additò" [14]. Il tentativo del Passavant si conclude infatti nell'accogliere come eseguite da entrambi i fratelli le molte opere lodigiane tradizionalmente attribuite ai Piazza. Con la proposta di ritenere Martino il più dotato e l'autore delle parti inferiori dei polittici all'Incoronata e in Sant'Agnese, lo studioso apriva di fatto la strada a quell'altalenante e quasi ossessiva ricerca di caratteri distintivi all'interno di questi dipinti che si protrarrà fino a pochi anni or sono. Sulla medesima linea del Passavant, del quale ricorda spesso le conclusioni, si colloca la voce del Nagler[15] che si attiene, come punto di partenza, alle affermazioni del Lomazzo circa gli affreschi eseguiti all'epoca di Francesco Sforza.

Il primo a dedicare un intero capitolo, il quinto, esclusivamente alla scuola pittorica lodigiana è François Rio. Principale rappresentante è ancora considerato Martino Piazza, per il fatto che lo si riteneva già attivo nel 1508, data probabilmente inesatta per la decorazione ad affresco di un ciclo andato perduto nell'abside del Duomo della sua città[16].

Determina ulteriore confusione la ricostruzione genealogica della famiglia: per giustificare il passo del Lomazzo, il Rio ritiene che l'Albertino citato non possa essere la medesima personalità già operante all'epoca di Francesco Sforza, secondo l'interpretazione datane fino allora, e per questo motivo considera plausibile l'esistenza di due artisti, un fantomatico Bertino che sarebbe stato il capostipite della famiglia, e il figlio Albertino. Tant'è che afferma: "Non si sa come classificare quel Bertino Piazza, fondatore della famiglia e anche della scuola, che è da Lomazzo nominato fra i pittori chiamati dal grande Sforza a Milano, per dipingere i baroni armati nella maggior corte del suo castello"[17].

Di un certo rilievo è l'osservazione con la quale il Rio prende in esame il presunto rapporto di bottega tra i due fratelli, precisando: "È difficile fissare la parte di collaborazione che una vaga tradizione attribuisce ad Albertino nelle opere di suo fratello, che gli era di gran lunga superiore." Lo studioso considera correttamente Alberto più giovane, riconoscendo che "Se vi ha una specie di merito [...] è nella produzione delle figure o de' gruppi, in cui devono spiccare le espressioni soavi e grandiose"[18].

Questa linea critica, seppure abbandonata per privilegiare l'altra ipotesi che considera Alberto maggiormente dotato, conserva alcuni spunti positivi: risulta acuta in quanto riconosce che il passo del Lomazzo crea problemi di datazione, per la sequenza cronologica dei tre polittici lodigiani, con quello Berinzaghi collegato al documento del 1514, fino alla notizia, purtroppo non confermata, secondo la quale Alberto "morì all'ospitale vittima della peste"[19].

Il primo studioso che dedichi integralmente un capitolo ad uno dei due fratelli è Girolamo Luigi Calvi (Milano, 1791 - 1872), pittore e già frequentatore delle lezioni di Giuseppe Bossi all'Accademia di Brera; egli è l'autore di un'opera dedicata agli artisti lombardi che si distinsero nella Milano viscontea e sforzesca. Il protagonista di questa parte è "Alberto o Albertino", come viene definito comunemente, ritenuto il "fodatore di questa famiglia"; egli "ebbe a fratello un tal Martino, il quale, minore d'età come di merito, a lui s'associò nell'assunzione delle opere, ma non si conosce che mai operasse da solo, sicché è a credere servisse al fratello solo di aiuto"[20]. Con questa affermazione il Calvi si pone in contrasto rispetto alle proposte del Rio. Il passo si spiega con il successivo, in cui il Calvi interpreta erroneamente la fonte lomazziana poc'anzi esaminata, ritenendo che Alberto "con altri de' più riputati pittori, eseguisse in Milano nel palazzo del duca Francesco Sforza le altrove nominate pitture, che andarono rovinate per gli innovamenti compiuti in quel palazzo dal governatore spagnuolo marchese di Gusman" e prosegue poc'oltre dicendo: "È a credere che il duca Francesco [...] tardi pensasse ad abbellire il palazzo dell'Arengo, ove vuolsi tenesse la sua stabile residenza; e che appunto ancora giovanissimo Alberto Piazza, avendo dato buone prove nell'arte, venisse chiamato ad operarvi"[21]. Il Calvi è quindi costretto a ipotizzare una vita lunghissima di Alberto. Mancato, come sappiamo, entro il 1529, anno nel quale viene sostituito dai nipoti che completano l'ancona per la scuola di San Bovo e Santa Lucia in Duomo, e già attivo alle dipendenze di Francesco Sforza (1450 - 1466) nella "corte maggiore di Milano" che egli vorrebbe essere l'Arengo ma che corrisponde probabilmente al Castello di porta Giovia, poi Sforzesco.

Della difficile strada intrapresa se ne rende conto lo stesso autore, che non si spiega l'assenza di opere a lui attribuibili per un così lungo periodo di tempo. Così è costretto a supporre un viaggio di Alberto lontano dal territorio lodigiano, forse presso il Perugino e poi a Roma con Raffaello. Nonostante infondata, l'ipotesi ebbe una certa fortuna, riscuotendo alternativamente i consensi della critica fino in tempi recenti; la letteratura artistica successiva, per trovare una spiegazione più convincente, giunse persino a ritenere che 'gli Albertino' fossero due e precisamente l'Alberto da Lodi ricordato dal Lomazzo e il Piazza attivo agli inizi del Cinquecento.

Il Calvi, ponendo il ritorno di Alberto a Lodi poco prima del 1512, gli riferisce, spesso con la collaborazione di Martino, l'esecuzione delle pale d'altare che si trovano nel territorio, dal trittico in Duomo al polittico Berinzaghi a quello per l'Incoronata di Castiglione d'Adda e all'altro per Nicola Galliani in Sant'Agnese, concludendo con il gonfalone per l'Incoronata lodigiana[22].

Grazie alle opere del Rio e del Calvi abbiamo una prima indagine sulla pittura lodigiana che, pur con le incertezze rilevate, costituiva l'utile traccia per gli studi più sistematici ed approfonditi. Purtroppo così non è stato e, salvo rari casi che segnaleremo nel corso del testo, d'ora in poi il nostro discorso diverrà sempre più ripetitivo a causa di una vicenda critica sterile, con studiosi che si alternano la paternità delle opere e la loro datazione non curanti dei dati che possono facilitarne l'interpretazione. Per questo motivo cercherò di limitarmi alle notizie essenziali.

Tra gli esempi più interessanti vanno ricordate le due pubblicazioni dell'avvocato lodigiano Bassano Martani, cultore di cose d'arte, segretario del locale museo e collezionista[23]. Impostate sulla falsariga delle guide ai viaggiatori, hanno lo scopo di rendere note le principali opere del patrimonio soprattutto ecclesiastico della città, offrendo all'autore lo spunto per congetture e divagazioni riguardo i due artisti. La fonte di riferimento del Martani è costituita dal testo del Calvi; si deduce dal fatto che ad Alberto egli riconosce la predominanza sull'aiutante Martino[24], benché non abbia fondamenti documentari.

Il Cavalcaselle è l'unico studioso che riconosce l'errore a proposito delle origini di Alberto: "*whom Lomazzo by mistake registered amongst the painters of Francesco Sforza's time*"[25]. Lo studioso ritiene che la collaborazione tra i due fratelli, fondata sulla differenza di stile fra le parti della medesima opera, sia riconoscibile "*in every production attributed to his pencil*", fin dalla prima opera a lui nota e cioè il polittico Berinzaghi e nella lunetta ad affresco sovrastante la medesima cappella all'Incoronata, con le *Sante Caterina e Apollonia*[26]. Secondo lo studioso, i due fratelli erano stati allievi del Bergognone; caratterizzati da una pittura soave e serena ma inerte e troppo languida, egli riteneva d'identificare le loro fonti culturali negli artisti perugineschi e nei raffaelleschi bolognesi. Non sappiamo dove abbia ricavato la notizia circa la datazione al 1526 del polittico di Castiglione d'Adda; è probabile che abbia fatto combaciare l'esecuzione con l'impegno nello stesso anno all'Incoronata di Lodi.

L'apporto dell'Alizeri risulta particolarmente significativo per l'ampliamento degli orizzonti sull'attività di Alberto[27]. Grazie ad un documento di allogazione per alcune figure di Vescovi nel capitolo maggiore del Duomo di Savona, egli ha riconosciuto che "*Magister Obertus de Laude pictor*"[28] è operante in città nel 1517; le suddette rappresentazioni sono andate perdute, forse vendute, come riferisce di lì a poco il Caffi[29], ricordando il soggiorno savonese di quest'ultimo. La notizia dell'Alizeri è importante per aver aperto nuove frontiere d'indagine, indicando che l'attività del pittore non si è limitata al territorio lodigiano.

Raccoglie qualche spunto interessante il saggio di Michele Caffi, che si astiene dal trarre conclusioni circa il prevalere di uno dei due fratelli o dal tracciarne l'ipotetico percorso. Nel complesso il suo apporto è documentario: egli si avvale dei pochi documenti d'archivio conosciuti e, in primo luogo, degli atti del Santuario dell'Incoronata, dai quali ricava che Martino, detto "senior de Tochagnis"[30], era il maggiore, mentre Alberto era ancora vivo nel 1526, quando è ricordato per una serie di lavori 'minori' per l'Incoronata di Lodi. Il Caffi è anche il primo a parlare degli affreschi con le *Storie di sant'Antonio abate*, scoperti nella cappella Berinzaghi all'Incoronata, che egli pensa siano di Martino sulla base del nome espresso dal Ciseri nel XVIII secolo a proposito della pala nella medesima cappella.

Il contributo di Giovanni Morelli è di taglio differente rispetto ai precedenti[31]. Forse sulla scorta di quanto aveva già ipotizzato Otto Mündler, lo studioso attribuisce a Martino l'*Adorazione dei pastori* della Pinacoteca Ambrosiana di Milano (monogrammata 'MPP' a lettere intrecciate) che interpreta come le iniziali di "*Martinus Platea Pinxit*"[32]. Arricchita nella versione tedesca del libro con l'aggiunta del *San Giovanni Battista* della National Gallery di Londra, ugualmente monogrammato 'MPP' e coronato da una probabile 'T' con due ali d'uccello stilizzate, la proposta troverà riscontro solo in pochi studiosi[33]. Ma lo stesso Morelli continua a ritenere i due fratelli attivi sulle medesime opere. Oltre che per i polittici lodigiani già citati, eseguiti in collaborazione con Martino, Alberto si configura, sempre secondo lo studioso, con due novità: lo *Sposalizio mistico di Santa Caterina* dell'Accademia Carrara di Bergamo e l'*Adorazione dei Magi,* allora nella collezione Frizzoni-Salis a Bergamo[34], opere in seguito accettate dalla critica più preparata. Nessun contributo inedito forniscono invece le pubblicazioni di ambito locale edite allo scadere del XIX secolo[35], caratterizzate dall'eccessivo campanilismo, esageratamente elogiativo verso i nostri pittori.

Il Frizzoni considera fondamentali per i due artisti, autori in comune delle opere lodigiane, i contatti con l'arte del Bergognone e dei seguaci leonardeschi: "Il più puro e castigato dei due fu indubbiamente Albertino; il fratello Martino invece si mostra più progredito nella parte concernente lo sviluppo del colorito"[36]. Un breve accenno ad Alberto viene effettuato dal Venturi a proposito del trittico di *San Nicola da Bari tra quatto Santi* quando si trovava nella collezione Crespi a Milano[37]. Avvicinandolo alle opere lodigiane, egli assegna al pittore anche il *San Giovanni Battista* della Pinacoteca di Brera, fino allora attribuito al Bramantino.

Il Malaguzzi Valeri torna con maggiori argomentazioni sulla formazione giovanile dei due pittori, che fa discendere, come già altri prima di lui, da Ambrogio da Fossano, attivo all'Incoronata di Lodi negli ultimi anni del Quattrocento, dipingendo le quattro *Storie della Vergine* ed affrescando la distrutta cappella principale[38]. Di fatto i destini di Alberto e di Martino continuano ad essere accomunati a causa di una produzione considerata semplicisticamente frutto della loro collaborazione. Anche le intuizioni e gli spunti offerti negli ultimi interventi vengono reincanalati nel flusso della totale vicinanza stilistica e d'intenti, convinzione che si protrae inalterata fino a noi, senza particolari apporti ma con sempre più frequenti ripetizioni.

Nei primi elenchi di Bernard Berenson[39] si fa tesoro della traccia fornita dall'ipotesi morelliana sui due quadri monogrammati e, segnalando alcune nuove opere, si cerca di ampliare i rispettivi cataloghi ma la distinzione che egli avanza non garantisce una sufficiente base di lavoro: molti dipinti non spettano a loro e molti altri rimangono nell'incertezza.

Giorgio Nicodemi[40] dedica ad Alberto uno studio monografico nel quale riassume i principali orientamenti della critica. Se considera l'esecuzione del gonfalone dell'Incoronata determinante per la comprensione dei suoi modi, dando fede al documento del 27 febbraio 1519 che commissiona a lui l'opera, per Martino lo studioso afferma: "La sua arte forte risulta facilmente dal confronto coll'arte del fratello Albertino"[41]. La distinzione che egli persegue resta quella che individua Alberto ricco di commossi e languidi sentimenti, senza accenti tragici, autore di dolci e squisite immagini, mentre Martino, il fratello maggiore, è riconoscibile per le più marcate caratterizzazioni di fisionomie e atteggiamenti, espressione di quell''arte forte' che reputa essere la sua fondamentale peculiarità.

Il Nicodemi non condivide l'ipotesi dell'educazione peruginesca e raffaellesca di Alberto e neppure quella del Caffi di un suo avvicinamento a Bernardino Lanzani da San Colombano. Sostiene invece l'inedita considerazione dell'influenza dello Pseudo Boccaccino, alias Giovanni Agostino da Lodi, da poco riscoperto e di cui Alberto viene considerato un continuatore[42]. Se il polittico di Castiglione d'Adda, che il Nicodemi ritiene per lo più di Alberto, precede a suo parere quello in Sant'Agnese del 1520, è perché in quest'ultimo lo studioso rileva un regresso stilistico. Dopo tale anno si collocano, sempre secondo la ricostruzione del Nicodemi, il soggiorno a Savona e una serie di opere che vanno tutte retrodatate.

Dopo le evocazioni campanilistiche e fin troppo lusinghiere degli eruditi come il Martani, il Caffi e altri, il parere di Adolfo Venturi sui nostri pittori è esageratamente negativo[43]. A suo dire "Albertino [...] in collaborazione col fratello Martino dipinse un polittico nella chiesa dell'Incoronata con la cadente mollezza d'un Bergognone invecchiato. Le stesse forme sono nel quadro della chiesa di Sant'Agnese a Lodi", nello *Sposalizio di santa Caterina* e in generale nella loro produzione, secondo la quale il Venturi afferma che, "con la dolcezza delle immagini, qui stereotipata, il Piazza mostra di aver ereditata dal Bergognone la povertà di forma"[44]. Fedele alla linea critica di maggiore successo che voleva Alberto il principale artefice e Martino suo aiutante, senza neppure accennare a un eventuale autonomia artistica. Artisti in simbiosi, attivi assieme nelle solite opere lodigiane sono ricordati anche dallo storiografo locale e bibliotecario Giovanni Agnelli nel volume dedicato al territorio sulle utili tracce dei manoscritti di Defendente Lodi[45].

Anche Emma Ferrari[46] si attiene alla convinzione, probabilmente originata dalla trascrizione del Cernuscolo, che Martino e Alberto lavorassero insieme. La sua ampia disamina segue le linee fondamentali tracciate mezzo secolo prima dal Calvi; l'attenzione è incentrata su Alberto, il "più valente", lo stile "leonardo - peruginesco" del quale denota influssi luineschi su motivi del Bergognone, come si evidenzia nell'unica opera considerata completamente di sua mano, il gonfalone del 1519. I caratteri perugineschi avrebbero origine dalla scuola cremonese, attraverso le opere di Galeazzo Campi e Tommaso Aleni. Nelle parti che spetterebbero a Martino la studiosa rileva influenze della scuola veneta, derivate dal rapporto che il pittore avrebbe avuto con Brescia. Perciò anche l'*Adorazione dei pastori* dell'Ambrosiana viene considerata "lavoro di un molle, inzuccherato leonardesco"[47].

Nelle opere lodigiane riscontra il prevalere dell'uno o dell'altro dei fratelli, secondo una cronologia che metterà non poco in imbarazzo gli studi successivi: verso il 1514, il polittico Berinzaghi e gli affreschi nella medesima cappella, tra il 1515 e il '19 il polittico di Castiglione d'Adda, dove sarebbe di Martino la maggiore impronta, mentre al solo Alberto spetta quello in Sant'Agnese, se si esclude l'incisivo ritratto del donatore. La studiosa suggerisce inoltre di far risalire dopo il 1520 il soggiorno savonese di Alberto, come già propose il Caffi, per ovviare alla mancanza di sue opere nel lodigiano databili al terzo decennio.

L'intervento di Suida[48] tende a rivalutare i due artisti dopo il pesante giudizio del Venturi. Egli considera Alberto quale autore del polittico Berinzaghi, al quale riconosce caratteri perugineschi e un leonardismo desunto dal Maestro della Pala Sforzesca. Martino è, invece, l'autore delle due opere monogrammate assegnategli dal Morelli. Così facendo propone di riconoscere in Alberto un artista sentimentale e flemmatico mentre Martino, con toni maggiormente leonardeschi, potrebbe aver avuto ispirazione sul giovane Gaudenzio Ferrari. Nel complesso si tratta di un contributo assai valido, anche se limitato, che lascia purtroppo una labile traccia nella storiografia, invariabilmente ancorata ad accettare la loro reciproca collaborazione.

Dimostrazione di ciò è l'approccio proposto da Angiola Maria Romanini[49], che riconosce anche nell'unica opera del solo Alberto, il gonfalone dell'Incoronata, un'opera a due mani, dando credito alla ricordata nota nel manoscritto del Cernuscolo. Ciò consente alla studiosa "di poter notare, accanto allo spirito tutto imbevuto di bergognonismo cui è dovuta la parte inferiore del Gonfalone, la collaborazione di un artista di piglio più vigoroso [...] tutto preso, in particolare, dal fascino di Raffaello"[50]. Ad Alberto, considerato dalla studiosa il più anziano, fa risalire la parte inferiore mentre il rimanente sarebbe del più aggiornato Martino. La Romanini è ancora legata all'errata interpretazione del passo del Lomazzo che voleva Alberto attivo ai tempi di Francesco Sforza. Per via di questa presunta arcaicità del pittore, la studiosa nega ad entrambi l'attribuzione degli affreschi all'Incoronata con i Santi eremiti. Successivi al gonfalone e sempre in collaborazione sarebbero sia il polittico in Sant'Agnese sia quello Berinzaghi, mentre nel trittico del Duomo, datato tra il 1514 e il '17 e considerato il suo primo impegno, Martino aveva già manifestato il proprio credo raffaellesco. Dobbiamo smentire che esista la data '1526' letta dalla studiosa[51] sul verso della tavola raffigurante la *Madonna col Bambino in trono*. Il *Santo vescovo* (da riconoscersi in Bassiano, patrono di Lodi) compagno del precedente pannello, in quanto provenienti entrambi dalla chiesa di Turano (Lodi, Museo Civico) è giudicato, invece, di Alberto. Ai Piazza e in particolare a Martino spetta l'esecuzione dell'affresco con l'*Adorazione dei Magi* nella chiesa di Santa Maria della Pace a Lodi, che dovrebbe, sempre a suo parere, risalire a dopo il 1525, anno della presunta consacrazione dell'oratorio.

A Pasquale Rotondi va il merito d'essere tornato ad esaminare il soggiorno savonese di Alberto[52], riprendendo il suggerimento dell'Alizeri. Egli assegna al nostro pittore la pala della cappella Spinola in Duomo a Savona, proponendo una datazione prima del 1514, anticipata rispetto al documentato soggiorno del 1517. L'attribuzione si regge sui confronti con le opere lodigiane, dalla Madonna agli stessi Santi dai volti affilati e dai corpi allungati, propri del polittico Berinzaghi, alle figure in quello di Castiglione d'Adda e nel gonfalone dell'Incoronata. A questo punto le carte sono mischiate come mai in precedenza. Ma proseguiamo senza perderci d'animo. Nessuna particolare novità avanza la D'Auria[53], che riferisce del livello raggiunto dagli studi. Il suo punto di vista segue passo passo l'esposizione effettuata pochi anni prima dalla Romanini, con maggiore ampiezza d'argomenti ma senza sostanziali cambiamenti.

Nei nuovi elenchi del Berenson[54] si applicano numerose correzioni oltre che aggiunte e varianti rispetto alle precedenti edizioni. Attraverso le sue attribuzioni comprendiamo che il pensiero dello studioso non escludeva la collaborazione, anche frequente, fra i due fratelli senza però negare di riconoscere alcuni dipinti ad uno solo di loro. Se per Martino, ad esempio, accoglie le due opere siglate, assegnategli dal Morelli, con l'aggiunta di due dipinti fondamentali come la *Madonna col Bambino e San Giovannino* del Museo di Budapest e della *Madonna col Bambino, San Giovannino e Sant'Elisabetta* della Galleria Nazionale di Roma, non gli vieta di partecipare alle più significative imprese lodigiane, confermando una indecisione nella scelta dell'orientamento critico che permane ancora un decennio.

Il saggio introduttivo di Gian Carlo Sciolla al volume monografico a loro dedicato è già nel titolo ('Il problema di Martino e Albertino Piazza') indicativo della situazione, cui la critica non è riuscita a fornire conclusioni verosimili[55]. Nel suo intervento mantiene inalterata l'ipotesi che vede i primi due Piazza operanti insieme nell'unica bottega di famiglia, per lo più sulle medesime opere per le quali si sostiene una cronologia del tutto discutibile.

Seguendo la traccia del Rotondi, Bruno Barbero raggruppa sotto il nome di Alberto oltre alla pala del Duomo di Savona le due opere assegnate al 'Maestro della Visitazione di Wiesbaden', in anni "attorno al 1517 o comunque nel secondo decennio del secolo"[56]. Sorprende semmai che al fratello Martino egli riconosca, oltre al *trittico dell'Assunta*, la quasi totalità di esecuzione del polittico di Castiglione d'Adda, che è opera determinante per la comprensione dei risultati conseguiti da Alberto.

Anche ultimamente non sono mancati alcuni tentativi per distinguere le due personalità, e tra questi il più sottile è stato offerto da Federico Zeri, il quale assegna a Martino la maggioranza delle imprese realizzate a Lodi, rifiutando di identificarlo quale autore delle opere siglate[57].

Nonostante le molte proposte la distinzione dei rispettivi cataloghi non ha prodotto risultati convincenti, mantenendo per entrambi una sostanziale confusione stilistica e cronologica. In realtà questi pittori svolsero un percorso artistico indipendente e del tutto personale, caratterizzato dalla differente formazione culturale e dal diverso orientamento figurativo. Vediamo come è stato possibile giungere a simili affermazioni e come vengono a configurarsi i due artisti.

MARTINO

Sia le fonti ottocentesche sia i documenti ritrovati ultimamente[58] ricordano Martino come il più anziano dei due fratelli. Figlio primogenito di Gian Giacomo, fin dal primo documento, del 15 gennaio 1502, egli è sposato e abitante nella medesima vicinia di San Gimignano dove risulterà insediarsi la bottega.

L'unica notizia d'archivio che riguardi un'opera commissionata a lui personalmente risale al marzo del 1522, quando a "*Martini Tochagni*" venne chiesta l'esecuzione dell'affresco con la Madonna ("*imagine Virginis*") da realizzare sopra l'ingresso principale del Monte di Pietà a Lodi, per il quale ricevette un pagamento il 22 aprile dello stesso anno[59]. Purtroppo questo dipinto, che poteva costituire il sicuro punto di partenza per la ricostruzione della sua personalità, è ricordato fin dalla prima critica ottocentesca (Rio, Calvi, Caffi) come da tempo andato perduto. Il pittore morì di lì a poco, entro il 1 marzo del 1523.

L'altro indizio sul suo conto risale al dicembre 1514 e viene suggerito dal già menzionato passo nel manoscritto del Cernuscolo (1642), col quale, in una formula certo abbreviata, l'autore ricorda che "Si fanno trattati con i fratelli della Piazza appellati Toccagni per la pittura della Chiesa" dell'Incoronata, dove, in effetti, sembra implicito leggere anche il nome di Martino al fianco di Alberto.

Di fronte all'obiettiva mancanza di un testo pittorico riferibile con certezza a Martino, per tentare di ridisegnare il suo percorso non rimane che seguire altre strade. Innanzitutto cercando di leggere nella loro totalità i pochi elementi in nostro possesso: interpretando gli indizi con l'unico scopo di far riaffiorare entrambe le personalità nella loro corretta fisionomia. Analizzati singolarmente questi indizi hanno offerto scarse garanzie, l'averli confrontati e legati fra loro forniscono la struttura portante di tutta la ricostruzione, dal momento che ciascuno conduce verso la medesima ipotesi. È stata un'impresa particolarmente ardua, nella quale è stata fondamentale la ricerca sperimentale.

Il principale presupposto risiede nella constatazione che le opere lodigiane, finora assegnate ad entrambi, vanno interpretate come stilisticamente coerenti e omogenee, riconducibili cioè ad un'unica personalità. In esse è difficile riscontrare l'intervento di un altro artista, se non nelle parti marginali, che possono comunque spettare ad aiuti di bottega. Se nei primi tempi della ricerca l'autore di queste opere poteva essere uno di entrambi, l'averlo individuato in Alberto non autorizzava a ritenere Martino un artista indipendente. Poteva anche essere un semplice assistente del fratello.

Un'altra personalità, diversa da quella che si forma attraverso le opere lodigiane, prende avvio da tre dipinti siglati con le medesime iniziali, corrispondenti a quelle del nostro artista. Si tratta di quadri che, oltre a concordare tra loro dal punto di vista stilistico, sono monogrammati con le stesse sigle in oro ricorrenti in abbinamenti diversi: con le lettere 'TP' unite a due ali d'uccello stilizzate, nella *Madonna con il Bambino e san Giovannino* (già nella collezione Bortolan di Treviso, fig. 1), 'MPP' intrecciate e sormontate da una 'T' con le medesime ali nel *San Giovanni Battista alla fonte* (Londra, National Gallery, fig. 2) e semplicemente 'MPP' nell'*Adorazione dei pastori* (Milano, Pinacoteca Ambrosiana, fig. 3)[60]. Se infatti non è arduo individuare nelle suddette lettere le iniziali di "*Tochagnis pinxit*" e di "*Martinus Platea* (o de la Platea) *pinxit*", per avere la certezza della corretta identificazione è necessario dimostrare che l'autore di queste opere e delle altre che ad esse si possono avvicinare, sia il pittore lodigiano e nessun altro il cui nome abbia le medesime iniziali. Lo stile infatti che emerge da queste opere colloca l'artista in area lombarda o meglio ancora milanese, proprio in considerazione degli stringenti rapporti che sembrano intercorsi con i pittori della cerchia leonardesca, tra la fine del Quattrocento e i primi due decenni successivi. E seppure non sia noto in questi anni, in area milanese, un altro artista che abbia queste iniziali, la prova definitiva di questo riconoscimento può venire solo dalla localizzazione del luogo di attività del pittore: si deve verificare cioè se nel lodigiano, nonostante la più diffusa cultura figurativa, esistano opere da riferire all'autore dei quadri monogrammati.

Questi dipinti sono ancora più interessanti in quanto documentano momenti diversi del nostro autore, fornendo lo spunto per meglio comprendere la sua evoluzione figurativa in un arco di tempo non limitato. Attraverso i molti elementi stilistici che cogliamo da queste tre opere è possibile iniziare a definire il percorso del nuovo pittore.

In un primo tempo, l'elemento utile per giungere con buona approssimazione alla conferma che l'autore di queste opere fosse il pittore lodigiano mi venne offerto da un allora inedito affresco raffigurante la *Sosta dalla fuga in Egitto*, conservato nella sacrestia della chiesa di Santa Chiara Nuova a Lodi[61] (fig. 4). Dal punto di vista stilistico questo brano dimostra uno stretto rapporto di dipendenza con l'attività del maestro dei monogrammi, tanto che il suo autore potrebbe essere stato un collaboratore di quest'ultimo. L'affresco, in non perfette condizioni di conservazione, sporco e offuscato da ossidazioni, è visibile solo parzialmente a causa del dossale ligneo che riveste la parte inferiore della parete; anche in queste condizioni è possibile rilevare le forti analogie con la cultura figurativa indicata dai tre quadri siglati: le fisionomie della Vergine e il San Giuseppe richiamano quelle dipinte nell'*Adorazione* dell'Ambrosiana, e soprattutto la delicata raffinatezza cromatica con la quale viene eseguito il paesaggio è indice del medesimo clima culturale, in un momento probabilmente agli inizi del terzo decennio.

L'importanza di questo ritrovamento consisteva nel fatto che l'opera rappresentava a Lodi l'unica testimonianza pittorica degli inizi del Cinquecento di un artista che si differenzia dall'univoco stile dell'autore dei polittici, identificato con Alberto, avvicinandosi a quelli che incominciavo a ritenere fossero i veri modi del fratello.

Infatti, allo stesso anonimo collaboratore si può assegnare l'*Adorazione dei pastori*, datata 1520 (fig. 5), che in passato era stata riferita proprio a Martino Piazza[62]. Vi si ritrova la medesima delicata profilatura dei volti, una simile gestualità e l'analogo modo un poco incerto e stemperato di eseguire il paesaggio, tale da confermare l'idea che si tratti di un giovane artista alle prime esperienze. Figura questa che potrebbe celare gli esordi di uno dei figli di Martino, tra Cesare, Callisto e Scipione, o più probabilmente di un pittore come Cesare Magni, che vedremo sviluppare gli insegnamenti di Martino[63].

A chiudere il cerchio del rapporto tra il maestro e il suo anonimo allievo rintracciamo il prototipo per l'intera composizione. Si tratta di una tavola che riproduce un'*Adorazione dei pastori*, lo stesso soggetto del quadro Sessa Fumagalli, eseguito due anni prima, nel 1518 (fig. 7)[64] dallo stesso autore delle opere monogrammate. Quadro tanto più prezioso perché è l'unico datato: permette di considerare precedenti a tale data le opere monogrammate e di comprendere gli sviluppi successivi del pittore.

La definitiva conferma giunge col rinvenimento, nella chiesa di Santa Maria alla Fontana, poco distante dal centro di Lodi, dell'affresco votivo raffigurante la *Madonna con il Bambino e un donatore*[65] (fig. 8), perfettamente coerente con gli altri dipinti del gruppo del pittore dei monogrammi. Grazie a quest'opera ho potuto rimuovere ogni riserva nei confronti dell'identificazione di questo autore con Martino, avendo la certezza che era stato attivo a Lodi. L'affresco risale alla fase avanzata del secondo decennio, in sintonia proprio col quadro datato 1518 ora indicato, ponendosi in relazione tanto con le opere di stampo leonardesco quanto con quelle che vedremo risalire alla successiva fase di autonoma adesione alle soluzioni cremonesi e nordiche.

A questo punto, che Martino avesse bottega a Lodi assieme al fratello, che fosse da lui indipendente o che addirittura, date le stringenti discendenze con gli esiti milanesi d'inizio secolo, fosse per qualche tempo attivo tra Lodi e Milano, non lo possiamo affermare senza una buona dose d'incertezza. Resta il fatto che la sua personalità incomincia a prendere forma, tratteggiando un pittore tutt'altro che monocorde, attento piuttosto alle molteplici sollecitazioni che l'ambiente artistico produceva in questi anni di straordinari rivolgimenti culturali.

Preso atto delle numerose carenze in sede documentaria, la cronologia del 'corpus' che andiamo a ricostruire non può che essere indicativa. Riteniamo sia comunque importante tentare una successione cronologica per tracciare le tappe di un percorso che assume interesse anche in virtù delle influenze subite dal pittore e dei rapporti che instaurò con i suoi contemporanei. La datazione dei dipinti potrà rivelarsi più serrata o, anche, più dilatata nei tempi, a seconda della sensibilità di Martino nei confronti delle novità che lo circondano, fatto salvo della sua indubbia originalità compositiva e tematica.

L'artista nacque probabilmente verso il 1480 se, come abbiamo visto, nel 1502 risulta già sposato. C'è da ritenere che la prima formazione risalga all'ultimo decennio del Quattrocento, inizialmente nella stessa città di Lodi che offriva notevoli opportunità durante gli anni tra i due secoli, grazie al fervido ambiente artistico che si era creato attorno al cantiere dell'Incoronata[66]. A questi esordi che possiamo congetturare essere avvenuti soprattutto sotto l'influenza delle personalità di maggiore spicco che frequentarono la città, dai Della Chiesa al Bergognone, dovette seguire un periodo maggiormente soggetto agli stimoli derivati dalla situazione figurativa milanese, di suggestione leonardesca. Un artista particolarmente legato al seguito di Leonardo, un suo personalissimo epigono tra una schiera di seguaci, noti e ignoti, che lavorarono sulla scorta delle geniali idee del maestro toscano.

Ritengo d'individuare la più antica testimonianza di Martino nella *Madonna col Bambino* (fig. 9)[67] che segna per ora i suoi esordi artistici, aprendo l'orizzonte verso le componenti culturali precedenti allo stile dei quadri monogrammati. Il dipinto è a tutt'oggi ignoto alla letteratura artistica pur avendo un'attribuzione a collaboratore di Leonardo indicata anni or sono da Mauro Pelliccioli.

Se l'ascendente leonardesco infonde l'impronta più pregnante, soprattutto per quanto riguarda l'aspetto formale legato al modello della Vergine col volto leggermente reclinato e gli occhi abbassati verso il Bambino, l'opera vive sugli esempi della più tradizionale situazione figurativa lombarda allo scadere del Quattrocento. Il suo autore si dichiara buon conoscitore dei modi di Ambrogio Bevilacqua e soprattutto del Bergognone, negli anni dell'impegno lodigiano. La fusione di questi elementi con le novità leonardesche riguardanti lo sfumato non è ancora ben assimilata tanto che al morbido chiaroscuro degli incarnati fa riscontro la pur leggera traccia scura che delimita i contorni. Il riposante paesaggio alle spalle delle figure è compiuto con attenta raffinatezza, sottolineando ogni dettaglio. La medesima discreta eleganza modella le forme delle figure, impreziosite dalla bordura che corre lungo il contorno della veste e dai nimbi in oro, in aggiunta alle leggere pennellate che arricciano i boccoli del Bambino, lasciando che il biancore del sottile brano di pizzo compaia tra il rosato eburneo del collo e il rosso intenso dell'abito. Per questa minuziosa capacità descrittiva e per una serie di riscontri tipologici, fondati sull'aspetto del Bambino e sulla sua singolare espressione, siamo di fronte ad un'opera del lodigiano; egli manterrà inalterate queste caratteristiche lungo l'intera carriera artistica.

Di fatto la figura di Martino assume connotati completamente nuovi e assai interessanti rispetto alla confusa figura sinora conosciuta, dimostrandosi pienamente inserito nell'ambiente degli artisti leonardeschi attivi a Milano nei primi anni del Cinquecento, a conoscenza delle novità che Leonardo irradiava, una volta tornato nella capitale del Ducato, tra il giugno del 1506 e il settembre del 1507, per restarvi, salvo brevi intervalli, dal settembre del 1508 fino allo stesso mese del 1513. In rapporto col Boltraffio e con Giovanni Agostino da Lodi, Martino cresce al fianco di Cesare da Sesto, gli esordi del quale sono ben espressi nella *Madonna col Bambino e san Giovannino* del Museo d'Arte Antica di Lisbona[68], e del giovane Giampietrino. Pittore estremamente eclettico e stravagante, nel proprio repertorio sovente predilige realizzare soggetti insoliti. Spesso si affida alle originali idee di Leonardo e sviluppandole in maniera personale, rende particolare anche lo svolgimento di temi più comuni come le *Madonne col Bambino* o le *Natività*. Rivolge un'attenzione particolare alle novità luministiche di origine nordica, non trascurando l'uso di una tecnica pittorica di sovente affine alla loro per colore, luminosità e impasto. Dall'analisi delle opere del suo nuovo catalogo emerge la versatilità nell'interpretazione dell'aspetto naturalistico, genere nel quale Martino dimostra una particolare propensione: i suoi paesaggi, di una qualità pittorica molto alta e completamente differenti dagli interessi che persegue il fratello, assumono un'importanza peculiare per la comprensione del suo percorso.

L'apice dei contatti col seguito di Leonardo sembra rappresentato da una derivazione della *Vergine con sant'Anna, san Giovannino e l'agnello* (fig. 13), di ubicazione ignota[69], determinante per decifrare il grado di interesse verso il mondo leonardesco e tanto più sorprendente per il livello di immedesimazione che egli raggiunge nel dipingere le figure e ancora più stupefacente per la capacità descrittiva di un paesaggio incredibilmente arioso e multiforme, luminoso e ricco di particolari. Se per assegnarla a Martino è fondamentale il confronto con i dipinti monogrammati, vale la pena tenerne presente il livello qualitativo in considerazione degli interessi nella realizzazione del paesaggio.

A questo momento di maggiore adesione ai fatti leonardeschi si colloca anche l'ignorato affresco a monocromo, nel terzo vano a sinistra della chiesa di San Marco a Milano, raffigurante la *Vergine col Bambino e san Giovannino* (fig. 11). Nonostante alcune pesanti lacune, contenute dal restauro, il dipinto non nasconde le parti congeniali ai modi di Martino, confermando l'avvenuta attività milanese; le pose dei bambini e le loro espressioni sono modelli ricorrenti del repertorio del lodigiano, al punto che il san Giovannino è sovrapponibile a quello di un'altra opera basilare in questo contesto, la *Madonna col Bambino, san Giovannino e sant'Elisabetta* della Galleria Nazionale di Roma (fig. 10)[70]. Gesù è proteso in modo speculare rispetto al Bambino del quadro romano e non è distante dai modelli dipinti nella *Madonna col Bambino* ora segnalata e nell'altro interessante inedito con la *Vergine e il Bambino tra le sante Caterina d'Alessandria e Lucia* (fig. 12) di ubicazione ignota[71]. La cristallina definizione è il segnale per ritenerle ancora eseguite nel primo decennio, presentando gli elementi tipici della maniera di Martino: le fisionomie dei suoi personaggi, dalla Vergine alle Sante, allo stesso Bambino sempre simile, nella tornitura paffuta del viso e con le gote rosate, i riccioli ispidi e intrecciati, il profilo sottile; dalla preziosità cromatica delle velature a lacche trasparenti, a cui si aggiungono le veloci lumeggiature giallo-dorate sulle parti in luce, all'ispirazione 'ponentina' del paesaggio, prolungato fino ai lontani monti all'orizzonte, in un'analitica definizione di stampo neerlandese, fino al brano delle due ciliege sul parapetto in primo piano, che anticipa le complesse implicazioni iconografiche e simboliche di altri suoi quadri.

La citata tavola delle Galleria Nazionale di Roma è un'opera nodale per la ricostruzione del suo percorso, avvicinandoci a quell'universo tematico e simbolico che sembra attrarre costantemente Martino. Vi sono infatti rappresentati una serie di oggetti collegati a temi cristologici, volutamente ostentati in primo piano all'attenzione dell'osservatore. Sul parapetto di mattoni, simbolicamente in rovina, che costringe la Vergine ad una scomoda quanto innaturale torsione del busto rispetto alle gambe, sono esposti, in una particolare atmosfera mistica, colma di significati allegorici, l'agnello, il volume, la salamandra, la chiocciola, l'edera, il pomo, la mosca e i frutti nel bacile, precoce esempio di natura morta. Il Bambino viene presentato nella medesima posizione della *Madonna dei fusi*. La rigorosa impostazione prospettica fornisce un'idea dell'impegno di Martino nella ricerca di un profondo senso spaziale, accentuato dalla volumetria dei corpi solidi, i quali segnano come pietre miliari, l'inoltrarsi dell'occhio nello spazio tanto reale da divenire illusionistico del quadro.

Tutto ciò viene accentuato dal macchinoso ed altrettanto leonardesco uso del vano roccioso che, alle spalle della scena, orienta lo sguardo come in un binocolo, verso due fuochi: un agglomerato di edifici d'ispirazione nordica e un paesaggio boschivo nei modi identici a quelli visti sinora. Oltre ad essere innegabili i rapporti con i tre quadri monogrammati, con questa tavola si aprono nuovi spiragli per la comprensione degli interessi di Martino in relazione alle suggestioni d'oltralpe, in questa fase soprattutto soggette al gusto fiammingo. Sono infatti ancora da valutare le possibilità di scambio verificatesi tra l'ambiente artistico milanese e pittori fiamminghi come Jan de Beer (attivo dal 1490-1515) autore del trittico con l'*Adorazione dei Magi*, Gerard David (verso 1460 - 1523) e Joos van Cleve (verso 1485 - 1540/'41) dei quali sono noti i legami con Genova, Bernard van Orley (verso 1488 - 1541) e Joachim Patinir (verso 1485 - 1524), primo neeerlandese a rendere il paesaggio protagonista del quadro, ma appare certo che i loro fondali presentino caratteri assai comuni a quelli delle opere di Martino.

Altri dipinti si segnalano per la stretta connessione con la situazione leonardesca; mi riferisco al *San Gerolamo penitente* (fig. 14)[72] e al singolare *Salvator Mundi* in abiti civili forse a celare il ritratto del piccolo Massimiliano Sforza (fig. 20)[73]. Queste opere conducono Martino in un clima di stretta convivenza con le novità milanesi nei confronti del lume, dell'intensità dei sentimenti umani e della natura. La veste scarlatta del fanciullo dalla folta capigliatura rossiccia è solcata dalle ampie pieghe che proseguono anche sul risvolto verde della manica, per terminare nelle pallide epidermidi di cristallino sapore fiammingo. Il fitto incresparsi della veste, comune al mantello del San Gerolamo, è frequente motivo dello stile di Martino. Il medesimo solcare delle pieghe fitte e profonde, con le lumeggiature a filamenti dorati e le tipologie del tutto ricorrenti, sono caratteristiche per le quali ad esse si connettono entrambe le derivazioni dai prototipi leonardeschi.

Risulta difficile stabilire quale possa essere la più antica tra le tre opere monogrammate, dal momento che il suo stile non è contenibile in schemi fissi. Egli si riconosce per una serie di elementi morfologici che inserisce via via nelle proprie opere senza che siano determinanti per chiarirne la sequenza. Supponendo che il *Battista alla fonte* (fig. 2) della National Gallery di Londra preceda gli altri, siamo sempre di fronte a dipinti di cultura marcatamente milanese e leonardesca, cui si innestano, nel caso specifico, suggestioni di Boltraffio, Giovanni Agostino e Cesare da Sesto. Il Santo è raffigurato in una non comune iconografia, inginocchiato tra le rocce mentre attinge l'acqua alla sorgente. Se la figura del Precursore, esemplata sul *San Gerolamo* di Leonardo (Roma, Pinacoteca Vaticana), è modulata in forme classiche, una nota eccentrica è costituita dall'ampio panneggio che copre parzialmente il suo corpo e forma una fitta serie di scanalature e di pieghe che ricordano l'Agostino lodigiano. L'ambientazione evoca con evidenza quella per la *Vergine delle rocce*, in una narrazione dagli effetti traslucidi di sapore fiammingo.

A poco dopo sembra risalire la *Madonna col Bambino e san Giovannino nel paesaggio* (fig. 1) in collezione privata, che potrebbe collocarsi nei primi anni del secondo decennio del Cinquecento per i legami con l'ambiente milanese di quel momento, nonostante l'insinuarsi sempre più evidente di suggestioni tedesche, che permangono nell'*Adorazione* dell'Ambrosiana (fig. 3), da considerarsi verosimilmente verso la metà di tale periodo. Ai primi anni di questo decennio potrebbe risalire la *Madonna che bacia il Bambino* (già Monaco di Baviera, proprietà Böhler, fig. 15), certamente da assegnare a Martino, dopo che Suida l'aveva resa nota con il riferimento allo 'Pseudo Boltraffio'[74]. Predominano l'ascendente del Boltraffio, in riferimento a opere come il *San Sebastiano* del Museo Puskin di Mosca, e la componente stravagante di Giovanni Agostino che giustifica anche l'intenzionale sproporzione della mano. Di questo raro e geniale tema mi sembra d'identificare un'altra redazione autografa (fig. 17) che si differenzia leggermente per la maggiore incisività delle lumeggiature[75]. Appare come una versione più raffinata, forse perché è meglio conservata. Rimane interessante la parentela che si instaura con la *Vierge aux Balances* (Parigi, Museo del Louvre) dell'omonimo autore effettivamente prossimo a Cesare da Sesto e che non si discosta neppure da quelli che potrebbero essere gli esordi del giovane Giampietrino[76]. Oltre ad una serie di elementi ricorrenti, è l'intima intonazione, d'intenso anche se ingenuo affetto che ritroviamo nei dipinti di Martino, come nella *Madonna col Bambino, sant'Elisabetta e san Giovannino* (Roma, Galleria Nazionale di Palazzo Barberini; fig. 10), che accomuna queste opere. A questi anni deve risalire anche questa stravagante e assolutamente insolita *Sacra famiglia con la donatrice* (Tav. IV, fig. 19)[77], nella quale la Vergine lava i piedi al Bambino mentre un'elegante ancella assiste, pronta ad asciugarlo. Molte sono le novità iconografiche, dal tema agli elementi che lo compongono, e interessanti sono le influenze stilistiche: in questo caso non solo leonardesche ma ispirate a Bramantino, Giovanni Agostino e Gaudenzio Ferrari. Anche la tecnica, liquida e corsiva, nelle figure evidenzia un fitto tratteggio obliquo, di rara efficacia per la resa delicata dei volumi.

Insieme al rapporto con personalità di rilievo della cerchia leonardesca, va sottolineato come risulti significativo per Martino il legame con Bernardino Marchiselli detto il 'Bernazzano milanese' (Inzago, 1492-Milano, 9 dicembre 1522) che il Vasari ricorda "eccellentissimo per far paesi, erbe, animali ed altre cose terrestri, volatili ed acquatici; e perché non diede molta opera alle figure, come quello che si conosceva imperfetto, fece compagnia con Cesare da Sesto, che le faceva molto bene e di bella maniera"[78].

Il Bernazzano sembra il pittore che meglio seppe realizzare gli insegnamenti di Leonardo in tema di natura e paesaggio, fondendoli con le conoscenze oltremontane. È ben nota l'infinita quantità di istruzioni e soluzioni tecniche che l'artista di Vinci fornisce a proposito della rappresentazione "delle ombrosità e chiarezze de' monti", "degli alberi e delle verdure", "de'nuvoli", sviluppando sia dal punto di vista teorico, sia nel campo pratico, un nuovo modo di 'vedere' il paesaggio. L'interpretazione naturalistica del Bernazzano è nota soprattutto attraverso lo straordinario *Battesimo di Cristo* della collezione Gallarati Scotti a Milano, eseguito in collaborazione con Cesare da Sesto verso il 1513-'14[79]. E proprio il recente restauro illumina sullo stringente rapporto che intercorre tra il paesaggio retrostante (Tav. V), esclusa la straordinaria zona botanico-ornitologica in primo piano, e gli sfondi naturalistici dei tre quadri monogrammati e delle altre opere sin qui esaminate, al punto da ipotizzare una frequentazione tra questi artisti. Alla stessa mano che esegue il fondale del *Bat-*

tesimo di Cristo, probabilmente lo stesso Cesare da Sesto, appartiene il paesaggio boschivo con uno scorcio verso l'orizzonte, nel *San Gerolamo* del Nationalmuseum di Stoccolma (fig. 22)[80]. La morfologia e la tecnica esecutiva di questi sfondi è particolarmente simile a quella dei quadri di Martino finora nominati. Il risalto chiaroscurale, le parti più calligrafiche come le foglie, i fili d'erba o gli spuntoni rocciosi si assomigliano, come i riflessi luminosi delle vette o il procedere a falde degradanti di un paesaggio dal sapore fiabesco. Il tutto si ripete con rinnovata sensibilità nel *Riposo dalla fuga in Egitto* (fig. 21) dell'Ashmolean Museum di Oxford[81], che rappresenta un altro caso di originale fantasia compositiva. Il tema è sviluppato come insolita anticipazione di un pic-nic fuoriporta, una sorta di *déjeuner sur l'herbe* della Vergine e san Giuseppe. Il successo di queste tipologie non doveva essere sottovalutato se è possibile rintracciare altri fondali di questo tipo. È il caso della *Madonna col Bambino e san Giovannino* di Bernardino Luini, che nel paesaggio conferma tutti questi caratteri[82]. Nasce quindi l'ipotesi che vi fosse un legame tra Martino, Cesare da Sesto e Bernazzano e che lo studio di Martino fosse rinomato, oltre che per la qualità delle preziose tavole di devozione privata, anche per la spiccata capacità nel creare l'ambientazione naturalistica forse anche per episodi portati a termine da altri pittori. Una conferma di questo clima viene dall'esame della *Madonna col Bambino tra i santi Pietro e Paolo,* un tempo in Sant'Andrea della Pusterla (Milano, Pinacoteca di Brera), di un anonimo autore, in sintonia con Martino: la pala propone contemporaneamente alcuni temi come l'affettuoso insegnamento della Vergine e Gesù, figura centrale, che consegna le chiavi. La scena avviene in un paesaggio boschivo con, in primo piano, una grande varietà di fiori da assegnare alla stessa mano della zona botanico-ornitologica del *Battesimo di Cristo,* il Bernazzano. La raffinata esecuzione del paesaggio nella *Crocifissione con devota* della Gemäldegalerie di Berlino (Tav. III, fig. 24)[83] corrisponde allo stile di Martino, risentendo nelle figure dell'eleganza dei modi di Andrea Solario e del Caroto, dimostrando inaspettati contatti anche col vigevanese Bernardino Ferrari.

In Martino convivono infatti entrambe le influenze che caratterizzano il *Battesimo di Cristo;* da un lato la cultura leonardesca e dall'altro la non trascurabile componente che trae varietà di spunti, tipologie e temi dal repertorio estroso degli artisti fiamminghi e tedeschi. Per i pittori si trattava di fornire la prova del proprio aggiornamento; così il paesaggio di Martino racchiude quegli elementi, altrimenti insoliti nella campagna intorno a Milano e Lodi, che rappresentano piuttosto il mondo nordico, ad iniziare dagli edifici, le case rurali dal tetto spiovente in paglia, alle costruzioni turrite in pietra. Una peculiarità del suo stile è il modo di eseguire gli alberi, con i rami e le fronde a forma di ombrello, a piccoli tocchi di colore con lumeggiature giallo dorate, che ricorrono simili anche nel *Battesimo di Cristo,* sotto la suggestione delle caratteristiche visioni di Giovanni Agostino da Lodi[84].

La concezione della natura di Giovanni Agostino e gli aspetti morfologici della sua rappresentazione credo siano determinanti nel piccolo capolavoro della *Madonna col Bambino e san Giovanino* (fig. 25) del Museo di Belle Arti a Budapest[85] e lasciano le loro tracce nelle *Storie di sant'Antonio abate e di san Paolo eremita* (figg.

76, 78-80) eseguite da Alberto fra il 1513 e il '14[86]. Nella tavoletta ungherese, oltre agli aspetti di matrice lombarda, Martino evidenzia gli interessi verso la pittura tedesca, da Dürer ai pittori della scuola danubiana come lo Huber o Cranach il Vecchio o il geniale ed estroso Altdorfer. La stesura del paesaggio è in relazione coi tre dipinti monogrammati, per l'affinità nel creare un clima che diviene magica atmosfera, ricca di cangiantismi e livide luci dalla brillante liquidità cromatica.

Anche negli affreschi il paesaggio è intriso di nozioni di cultura leonardesca che risalgono alla decorazione della *Sala delle Asse* e agli studi del maestro vinciano. Si veda l'intrecciarsi dei rami e dei tronchi nella fitta boscaglia, nella scena con i due Santi eremiti che ricevono nutrimento dal corvo. Non mancano poi richiami ai modi di Agostino, nella citazione dei due alberelli cresciuti sulla roccia nell'episodio di *Sant'Antonio percosso dai demoni* (fig. 80). A quest'epoca Giovanni Agostino era tornato a Milano[87], e le sue novità circa l'interpretazione della natura vennero certo recepite nell'ambiente lodigiano.

Una volta messa in luce la predisposizione che Martino dimostra in questo genere, mi sembra si possa ipotizzare la sua collaborazione in alcune parti del paesaggio di questi affreschi. L'ipotesi è sorretta anche dalla tecnica con frequenti lumeggiature in oro, ricorrenti nelle opere che portano il suo monogramma.

L'influenza di Giovanni Agostino e del mondo nordico è ancora determinante a cavallo del secondo decennio e si manifesta altrettanto viva nella *Fuga in Egitto* di proprietà della Banca Commercio e Industria di Milano (Tav. VII, fig. 30), dove veniva attribuita prima al Sodoma e, in seguito, a Marco d'Oggiono[88]. Si tratta dell'opera più significativa e di più grandi dimensioni finora rintracciata di Martino, nella quale il lodigiano esprime al meglio tutte le proprie esperienze. L'incedere solenne e cadenzato delle monumentali figure che passano davanti ai nostri occhi, seguendo un sentiero che attraversa la vasta radura, trasmette un pacato senso di calma, neppure scalfita dalla miriade di piccoli particolari che sottolineano veristicamente l'episodio. I colori vivi, i rossi scarlatti e gli azzurri intensi accendono una situazione altrimenti resa su tonalità smorzate, risvegliata qua e là dalle macchie di verde delle foglie che contrastano con le zone brune e seppia del sentiero pietroso, dove un cagnolino avvertito del loro passaggio fa la guardia alla sfera dai simboli più controversi.

Allo stesso momento risale la *Sacra Famiglia* in un paesaggio (fig. 26)[89] che presenta convincenti punti di tangenza con la grande tela milanese. Il profilo arguto del San Giuseppe con la folta barba costituisce la prova determinante quanto l'espressione austera della Vergine, in un fitto ammantarsi di panni e veli trasparenti che richiamano le precedenti sigle distintive. Sullo spuntone roccioso il Bambino è rannicchiato accanto alla madre che lo protegge con la mano e ne conserva il frutto nell'altra col braccio disteso. Come non sottolineare il singolare svolgimento di una scena tra le più convenzionali. Martino continua a cercare formule diverse dalle precedenti, inserendo scorci azzardati, gesti inconsueti, particolari sproporzionati in una griglia di motivi stilistici che ora incominciamo a riconoscere come personali.

Anche nell'altra inedita *Madonna col Bambino tra le sante martiri Caterina d'Alessandria ed Eufemia* (fig. 31)[90], si conferma l'importanza della luce che gioca sulle pieghe dei tessuti, sugli incarnati, sulle ciocche dei capelli, sulle trasparenze dei veli, con riflessi meno vividi rispetto alle opere degli inizi del decennio e con il sorgere delle insistite asprezze nei panneggi, accentuate dalle lumeggiature dorate. Si incominciano a vedere alcuni sintomi del cambiamento che vedrà Martino esibirsi in modi assai affini a quelli di Bartolomeo Veneto, tornato nel milanese proprio durante il secondo decennio, come documentano il *Ritratto di giovane ebrea* (fig. 18) già in collezione Melzi d'Eril, il *Ritratto d'uomo* (fig. 41) un tempo nella collezione Venius a Milano, il *Ritratto di Bernardino da Lesmo* dell'Ambrosiana (fig. 42) e il *Ritratto femminile come Maddalena*[91]. Un elegante esempio delle affinità tra i due artisti è la versione del 1520 della *Suonatrice di liuto* (Milano, Pinacoteca di Brera; fig. 16)[92] che, nei rilievi di luce insistiti e calligrafici, rispecchia i modi di Martino, al punto da non escluderne l'autografia. Come una interpretazione in chiave più nordica, che confermerebbe le consonanze di stile e di temperamento artistico dei due maestri. Anche gli effetti serici del tendaggio increspato e la tipologia del viso della Vergine di questa *Madonna col Bambino* (fig. 40)[93] richiamano le opere di Bartolomeo Veneto: l'autore è indiscutibilmente Martino, in un momento avanzato, forse già nel terzo decennio.

Prima di questa, ancora nel decennio precedente, si scalano altre *Madonne col Bambino* che dimostrano nuovamente l'eclettismo e la varietà d'invenzioni perseguite da Martino, mai limitato alla ripetizione di un'immagine, ma alla continua ricerca di soluzioni originali pur a scapito del naturalismo dei suoi personaggi ai quali fa assumere posizioni sempre più incongruenti e stravaganti.

Una di queste redazioni (fig. 36) si identifica tra le fotografie dell'archivio di Girolamo Bombelli di Milano[94], caratterizzata dalle significative aperture dietro il dossale e dal caratteristico motivo dei panni annodati sul capo e sulla spalla. Gli stessi curiosi segnali sono alla base della riedizione della *Madonna dei fusi* (fig. 33) in una stesura liquida e vibrante, dai colori accesi che lasciano trasparire il fascino di Altobello Melone, al quale il dipinto era stato assegnato[95]. La terza *Madonna col Bambino* (fig. 29)[96] è un aggiornamento rispetto a quella del bacio; la donna si trova inserita in un paesaggio che la sovrasterebbe se non avesse dalla sua un'ampiezza di forme, una monumentalità del tutto ragguardevole. Si direbbe che Martino non disdegni neppure la conoscenza degli artisti veronesi, da Giolfino a Filippo da Verona, con il quale, per il tramite dei comuni interessi verso le proposte di Giovanni Agostino, sembra dialogare su temi che coinvolgono in modo paritario la figura umana e la natura rigogliosa e ribelle[97].

Queste opere di Martino si collocano probabilmente in anticipo rispetto alla piccola tavola con l'*Adorazione dei pastori* che, in quanto datata 1518 (fig. 7), costituisce l'unico termine cronologico per organizzare il percorso della sua produzione. Si può dire in sintonia con la *Natività* di Altobello del Seminario Vescovile di Cremona, al confronto con la quale il dipinto di Martino non ha nulla da invidiare. Martino sembra avviato verso nuovi interessi, recettivo alle stravaganti soluzioni di Altobello Melone, Giovan Francesco Bembo, del Romanino e di Lorenzo Lotto, del quale sembra conoscere opere dall'effetto cristallino di suggestione milanese, boltraffiesca, sul genere della *Madonna col Bambino e santi* del Muzeum Narodowe di Cracovia, improntate a certa pittura nordica di stampo tedesco. Questa visione è bene documentata dall'affresco lodigiano di Santa Maria alla Fontana (figg. 8 e 34), che compendiamo risalire a questo momento, durante il quarto lustro del Cinquecento. Con esso Martino si rivela anche ottimo ritrattista, almeno a giudicare dall'intenso profilo del donatore inginocchiato sulla sinistra. Ambientata in una spazio aperto, la Vergine, con un chiaro riferimento al titolo della chiesa, asciuga con un panno bianco il Bambino che le indica il committente. Nonostante il precario stato di conservazione, parzialmente compromesso dalla solfatazione dei colori, l'opera mantiene inalterate le caratteristiche per essere affiancata all'*Adorazione* del 1518.

L'incisività del profilo dei visi, d'un pungente verismo, la finezza dei particolari, come il trasparente velo che corona il capo della donna, e i brani di sapore eccentrico, sottolineati dalle zigzaganti pennellate dei panneggi, non possono che chiarire un legame che si stringe con altre opere di questo periodo come la *Fuga in Egitto*.

Ancora prossima all'*Adorazione* del 1518 e con forti legami nei confronti della *Madonna* di Budapest, gli va restituita un'altra tavola di piccolo formato, raffigurante *Santa Caterina d'Alessandria* (Roma, depositi del Museo di Palazzo Venezia; fig. 39)[98]. La figura della martire diviene l'esempio del mutamento dei modi di Martino. I continui bagliori e i riflessi sul guizzante piegarsi dei panni sono comuni anche alla tavoletta con la *Visione della Vergine col Bambino* del Museum of Art di San Diego (fig. 38)[99]. Un attenta lettura ha permesso d'individuarvi l'insolito tema dell'anticipazione della Passione di Cristo, attraverso la serenità di una visione apparentemente agreste. Il dipinto costituiva un problema ad iniziare dal soggetto, dove il fanciullo veniva interpretato come San Giovannino o, addirittura, giudicato come una Annunciazione con la presenza del futuro Battista. In realtà Martino ha realizzato una complessa simbologia: si tratta della Madonna seduta sul prato, quasi un richiamo all'iconografia tardogotica della *Madonna dell'Umiltà*, adorante Gesù Bambino, riconoscibile per il nimbo crucifero. Egli si rivela alla madre come Redentore ed è affiancato all'agnello simbolo della Passione; sono altrettante premonizioni la croce, retta dall'angelo e piantata come se lo spuntone roccioso fosse l'altura del Golgota, e le braccia aperte della Vergine, simbolo e nel contempo anticipazione della crocifissione del proprio figlio. Un motivo caro alla pittura d'oltralpe è costituito dal cestino da lavoro davanti alla Madonna, la quale tiene ancora in grembo l'arricciato panno bianco che sta a suggerire la momentanea interruzione dalla precedente occupazione, a sua volta simbolico del passaggio dall'attività manuale allo stato contemplativo e di adorazione o preghiera. Le tonalità terse e brillanti di ricordo nordico, mediato attraverso le soluzioni di Altobello e affini ai modi di Lorenzo Lotto e Pier Maria Pennacchi ne fanno un'opera avanzata nel secondo decennio.

Nei suoi quadri permangono le caratteristiche luminescenze sui boccoli che cadono lungo il collo, ma le figure assumono maggiore ampiezza, ammantate in panneggi sempre più gonfi e dagli effetti metallici, con rimborsi sulle maniche come accade nel caso della *Madonna adorante il Bambino* dell'Ambrosiana di Milano. Le preziosità luministiche e la sottile stesura sono una vera e propria spia alle suggestioni nordiche, utilizzando come in molte altre circostanze idee ricavate dalle stampe di Dürer, ad esempio dal ciclo dedicato alla *Vita di Maria* (1511). L'adesione al modello düreriano per l'architettura del fondo dell'*Adorazione* del 1518 è ancora più esplicita e si unisce agli interessi per il crepitare delle luci e al livore degli effetti cromatici del Grünewald e dell'Altdorfer, nei cui paesaggi si rilevano continui nessi morfologici col nostro pittore.

La suggestione fiamminga non è dunque la sola di stampo oltremontano che ha avuto effetto su Martino. Influenze più accentuatamente tedesche si rilevano nelle tonalità fredde che illuminano la *Madonna col Bambino e san Giovannino* del Museo di Budapest, ma soprattutto l'*Adorazione* della Pinacoteca Ambrosiana e la *Visione* del Museo di San Diego testimoniano questo mutamento d'interesse. Le soluzioni oltremontane che traspaiono dal balenante chiaroscuro dei dipinti di Budapest e Milano si fondono a motivi lotteschi e altobelleschi, ad una comune ventata di stravagante avversione alla cultura figurativa tradizionale, di reazione alla profonda crisi economica, politica e religiosa, che conforta artisti di estrazione piemontese come il Grammorseo ed Eusebio Ferrari, ad altri come Filippo da Verona, all'attività matura di Gandolfino da Roreto e ai cremonesi, bresciani e ferraresi fin qui ricordati.

Al 1519 risale il *San Giovanni Battista* della Pinacoteca di Brera (fig. 32)[100] che dovrebbe spettare a Martino, nonostante le pesanti vernici giallastre che celano una figura probabilmente snervata da vecchie puliture. Il riferimento si fonda sulle somiglianze con l'omonimo santo di Londra, per la stesura a leggere velature trasparenti, tecnica più volte intrapresa da Martino e comune alle prime opere bergamasche di Lorenzo Lotto. La tavola è l'unico pannello pervenutoci di un polittico smembrato, trovandosi collocata a sinistra dell'osservatore, come fa ben intuire la posizione del corpo orientato di tre quarti e col dito indice rivolto verso la probabile immagine della Vergine in trono. Non possono che venire alla mente gli esempi di Precursore dipinti da Marco d'Oggiono ora a Blois (Francia), alla Gemäldegalerie di Berlino (inv. n. 1608) e nel trittico della chiesa di Mezzana presso Varese o quello nel pannello di Pasadena (Norton Simon Foundation, California) dello spagnolo Pedro Fernandez, altrimenti noto come lo Pseudo Bramantino, nel momento di più intensa adesione leonardesca[101]. È interessante in quanto si tratta di una delle poche opere di Martino eseguita per una collocazione pubblica e, non a caso, sono più sentiti i legami col fratello, per il quale rinvio al confronto con opere di questo stesso momento, come il *Battista* nel trittico della Cattedrale di Lodi, in una comune adesione al leonardismo, mediato da componenti classiche, luinesche e solariane.

La stima effettuata da Martino nel 1520 agli affreschi del Romanino nel Duomo di Cremona[102] non fa che confermare i rapporti già sottolineati con la pittura bresciana e quella cremonese: fra tutti Altobello Melone sembra la personalità che maggiormente suggestiona il lodigiano. Nel corso dell'evoluzione che si sta tracciando si viene così a spiegare la differenza che intercorre tra i "livelli di assoluta eccellenza tecnica e formale" della fase più conosciuta della sua carriera e quelli che vengono definiti come "improvvisi cedimenti, inspiegabili anche alla luce delle vicende conservative"[103], che non sono determinanti nel giudizio globale quanto lo sia, piuttosto, una giusta e corretta periodizzazione che tenga conto dei mutamenti d'interesse che possono intercorrere durante l'attività di un pittore. Bisognerebbe cioè sfatare il concetto che vede il percorso dell'artista incanalato automaticamente verso un obiettivo precedentemente stabilito. Dobbiamo convincerci che la crescita, tanto più quando siamo di fronte ad autori di non primissimo piano, è incerta, talvolta lenta e piena di difficoltà, talvolta repentino è il cambiamento di direzione. Sta a noi, storici dell'arte, esaminando le opere, comprendere i motivi e le circostanze che determinano queste condizioni: fattori umani, come culturali, estetici, politici, economici o religiosi possono essere alla base di queste variazioni. L'artista vi si riconosce perché mantiene inalterato il proprio animo, lo spirito con il quale affronta un'opera d'arte. Cambia se vogliamo pelle, o stile, o tecnica pittorica, ma resta il medesimo nel modo di trasmettere sensazioni allo spettatore. Oltre alla ripetizione di alcuni tipici stilemi, congeniti come i cromosomi, portatori di caratteri peculiari, è proprio il modo di interpretare l'opera, di come affrontarla e trasmettere certe emozioni che caratterizza un pittore da un altro.

Martino cresce in un ben determinato ambiente, tra Lodi e Milano, in uno dei periodi storici più critici e difficili e viene affascinato da un certo tipo di componenti stilistiche al punto da assumere una personale configurazione, che si caratterizza in un ideale di pittura ad alto tasso tecnico. Sono però già latenti, a ben vedere, nelle opere più antiche gli elementi di eccentricità e di avversione alla consolidata tradizione figurativa che in seguito sfociano in un modo espressivo diverso dal precedente; le stravaganti soluzioni compositive, dalle pose innaturali, dei suoi personaggi e le altrettanto insolite scelte iconografiche che portano a rappresentare immagini di sovente uniche nel panorama italiano, fanno capire quanto egli sia uno spirito tutt'altro che adattabile e tranquillo, certamente attento a cogliere i segnali, le tracce che favoriscono lo sviluppo di queste caratteristiche. Influenze milanesi e fiamminghe, leonardesche e centro italiane vengono rilette e sviluppate. Ecco perché ogni volta in cui emergono nuovi stimoli Martino non si sente legato al passato e muta, abbandonando aspetti che lo avevano fino allora accompagnato. Diviene meno preciso nella definizione dei particolari, la sua pennellata è più sciolta e liquida, fino ad essere quasi grumosa. Interviene sempre più la vena eccentrica a sovvertire un clima altrimenti apparentemente pacato. Ma tutto ciò si verifica per gradi, senza che egli modifichi i propri caratteri distintivi. Lo si segue passo passo nei quadri che torniamo ad assegnargli, segno di un pittore che sente necessaria la propria stravagante autonomia, pur non riuscendo a liberarsi dalle suggestioni di una realtà artistica che lo circonda e lo coinvolge.

Un'opera come l'*Adorazione del Bambino* in collezione privata bergamasca (Tav. VI, fig. 44)[104] è indicativa dei mutamenti avvenuti. Sembrerebbe databile alla maturità in quanto vi confluiscono elementi comuni alla tavola di San Diego e alla straordinaria riedizione altobellesca della *Madonna dei fusi* (fig. 33), con la stesura sciolta, di un colore brillante e dalle vivide trasparenze. Coinvolgenti effetti luministici al tramonto che corrispondono allo spirito di Martino rispetto alla per lui insolita monumentale presenza delle figure: come un conclusivo omaggio alle scelte cremonesi e bresciane, anche savoldesche. Caratteristiche che accomunano anche questo *San Gerolamo penitente*, in collezione privata milanese (fig. 43)[105], non distante, in un dialogo di serrata ricerca, agli artisti già ricordati, nei quali è comune il gusto per certa avversione ai modelli figurativi ufficiali. Rappresentativa di questa fase è la già ricordata *Madonna col Bambino* di attuale ubicazione ignota (fig. 40), nella quale il pittore fonde queste componenti ad altre che risalgono a Bartolomeo Veneto e ai veronesi come Filippo da Verona.

Dal pagamento del 22 aprile 1522 sappiamo che Martino aveva eseguito l'affresco, andato distrutto, sopra l'ingresso del Monte di Pietà, sorto da poco tempo a Lodi. La sua vita si conclude entro il primo marzo dell'anno successivo, lasciando una bottega certamente ben avviata e l'eredità artistica ai tre figli, Cesare, Callisto e Scipione, che proseguiranno dallo stesso 1523 la loro formazione, non casualmente, a Brescia. È impensabile che costoro non abbiano appreso i primi rudimenti, e forse non solo quelli, dal padre e dallo zio Alberto. Proprio questo vuoto esistente fra gli esordi bresciani di Callisto, soggetti alle influenze di Romanino e Moretto, e la cultura figurativa lodigiana del primo Cinquecento mi aveva spinto ad affrontare l'argomento qui sviluppato. Ora il rapporto tra il padre e il figlio più famoso appare assai meno problematico da comprendere, proprio per i contatti già intessuti da Martino sia con l'ambiente bresciano, sia con quello cremonese durante gli anni di realizzazione degli affreschi in Duomo[106]. Callisto è probabilmente a Brescia dai primi mesi del 1523, seguito nello stesso anno da Scipione, mentre Cesare vi si reca probabilmente più tardi[107]. Una diaspora indicativa della loro non ancora consolidata posizione professionale e sociale, che suggerisce la possibilità che neppure Alberto si trovasse in quel momento a Lodi.

ALBERTO

Del fratello minore di Martino non si conosce alcuna opera siglata e la letteratura artistica comincia ad interessarsi della sua esistenza parecchio tempo dopo la sua scomparsa, senza lasciare nessun riferimento preciso sulle opere da lui compiute. La ricostruzione del suo percorso è stata quindi realizzata esclusivamente attraverso l'interpretazione degli elementi già esistenti[108].

Mi è stato possibile ristabilire l'originale configurazione dell'artista in considerazione della coerenza stilistica del suo lavoro. Una volta distinta la sua produzione da quella di Martino, ho potuto anche riorganizzare il processo di crescita, tale che risultasse lineare la sua attività, compresa negli anni tra la metà del primo e il terzo decennio del Cinquecento.

Le uniche testimonianze di un certo rilievo che lo riguardano si rintracciano nella trascrizione effettuata da Paolo Camillo Cernuscolo dei perduti documenti riguardanti la prima parte della decorazione del santuario lodigiano dell'Incoronata. Nella *"Relatione"* la prima notizia che ricorda i fratelli Piazza risale al 1514, quando il capitolo stipula con loro un accordo "per la Pittura della Chiesa". Dal momento che nel santuario non è documentato nessun altro intervento pittorico dopo quello riferito a Giovanni e al figlio Matteo Della Chiesa, nelle cappelle del Battista e di Sant'Anna[109], ho ritenuto di porre in relazione con i nostri pittori la notizia, fornita dallo stesso Cernuscolo, secondo il quale il 16 marzo 1513 il medesimo capitolo "accetta l'offerta" di Giovanni Antonio Berinzaghi per "far dipinger la Capella alla sinistra dell'ingresso"[110]. La decorazione dovette concludersi l'anno seguente, come suggerisce la data 1514 impressa sulla sommità del cornicione della volta. Probabilmente entrambi i passi del Cernuscolo si riferiscono a questa impresa, dal momento che gli affreschi sulle pareti della cappella sono effettivamente compiuti dai Piazza. Ma l'elemento più interessante, la cui utilità risulta fondamentale per iniziare a distinguere i caratteri peculiari di Alberto, è certamente il documento che testimonia la committenza al solo *"Alberto de Tochagnis pictori laudensi"* dello stendardo processionale per la medesima chiesa dell'Incoronata raffigurante l'*Incoronazione della Vergine* (fig. 96)[111]. Il Cernuscolo aveva confuso non poco la situazione, indicando che la richiesta era stata sottoposta ad entrambi i fratelli[112]. Il caso del gonfalone è l'unico per il quale ci è pervenuto sia l'atto originale, sia la 'trascrizione' seicentesca del Cernuscolo: verificata la differenza tra i due testi c'è da chiedersi se non dipenda dalla sua interpretazione la confusione sull'attività dei due fratelli.

In città abbiamo notizia solo di altri incarichi di scarso rilievo, commissionati ad Alberto dal Capitolo dell'Incoronata il 2 aprile del 1526: la decorazione pittorica di un crocifisso ligneo, di sette casse per riporvi le torce e di attaccapanni per sostenere i piviali[113].

Ma l'attività di Alberto non si svolse esclusivamente a Lodi. Ben più rilevante è il documento che ricorda il pittore impegnato a Savona per l'esecuzione di sei tondi raffiguranti dodici figure di vescovi, allogati il 26 marzo 1517 dai massari del Duomo al Priamar[114]. Anche se i dipinti sono perduti, la notizia riveste un'importanza particolare in quanto apre la possibilità a contatti diversi da quelli che possiamo presumere dalle opere lodigiane.

Alle scarse informazioni che riguardano in modo esplicito la sua produzione artistica fanno dunque riscontro i numerosi complessi pittorici tuttora in Lodi, la cui generica attribuzione ai Piazza si deve alla critica e alle guide locali, basata probabilmente su una tradizione orale e documentaria che non ci è pervenuta. Si tratta del polittico Berinzaghi all'Incoronata (fig. 89), non espressamente citato dai suddetti documenti riguardanti la decorazione della cappella, di quello commissionato da Nicola Galliani per la chiesa di Sant'Agnese (fig. 99), del trittico in Duomo (fig. 100), parte superiore di un ancona a due registri sovrapposti, e del polittico nella chiesa dell'Incoronata di Castiglione d'Adda (figg. 104-105, 108, 110-112, 115, 121,123).

È in queste ed in altre opere meno significative presenti nel territorio lodigiano che la critica ha tentato di distinguere le mani dei due fratelli, cercando di precisare la paternità di ogni loro presunto intervento. La mia proposta intende invece riconoscere in esse un unico artefice, Alberto. Questo risultato è stato possibile attraverso la constatazione dell'uniformità culturale e stilistica di questi dipinti. Una omogeneità di stile e di tecnica che va oltre l'esecuzione di un'affiatata bottega o di una equipe di artisti ben organizzata: ciò si spiega, più semplicemente, col fatto che il loro autore è sempre il medesimo. Si aggiunga che a questo nucleo iniziale si sono potute collegare altre opere di antica e nuova attribuzione, in modo tale che l'artista viene ad assumere una più completa fisionomia. La possibilità di ricostruirne l'evoluzione, collegando queste opere in un coerente svolgimento cronologico, ha poi permesso di definirne il continuo e costante sviluppo.

L'avere identificato nel pittore dei monogrammi il fratello Martino, personalità caratterizzata da una cultura figurativa differente da quella delle opere lodigiane, ha contribuito a rendere ancora più plausibile l'autonomia di Alberto.

Il piccolo gonfalone con l'*Incoronazione della Vergine* (fig. 96), commissionato nel 1519 e collocato dietro l'altare maggiore dell'Incoronata di Lodi, costituisce dunque il punto di partenza per l'allestimento del suo catalogo. Quest'opera si lega assai bene al polittico in Sant'Agnese (fig. 97, 99), datato 1520 sull'architrave superiore della cornice, ad indicare l'anno di conclusione del lavoro. La concomitanza cronologica permette di stabilire con una certa precisione il grado di formazione e il livello culturale raggiunto da Alberto in quel biennio. Grazie a questi confronti possiamo affermare che l'artista ha ormai conseguito una significativa maturità, quale risultato dei molti anni di attività.

L'altra tessera è costituita dal ciclo dipinto per la cappella Berinzaghi all'Incoronata, raffigurante i quattro episodi della *Vita di san Paolo eremita e sant'Antonio abate*, collocati nel Museo Civico di Lodi (figg. 76, 78-80). Questo incarico è probabile che vada collegato ai due documenti riportati dal Cernuscolo, quello del 1513 e l'altro dell'anno seguente.

A monte di questa prestigiosa impresa, che attesta l'importanza raggiunta dal pittore già agli inizi del secondo decennio, si colloca un significativo contributo alla conoscenza della fase più antica di Alberto, fondamentale per illuminare gli anni giovanili e la formazione del Toccagno; si tratta della documentazione fotografica di un trittico, ora parzialmente disperso. Raffigura la *Vergine col Bambino in trono fra due angeli e i santi Bassiano, Giovanni Battista, Pietro e un diacono* (fig. 69)[115]. Appartenuto durante la seconda metà dell'Ottocento all'avvocato e storico lodigiano Bassano Martani, in seguito venne smembrato. La riproduzione testimonia lo stato originale dell'opera, di cui non conosciamo l'originaria provenienza che la figura di san Bassiano, patrono di Lodi, e l'antica collocazione nella casa di un lodigiano, inducono a credere ubicata nel circondario. Il primo pannello rintracciato, la tavola laterale di sinistra con i *Santi Bassiano e Giovanni Battista* (fig. 70), si trova nella Galleria dell'Accademia di Vienna[116], mentre più recentemente è apparso sul mercato antiquario londinese il frammento del pannello di destra, raffigurante il solo *San Pietro* (fig. 71)[117].

In un primo tempo ritenevo si trattasse dell'opera più antica, sebbene fosse già considerevole il livello di maturazione raggiunto dal pittore. Il trittico riassume la cultura figurativa lombarda di matrice fortemente naturalistica, "in rapporto anche con la Liguria, come dimostrano le desunzioni da Vincenzo Foppa"[118]; oltre all'impianto compositivo e al tono cinereo degli incarnati, sono foppeschi il viso del Bambino, che nella posizione ricorda quello della Madonna dei Musei Statali di Berlino, e il modello dell'angelo a braccia conserte. Le pieghe increspate e taglienti delle vesti di san Bassiano e del santo diacono o i volti scavati del Precursore e degli altri santi riportano alla mente la secchezza del disegno e le asprezze di Carlo Braccesco, con l'aggiunta, per via dell'imponente e rigorosa monumentalità delle figure, dell'aggiornata conoscenza delle opere mature di Bernardo Zenale, nei personaggi del polittico per la confraternita dell'Immacolata Concezione di Cantù[119]. La precocità dell'opera di Alberto è anche sostenuta dall'alto punto di vista, adottato dal pittore per ottemperare all'esigenza del vasto scorcio di paesaggio; una vallata digradante al centro delle due colline, con una smisurata profondità che sembra testimoniare la conoscenza delle esperienze centro italiane, in particolar modo toscane a cavallo del secolo.

Questa visione si ritrova simile, seppure meno analitica, proprio negli affreschi un tempo nella cappella Berinzaghi (Lodi, Museo Civico) e nella pala con *San Gerolamo tra i santi Pietro e Paolo* (Lodi, collezione della Banca Popolare di Lodi, fig. 81)[120], mentre in seguito l'artista utilizzerà un punto di vista ribassato e, per un certo numero di opere, assisteremo alla riduzione dello spazio dedicato al paesaggio. Le principali tangenze si riscontrano nelle *Storie di san Paolo eremita e sant'Antonio abate*; in particolare l'incedere della figura di san Pietro, nel trittico, si presenta assai simile al sant'Antonio abate nell'episodio della *Disputa* (fig. 76), al punto da indurre a sospettare che si tratti del medesimo cartone preparatorio. Queste somiglianze, oltre a rendere ancora più plausibile la coerenza di questo nucleo, così com'è stato ricomposto, sottolineano la probabile vicinanza cronologica fra queste due imprese.

Il trittico dovrebbe risalire all'inizio del secondo decennio, entro il 1512, in anticipo di quel tanto per vedere smorzati il carattere foppesco e l'accentuato grafismo, che si stemperano negli affreschi del 1513-'14, a vantaggio di una affermazione anche su Zenale e Pier Francesco Sacchi. In questo ciclo, di cui ho ampiamente trattato a suo tempo, Alberto dimostra di aver acquisito "una cultura assai variegata e approfondita, certamente di un artista non agli esordi ma già dotato di una personale capacità realizzativa"[121]. Di un importante incarico nel Duomo di Lodi resta traccia nell'ignorato frammento di *Crocifissione* (fig. 68) che rimanda a reminiscenze trevigliesi. Dello strappo d'affresco resta la figura della Vergine sullo sfondo della città fortificata. Siamo forse ancora entro la fine del primo decennio e comunque a ridosso del trittico Martani, per la tagliente secchezza rappresentata dall'insistente contorno e dalle fitte scanalature che scendono verticali e si concludono nelle pieghe finali sulle calzature. Ad un momento intermedio dovrebbero, invece, risalire questi due inediti pannelli di polittico con le figure di *San Pietro* e *san Bassiano* (ubicazione ignota; figg. 73-74) per i molti contatti che dimostrano tessere con le opere finora citate[122]. Sia nell'incedere del santo ammantato, sia nel vescovo patrono, evoluzione della figura della Vergine appena descritta, riconosciamo i modelli stilistici di un artista, Alberto, che comincia a valutare nuovi orizzonti. Se, infatti, un certo monumentale rigonfiamento lascia presagire gli sviluppi successivi, nelle figure dei santi sulla pianeta cogliamo un'espressività di sapore ligure.

Quella stessa traccia ligure suggerita dall'approfondimento delle componenti stilistiche rilevate nel trittico già Martani; e, in effetti, l'individuazione di alcuni dipinti che presentano caratteri lombardo-liguri non corrispondenti ad alcun altro pittore, costituiscono i giusti antefatti al percorso di Alberto che stiamo ricostruendo. Si viene così a configurare una personalità tutt'altro che arcaizzante o ritardataria, per nulla statica, quanto particolarmente attenta alle continue sollecitazione culturali cui è sottoposta tra lo scadere del Quattrocento e i primi decenni del nuovo secolo. Dunque, un artista di primo piano nel panorama culturale del ducato milanese, i confini del quale saranno ancora soggetti a successivi ampliamenti.

Sono più che mai convinto che a lui

vadano riconosciute le tre tavole di predella con le *Storie di santo Stefano* (Torino, collezione privata, figg. 53-55), l'altrettanto prossima *Presentazione al tempio* (attuale ubicazione ignota; fig. 57), insieme all'*Adorazione del Bambino* (Milano, Pinacoteca del Castello Sforzesco, fig. 56)[123]. Ad esse si associa il ciclo di affreschi con le *Storie della Vergine* che decora la chiesa dell'Immacolata Concezione a Rivolta d'Adda, in cui si legge la data 1506[124]. Nell'insieme il ciclo dimostra forti connotazioni con l'ambiente milanese, con quello trevigliese e caravaggino, tale da non escludere in questa circostanza l'intervento anche del fratello maggiore Martino. L'*Adorazione dei Magi* (fig. 60), la *Fuga in Egitto*, l'*Assunzione della Vergine* e la splendida volta con le incisive teste clipeate (fig. 62) sono gli episodi che meglio suggeriscono il nome di Alberto per una serie di caratteri che ricorreranno nel suo repertorio. Contemporanea agli affreschi rivoltani è infatti l'*Adorazione* della Pinacoteca del Castello Sforzesco (fig. 56), in rapporto così stringente che i personaggi ne ripetono gesti e atteggiamenti; il risultato è certo più gracile e corsivo rispetto al robusto impianto formale successivo, ma è già insita la tendenza alle forti caratterizzazioni. Questo nucleo iniziale si salda ad altri due dipinti inediti di fondamentale importanza. Si tratta delle figure intere di *San Pietro* e *san Giacomo maggiore* dipinte sullo sfondo di paesaggio nei due pannelli (figg. 58-59) che facevano certamente parte di un complesso pittorico più ampio[125]. La stesura del colore li avvicina a quella osservata nelle tre tavolette, con una materia pittorica come 'squamata', applicata a macchie in una tecnica particolarmente espressiva che non pare ancora ben assimilata ma che sorprende per la schiettezza e il vigoroso realismo.

Nel bilanciamento del capo e nella posizione degli arti inferiori il san Pietro si compone sull'esempio del Battista di Carlo Braccesco dipinto per il polittico del Santuario di Montegrazie. Anche l'andamento delle pieghe e il forte risalto realistico corrispondono al prototipo ora indicato, che non è estraneo neppure al san Giacomo, la cui occhiata arcigna e severa è in stretta sintonia con le espressioni di alcuni santi come il Cavaliere del registro superiore di destra. Come non vanno dimenticate le tempere nella parrocchiale di Levanto[126]. Sono ugualmente prossimi all'autore dei nostri pannelli le opere savonesi di Giovanni Mazone, come il fondamentale polittico Della Rovere per la cappella Sistina, il cui trittico del registro inferiore è al Museo di Avignone, e anche il Barbagelata, nel polittico di Sant'Ambrogio, in Sant'Ambrogio nuovo a Varazze e Ludovico Brea, nel trittico con l'Assunta, del 1495, ora al Museo del Duomo di Savona. La provenienza da una famiglia ligure depone, in aggiunta ad un risultato stilistico che è già di per sé consono a questa situazione culturale, per un'esecuzione avvenuta lungo la fascia costiera fra Genova e Savona, entro il primo decennio del Cinquecento.

A questo gruppo di opere si aggiunge la tavola di predella con una *Scena di giudizio* (fig. 63) conservata in Palazzo Reale a Genova con l'attribuzione a Nicola Giolfino[127]. Una composizione articolata con molti personaggi, sebbene danneggiata da eccessive puliture e frammentaria, tale da rendere difficile l'identificazione del protagonista, tra Scipione l'africano e Muzio Scevola. Sono presenti ancora residui delle più antiche opere liguri finora esaminate, evidenziando le conoscenze lombarde, butinoniane e zenaliane, nel contesto del clima figurativo padano. Appare infatti inconsueta la suggestione veneta, di stampo lottesco e veronesiano non distante da Giolfino, gettando un ponte verso i successivi sviluppi lodigiani; è innegabile il confronto con i pannelli del trittico della *Vergine con quattro santi* (fig. 69), con i quattro episodi affrescati all'Incoronata, la predella della pala di san Gerolamo e la tavola del *Mosè tra David ed Elia* (Lodi, Museo Civico).

Grazie a questi contributi è sempre più plausibile sostenere la sua iniziale attività ligure, tra i diretti seguaci di Vincenzo Foppa, in una situazione culturale e stilistica che ha delle similitudini con la formazione di altri artisti come Gandolfino da Roreto, Alvise De Donati e i due fratelli Marinoni di Bergamo[128]. Esordio che non trascura artisti attivi in Liguria come Carlo Braccesco, rendendo ancora più stimolante la figura del pittore di Lodi e giustificando, con maggiori elementi rispetto a quelli che avevo inizialmente ipotizzato, gli interessi e i successivi modi espressivi. L'inserimento a pieno titolo di Alberto Piazza nei flussi culturali fra Milano e Genova, fra gli artisti come Bergognone, il cosiddetto Maestro di San Lorenzo, Marco d'Oggiono, Pier Francesco Sacchi, fra' Gerolamo da Brescia, i Fasolo e altri tra pavesi e milanesi[129], configura il nostro tra i personaggi più significativi di questo momento.

Anche se Alberto sembra, almeno inizialmente, trascendere dall'importante ciclo lasciato dal Bergognone all'Incoronata, completato dalle quattro raffinatissime tavole con le *Storie della Vergine*, l'esempio lodigiano e le opere del Fossano alla Certosa di Pavia risulteranno componenti essenziali per la formazione del suo stile. Egli si orienta verso una figurazione di sapore tardo quattrocentesco che, prendendo spunto da motivi foppeschi, ricalca gli esempi dei grandi trevigliesi, dal Butinone allo Zenale, senza trascurare alcuni esiti del vicino Bernardino Lanzani da San Colombano, che sappiamo presente anche a Lodi[130].

Un capitolo a parte merita il ciclo di affreschi di Rivolta d'Adda. Suggerisce il nome di Alberto, e forse di un collaboratore, in quanto rispecchia le componenti culturali che egli fa proprie in questa fase iniziale. La tradizione figurativa milanese di Foppa, Butinone e Zenale si unisce alle novità di Leonardo e Bramantino. Il tutto interpretato in chiave ancora sperimentale e incerta, calligrafica e fortemente caratterizzata nelle teste clipeate della volta, ma sempre corrispondente, anche nelle scene sulle pareti, agli esiti del suo itinerario che andiamo ripercorrendo.

La fase fortemente espressiva ha dunque origini più antiche, già nel primo decennio, trovando il proprio apice nel ciclo degli affreschi Berinzaghi (1513-'14), dove si constata l'evoluzione di Alberto nella rappresentazione naturalistica della figura umana nello spazio. La sottolineata vicinanza col Sacchi troverebbe conferma nella lettura del passo del Lomazzo proposta in questa occasione.

Da questo momento in Alberto si insinua, lento ma inesorabile, l'interesse verso forme sempre meno aspre e, contemporaneamente, sente il fascino per un modellato morbido, ampio e flessuoso, in sintonia con le più aggiornate formule dello sfumato leonardesco e del classicismo padano. Le prime prove di questo mutamento vanno riconosciute nelle due figure di *San Pietro* e *san Bassiano* (figg. 73-74) e nella pala con *San Gerolamo tra i santi Pietro e Paolo*, nella collezione della Banca Popolare di Lodi (fig. 81), alla quale sono pertinenti le tre tavole di predella con un episodio relativo a ciascun santo (Milano, Pinacoteca di Brera e collezione privata; figg. 82-84).

Dobbiamo inoltre rilevare la straordinaria vicinanza di quest'opera e degli affreschi Berinzaghi alla monumentale immagine del *San Gerolamo penitente* (Berlino, Staatliche Museen; Tav. IX, fig. 77) assegnata recentemente al Maestro delle Storie di Sant'Agnese[131]. Personalmente penso che l'autore sia Alberto, seppure i punti di contatto con questo ancora anonimo maestro siano molto intensi e confermino i legami intessuti dal maestro lodigiano con l'ambiente pavese, per tramite del più volte ricordato Bergognone, di Jacopino de Mottis, Bartolomeo Bonone e Lanzani. Rispetto alla sognante stravaganza, come congelata, del Maestro delle Storie di Sant'Agnese, che si caratterizza per gli originali accordi cromatici e il clima fiabesco della narrazione, il realismo dell'immagine di Berlino appare piuttosto corrispondere ad Alberto. Il san Gerolamo appare fiero e impettito rispetto a quello pensoso e col busto leggermente piegato, di proprietà della banca lodigiana. Ma la morbidezza del chiaroscuro, che non trascura la vigoria fisica dei volumi, e la somiglianza degli elementi naturalistici, in parte stilizzati, mi sembra rimandino a lui in questo momento di passaggio verso una visione più classica e solenne.

Suggeriscono un approfondimento nella stessa direzione il pur robusto *San Bassiano* e la monumentale *Vergine col Bambino in trono*, (figg. 86-87) provenienti dalla parrocchiale di Turano (Lodi, Museo Civico) e il trittico con *San Nicola da Bari e santi* (fig. 85) già nella collezione Hearst a New York (Lodi, collezione della Banca Popolare di Lodi)[132]. Un unico filo lega questi dipinti al ciclo di affreschi Berinzaghi, col conforto dei molti elementi che ricorrono come stilemi in ognuno di essi. Si osservino, ad esempio, le estrose fogge dei paludamenti, che tendono oltremodo ad ampliarsi, ad appesantirsi con larghe maniche e con ridondanti mantelli avvolgenti che finiscono per nascondere le vere fattezze fisiche dei personaggi. Così pure le ricorrenti fisionomie estremamente naturalistiche delle figure maschili si diversificano rispetto ai visi addolciti e dai lineamenti sfumati di quelle femminili.

Un discorso a parte merita l'influenza di Giovanni Agostino da Lodi che, seppure non sia determinante, in alcuni casi lascia intravedere le sue tracce. Accade nelle due tavole raffiguranti rispettivamente la *Vergine annunciata* e l'*Angelo annunciante* (Milano, collezione Crespi; figg. 92, 94), databili anch'esse a ridosso del 1514 per le medesime caratteristiche delle opere ora ricordate, ma nelle quali è più intensa la conoscenza del grande maestro lodigiano[133].

Se confrontiamo questi risultati all'iniziale substrato culturale lombardo - ligure, che ancora permane, assistiamo ad un grande cambiamento da parte di Alberto. L'apertura verso le istanze d'ispirazione classica suggerisce l'approccio ad un leonardismo filtrato attraverso le nuove formule di Marco d'Oggiono, anch'egli in contatto con Savona, e di Cesare da Sesto, sceso fino a Roma; punti di riferimento per una più ampia visione che prende avvio dalla conoscenza del Perugino, secondo gli esempi lasciati in Sant'Agostino a Cremona e alla Certosa di Pavia, e dalla fortunata diffusione avvenuta in Emilia, per il tramite del Costa e del Francia, di quelle novità dapprima perugginesche e comunque umbre, seguite dalle più sorprendenti testimonianze di Raffaello.

Forse i primi segnali di questa nuova dimensione si leggono nel significativo *Compianto sul corpo di Cristo* (fig. 72) del Museo di Brno, nell'inedita *Ascensione della Vergine*, un tempo sul mercato antiquario inglese e in un piccolo pannello di predella con i *Santi Nicola da Tolentino e Antonio da Padova* (già Roma, collezione privata, fig. 98), che gli restituisco[134]. Opere nelle quali, a diversi livelli, si coglie la mutazione degli interessi di Alberto. Il *Compianto* si pone come fondamentale nesso tra gli affreschi di Rivolta, il trittico già Martani e i pannelli del polittico Berinzaghi. L'asciuttezza delle figure e il loro orientarsi nello spazio trova svariati riscontri in queste opere, mentre per quanto riguarda l'*Ascensione*, pare canonicamente inserita in questo clima di pacato classicismo. La tensione si è smorzata in una composizione tradizionale, dove non sono estranei neppure alcuni ricordi liguri e nella quale ogni particolare depone per un momento successivo al pannello di Brno. Sembra anzi di vedere il precedente ideale al gonfalone dell'Incoronata, mentre nei due *Santi* della tavoletta romana siamo ancora prossimi ai pannelli del polittico Berinzaghi, con il quale si verifica il più completo abbandono alle suggestioni del classicismo formale. Motivo questo che mi ha suggerito per il complesso dell'Incoronata una datazione leggermente successiva rispetto all'impresa a fresco, forse da porre in relazione al testamento del 1516 dello zio di Giovanni Antonio[135]. Sebbene permangano la rigorosa, monumentale, impostazione delle figure, nella forte accentuazione espressiva di alcuni personaggi e nell'ampio panneggiare degli esempi sinora accennati, si constata la maggiore portata dell'approfondimento sulle opere dei leonardeschi milanesi poc'anzi ricordati e più chiaro risulta l'avvicinamento al linguaggio proprio di Lorenzo Costa, che si era stabilito alla corte mantovana di Isabella d'Este almeno dal novembre del 1506.

Anche la definizione narrativa del paesaggio, già espressa nel trittico di San Nicola e nelle tavole di Turano, ha origini centro italiane, in particolare toscane. In un lento ed ondulato degradare le colline, dipinte nelle tonalità chiare dell'ocra e del verde, si fondono coll'azzurro e il celeste del cielo. I fondali montagnosi in lontananza, eseguiti con tenui e sfumate variazioni cromatiche, tendono a incupirsi nell'intento di rendere più naturale il dato atmosferico, con l'integrazione dei modi leonardeschi e perugineschi: Alberto in questo momento si accomuna ad artisti come Marco d'Oggiono e trova un parallelo in Zenone Veronese.

Va altresì sottolineata la scelta di ampliare la percezione visiva con alcune soluzioni che denotano la sua evoluzione anche nel campo progettuale. Ciò si verifica nell'eliminazione dell'alto schienale del trono della Vergine, sempre presente negli esempi precedenti, che consente la diretta ambientazione dei personaggi nella natura circostante e il più immediato coinvolgimento dell'osservatore. Anche i nimbi non sono più dischi dorati, come fino ad ora, ma sono evidenziati dalla semplice linea in oro, che alleggerisce la composizione e rende più naturale l'immagine dei Santi.

Verso la fine del secondo decennio, a seguire in un breve arco di tempo, ritengo si collochino sia la *Morte della Vergine* (fig. 90) conservata al Seminario Vescovile di Lodi, sia i due pannelli centinati del Museo Diocesano d'Arte Sacra (Lodi), raffiguranti *San Bassiano e san Sebastiano*[136]. Questi ultimi sono i laterali di un complesso pittorico assai più ampio, sul genere degli altri rimasti a Lodi, per il quale è stata suggerita la ricostruzione assieme al trittico del Duomo[137].

Il *San Bassiano* che, con minime variazioni, è speculare a quello riprodotto nel polittico Berinzaghi, offre nuovamente l'opportunità di sottolineare le qualità pittoriche di Alberto: l'esecuzione della pianeta racchiude un saggio degli effetti luministici di ascendenza braccesca, aggiornati alla luce della vivace pittura cremonese di Boccaccio Boccaccino, tale da ricordare i due Santi della donazione Contini Bonacossi a Palazzo Pitti. Il *San Sebastiano*, invece, seppure viva della maggiore monumentalità, è analogo a quello eseguito nel registro superiore della medesima ancona all'Incoronata. Il paesaggio ripropone nei modi e nelle tinte gli aspetti rilevati, con l'interessante novità della fresca stesura cromatica, evidenziata dal vivace tratto con il quale Alberto realizza le due figurine di arcieri nello sfondo.

Si tratta di un indicativo segnale delle qualità di fresco e spigliato narratore che Alberto esprime quando può estraniarsi dagli schemi dell'ortodossia iconografica.

Se nelle fisionomie caricate ritroviamo le medesime tipologie dell'immediato passato, in queste opere Alberto pare legarsi con maggiore convinzione agli esempi emiliani, in particolare al Costa e al Francia, o al più fremente Amico Aspertini, avvicinandosi alle ricerche di Johannes Ispanus e di Niccolò Pisano[138]. Se il volto del san Sebastiano ricorre nel suo repertorio, la torsione del capo sul tronco risponde alle suggestioni bramantinesche degli astanti presenti nella *Pietà* già in collezione milanese, acquisita dalla Pinacoteca del Castello Sforzesco (Milano), alla tavola della chiesa di Mozzate (Varese) e all'altra un tempo nel Palazzo Reale di Bucarest[139].

Alla medesima componente culturale bramantinesca si affianca la figura dell'evangelista Giovanni che sostiene l'asta del crocifisso, nella *Morte della Vergine* (Lodi, Seminario Vescovile). In quest'opera Alberto conserva l'abituale visione realistica dei suoi personaggi, mentre appare nuova l'accalcata ambientazione degli Apostoli in un porticato a cielo aperto. Un analogo schema nello scorcio della figura inginocchiata accomuna il santo in primo piano con il *Sant'Antonio abate percosso dai demoni* (Lodi, Museo Civico; fig. 80) e con il re nell'*Adorazione dei Magi* nella chiesa di Santa Maria della Pace a Lodi[140].

Quest'affresco, riparato all'interno della piccola chiesa, si inserisce nel percorso di Alberto durante la fase di transizione che anticipa il significativo quanto definitivo mutamento del suo stile, documentato dalle imprese condotte allo scadere del secondo decennio. È preceduta a sua volta da un'altra *Adorazione dei Magi* su tela, recentemente ritrovata (Tav. VIII, fig. 75), un tempo appartenuta alla collezione Frizzoni Salis di Bergamo[141]. L'opera è un importante recupero al percorso di Alberto. Ripulita da vecchi restauri, rivela tutto il suo splendore, inserendosi pienamente nello sviluppo artistico in anni precedenti il polittico Berinzaghi. Sembra fungere da ponte tra le opere del primo decennio, come le tre tavole di predella in collezione torinese, gli affreschi rivoltani e il *Compianto* di Brno, e le figure dipinte nel polittico dell'Incoronata. La rigorosa e calcolata disposizione dei personaggi è vivacizzata dai colori brillanti e dalla stesura ricca di fremiti e dettagli, come le vivaci macchiette che ne animano il paesaggio. Nell'affresco si avverte un più ampio respiro grazie alla maggiore monumentalità degli astanti e al grandioso edificio diroccato alle loro spalle, ancora ispirato alle incisioni di Dürer. Per queste considerazioni non possiamo sottacere le considerevoli affinità con gli episodi affrescati nella cappella Berinzaghi, in particolare con la più volte indicata *Disputa*, ove Alberto mantiene una costante attenzione verso l'aspetto fortemente naturalistico e il risalto plastico, oltre alla dettagliata descrizione degli abiti e dei copricapi, attraverso i quali si dimostra un attento osservatore della moda contemporanea.

Il soggiorno a Savona di "*Magister Obertus de Laude*" è documentato tra il 26 marzo e l'8 agosto del 1517; ne abbiamo conferma grazie ai Libri del Duomo, nei quali si annota la commissione delle *dodici figure di Vescovi* cui abbiamo accennato in precedenza. L'impegno rientra in quella sfera di miglioramenti urbanistici, architettonici e in generale artistici voluti dal mecenatismo di Giuliano della Rovere, che impresse alla città soprattutto dal momento della sua nomina, nel 1471, a cardinale "*Sancti Petri ad Vincula*"; nipote di papa Sisto IV, il futuro Giulio II resse la diocesi di Savona tra il 1499 e il 1501, divenendo il principale fautore dei notevoli e radicali interventi promossi in città. Le costruzioni che dominavano la zona detta del Priamar, ad incominciare dalla Cattedrale, dal Palazzo Vescovile e dalle numerose chiese ed oratori, vennero rase al suolo dopo il 1542 da parte delle truppe della Repubblica di Genova per far posto ai più moderni avamposti difensivi. La demolizione del Duomo iniziò per l'appunto nel 1543[142]. Tra le opere in esso contenute non possiamo dimenticare la prestigiosa ancona per l'altare maggiore, allogata a Vincenzo Foppa e terminata con la collaborazione di Ludovico Brea, ora conservata nell'oratorio di Santa Maria di Castello a Savona[143]. Si ricordi inoltre il polittico dipinto da Giovanni Mazone con la *Natività tra San Francesco che accompagna Sisto IV*, sulla sinistra, e *Sant'Antonio da Padova col cardinale Giuliano*, a destra, richiesto da quest'ultimo nel 1490 per la cappella voluta dallo zio nel convento di san Francesco ed ora ricomposto nel Museo di Avignone[144].

Lo stesso cardinale della Rovere il 30 gennaio del 1500 commissionava agli intagliatori Anselmo de Fornari da Castelnovo di Tortona e ad Elia de Rocchi da Pavia il grandioso coro ligneo per il Duomo. Dai Libri della masseria della Cattedrale risulta che i pagamenti al de Fornari terminarono nel 1515, mentre due anni dopo, nel medesimo 1517 che vede presente anche Alberto Piazza, Giovan Michele de Pantaleoni da Castelnovo Scrivia firma il contratto per l'esecuzione dell'intero leggio e del pancone di base da porsi al centro del coro. È lui stesso che provvede a terminare i lavori agli stalli eseguendo gli ultimi due pannelli raffiguranti *San Barnaba* e *papa Giulio II*[145].

All'imponente leggio appartiene l'episodio che raffigura l'*Adorazione dei Magi*, il cui cartone preparatorio è stato dal Ferretti avvicinato ad Alberto[146]. La documentata presenza del pittore lodigiano nel cantiere del Duomo rende effettivamente plausibile l'ipotesi, anche per il fatto che lo svolgimento della scena rivela consonanze abbastanza stringenti con l'opera di Alberto, in particolare con due dipinti del medesimo soggetto come il poc'anzi citato affresco in Santa Maria della Pace e la predella che ho restituito alla sua mano (Vicenza, Museo Civico; fig. 101) in un momento di poco successivo al 1520[147]. Sono comuni sia il rigoroso equilibrio compositivo di stampo classico, sia la monumentalità delle figure, panneggiate in ampi mantelli dalle pieghe ondulate. La tarsia riproduce questi effetti grazie alle continue sfumature che caratterizzano luministicamente i passaggi di piano; Giovan Michele de Pantaleoni ha certo dovuto attenersi ad un modello preciso, anche se la mano e la stessa tecnica dell'intarsiatore pongono in obiettiva difficoltà il riconoscimento dell'autore del prototipo. L'ipotesi del progetto di Alberto non appare così azzardata, anche se, rispetto ai problemi ancora insoluti, soprattutto per quanto riguarda i soggiorni savonesi, la questione della fornitura del cartone per il leggio è meno determinante del sapere quale posizione assunse nel cantiere e quali altre commissioni ricevette intanto che si trovava in città. Per iniziare credo che possano essere suoi tutti i cartoni per il leggio, compresa la scena con *Cristo fra i dottori*, opposta all'*Adorazione dei Magi* e di eguale misura. La base si completa, nei due lati corti, con le due figure di *San Pietro* e *san Paolo*, mentre su entrambe le facce del leggio sono intarsiati due putti reggi stemma. Restano come utili indizi alla ricerca anche perché, se di Alberto si tratta, questi cartoni sembrano piuttosto risalire a qualche anno dopo la sua già accertata presenza, verso i primi anni del terzo decennio.

Sono infatti molti i documenti conservati a Savona che attestano lo straordinario impulso fornito nei primi decenni del Cinquecento alla realizzazione di altre opere nel Duomo, "tra cui gli affreschi perduti" che la Parma Armani ricorda "di soggetto ignoto con cui Albertino da lodi decorò nel 1517 il coro (la volta ?)"[148]. Alberto sarebbe dunque stato impiegato anche in questa impresa decorativa, oltre ai perduti dipinti raffiguranti i dodici Vescovi ?

Anche se il dubbio circa il suo maggiore coinvolgimento savonese mi assaliva fin dall'epoca della prima stesura di queste ricerche, ora possiamo affermare di averne trovate le conferme. Mi domandavo, infatti, se Alberto avesse "effettuato solamente questo viaggio nel 1517 o se vi fosse già stato in precedenza [...] ed anche successivamente a tale data"[149]; dubbio che, da una parte, sorgeva sulla base dei già allora riscontrati rapporti con Vincenzo Foppa, Carlo Braccesco e gli altri pittori liguri e dall'altro come spiegazione dell'indiscutibile evoluzione che nelle opere a Lodi si ha solo modo d'intuire.

Ora siamo in grado di sostenere con maggiori elementi questa situazione, grazie ad una serie di ritrovamenti che hanno spostato decisamente il baricentro della formazione di Alberto verso questo versante, diciamo foppesco-ligure, durante il quale l'artista è ugualmente attento partecipe degli stimoli culturali milanesi di stampo bramantinesco e zenaliano.

L'altra domanda che mi ponevo, circa l'eventuale ritorno a Savona anche successivamente al 1517, nasceva dalla constatazione di una rarefazione delle sue opere nel territorio lodigiano dopo il 1520. Domanda ancora più assillante considerata la notevole evoluzione che egli dimostra di raggiungere nel polittico di Castiglione d'Adda, opera che va restituita solo ed esclusivamente alla sua mano. I dipinti che lo compongono rappresentano il culmine della maturazione artistica di Alberto e per questo motivo mi veniva spontaneo domandarmi cosa fosse intercorso nel frattempo. La risposta che mi suggerivo prendeva in considerazione l'ipotesi che egli avesse conquistato la necessaria apertura mentale, da consentirgli di superare gli schemi formali precedenti, raggiungibile solo con la frequentazione di ambienti rivolti alle più aggiornate istanze nel campo figurativo, rispetto alla congelata situazione lodigiana.

Questa possibilità viene anche suggerita dalle tarsie del leggio nelle quali, se disegnate da Alberto, dimostrano un'evoluzione rispetto all'orientamento in senso classico che domina la sua crescita a partire dalla prima metà del secondo decennio. E se nel gonfalone del 1519 all'Incoronata o nel polittico Galliani, datato 1520, in Sant'Agnese e nel successivo trittico del Duomo questa tendenza dimostra tutti i suoi esiti, non si può che ricordare l'affermazione secondo la quale l'*Adorazione dei Magi* del leggio dimostra la conoscenza delle opere raffaellesche[150]. Anche i due citati pannelli di *San Barnaba* e della *Madonna col Bambino che consegna le chiavi a papa Giulio II* (fig. 107), dove convivono le medesime componenti viste nell'*Adorazione dei Magi*[151], appartengono al medesimo progettista, che in questa sede si ipotizza essere Alberto.

Alla permanenza savonese del 1517 è stata anche collegata la questione riguardante altre tre opere di dibattuta autografia, due delle quali eseguite per Savona. Una di esse, la *Visitazione* del Museo di Wiesbaden (fig. 109), proviene dalla chiesa di San Giacomo, mentre la *Madonna in trono tra i santi Pietro e Luca* (fig. 106) è tuttora nel Duomo nuovo (cappella Spinola).

Alla luce della ricostruzione del percorso di Alberto va esclusa la possibilità che i dipinti in questione possano risalire a quell'anno, anche se non si può neppure negare l'esistenza di molte analogie con le opere databili attorno al 1520 e con il più tardo polittico di Castiglione d'Adda.

In realtà Alberto è un artista che non finisce di stupirci. Se proviamo ad estraniare le sue opere dal rigido schema iconografico imposto dalla committenza ecclesiastica lodigiana, se analizziamo la sua sperimentazione senza farci trarre in inganno dal soggetto o dal tipo di composizione cogliamo come egli sia pittore di ben altre doti che quelle puramente narrative.

Tornando alla produzione lodigiana di fonte accertata, non possiamo che ricordare nuovamente l'atto del 27 febbraio 1519 con il quale Alberto stipula l'accordo con i Deputati e i Priori dell'Incoronata per l'esecuzione del gonfalone. Il documento chiama in causa il solo Alberto, a scapito di quanto trascritto dal Cernuscolo. E la tela di fatto è coerente con lo stile delle opere datate in questi anni. Dal punto di vista iconografico l'*Incoronazione della Vergine* trae ispirazione dagli esempi milanesi del Bergognone con questo soggetto[152]. È anzi possibile che il gonfalone, per rivestire un carattere ancor più devozionale ed essere facilmente riconoscibile dalla popolazione, riproduca l'affresco con questo soggetto che il Bergognone dipinse allo scadere del Quattrocento nell'abside dell'Incoronata. L'immagine veniva immediatamente collegata al santuario mariano, conservandone la testimonianza dal momento che nel 1699 venne distrutto a causa dei lavori di ampliamento del coro.

Nel suo esiguo formato, la tela si contraddistingue sia per la rigorosa e calibrata composizione, sia per la profondità spaziale, ottenuta con la disposizione semicircolare degli angeli musicanti a terra e di quelli osannanti in volo, rivolti nelle più varie direzioni. L'atmosfera è poetica e leggiadra, al punto che da questo momento si rende veramente esplicita la tendenza di Alberto ad esprimersi in un linguaggio di sapore protoclassico. È arduo risalire alle motivazioni di questa svolta e a quelli che furono i punti di riferimento ai quali egli si ispirò, anche se dovette essere determinante la fortuna dei modelli raffaelleschi e degli artisti toscani e bolognesi, mediati da Marco d'Oggiono, Cesare da Sesto o Bernardino Luini. Il risultato è sotto i nostri occhi. Alberto abbandona quell'accentuata individuazione delle fisionomie umane, che l'aveva caratterizzato, in favore di un più delicato e sereno modo di esprimersi.

Questo cambiamento è ancora più esplicito nel polittico Galliani, in Sant'Agnese (fig. 99), la cui data 1520 suggerisce un'esecuzione contemporanea al gonfalone. L'opera risulta fondamentale per la ricostruzione cronologica. Seppure i personaggi mantengano inalterato il modello sviluppato in precedenza, in forme sempre robuste e monumentali, si vede smorzato quell'evidente accento realistico a vantaggio di un naturalismo forse più umano ma certo meno intenso. I colori sono stati modificati in gamme dagli effetti morbidi e luminosi, con l'uso di velature sfumate, sulla falsariga delle soluzioni luinesche. Il folto gruppo degli angeli in coro, nel pannello soprastante, è prossimo a quello nel gonfalone e la Madonna, nella medesima tavola (fig. 97), rispecchia con minime varianti la ricorrente tipologia che Alberto propone anche nel trittico del Duomo.

A questi ultimi anni del secondo decennio risalgono verosimilmente alcune altre opere fra cui tre quadri di devozione privata. Con un leonardismo più accentuato si propone questa inedita *Vergine col Bambino benedicente tra due angeli musicanti*, di attuale ubicazione ignota (fig. 91), che costituiva il pannello centrale di un complesso pittorico più esteso[153]. La figura della donna, se escludiamo il viso, ritoccato da un restauro, si affianca agli esemplari del polittico Berinzaghi e alla *Madonna col Bambino* già a Turano (Lodi, Museo Civico; fig. 87). Nel complesso il dipinto è realizzato su scala monumentale e con libertà esecutiva, tenuto conto dell'arioso paesaggio che avvolge la scena, del medesimo stampo che vedremo nelle opere seguenti. La più antica potrebbe invece essere la *Vergine col Bambino e san Giovannino*, (fig. 93) appartenuta alla collezione Lederer di Vienna[154], dove l'ispirazione leonardesca si fonde con gli elementi tipici del suo stile. Se il viso allungato di Maria è simile nei lineamenti a quello per la medesima figura nel polittico Berinzaghi, la stesura sommaria del paesaggio con edifici arroccati rispecchia quella alle spalle degli Apostoli nella *Morte della Vergine*.

Nello stesso tempo, prima del 1520, si situa l'altro piccolo dipinto con la *Madonna che allatta Gesù*, di proprietà dei discendenti Borromeo di Milano, insieme allo *Sposalizio mistico di santa Caterina*, dell'Accademia Carrara di Bergamo (fig. 95)[155]. In quest'ultimo si coglie una nota più classicheggiante, per non dire raffaellesca, tanto che Alberto sembra assimilare tendenze toscane del primo decennio del Cinquecento prossime ad Andrea del Sarto e ai suoi seguaci.

Poco dopo il 1520 mi sembra si possano collocare alcuni pannelli di predella provenienti da differenti complessi smembrati, che confermano la tradizionale attività di Alberto, orientata verso la pittura ufficiale. Questa era infatti la funzione della lunga tela, un tempo su tavola, con *Cristo fra gli Apostoli*, nella collezione Borromeo all'Isola Bella, della ricordata *Adorazione dei Magi* (fig. 101) nel Museo

Civico di Vicenza[156], di un'inedita tavoletta col *Miracolo di un Santo* (forse Antonio abate) in collezione privata (fig. 103)[157] e della *Pietà di Cristo tra le sante Caterina e Agata*, già a Roma nella collezione Visconti Venosta[158]. Nella predella vicentina Alberto raggiunge una compostezza certo inusitata, non solo frutto della rigorosa costruzione prospettica, a dimostrazione di quanto sia concreto e totale il processo in atto. I personaggi hanno acquistato in solidità e pienezza, assumendo la funzione, insieme ai molti oggetti disseminati sul terreno, di precisi riferimenti spaziali verso il lontano orizzonte. La fonte luinesca è ancora particolarmente accentuata, al punto d'averne suggerito la paternità, anche se con questo pannello, determinante per comprendere l'evoluzione futura, si segna la definitiva conferma dell'orientamento di Alberto, che perfeziona l'immagine devozionale in sintonia con la serenità degli stati d'animo rappresentati. Di insolita delicatezza cromatica è la tavoletta che presento per la prima volta. Sul fondale chiaro, in toni grigio-rosati sono distribuite alcune figure che assistono al ferimento del giovane in casacca verde riverso a terra. Nei tipi si trovano i caratteri del suo repertorio e il confronto con le predelle della pala di *San Gerolamo tra i santi Pietro e Paolo* è indicativo. Il chiarore e la vivace coloritura sono però indice di un momento successivo, nel quale è già maturata la suggestione classicista tale da suggerire che siamo oltre il 1520, in prossimità del risultato di Castiglione d'Adda.

Si riconosce la medesima compostezza organizzativa della predella di Vicenza nel tondo con l'*Assunta* avvolta in una corona di angeli (fig. 102) del Denver Art Museum (Denver, Colorado)[159]. L'opera è frutto dell'evoluzione spaziale: oltre alla monumentale figura della Vergine, la quale accenna una torsione del busto, che rileviamo per l'intenzione di non allineare le braccia e le mani giunte, appositamente lasciate aperte, dobbiamo sottolineare la notevole varietà di posizioni assunte dagli angeli alle sue spalle. Pur nella somiglianza con quelli nel gonfalone, in quest'opera acquistano totale libertà: si piegano, si torcono e si agitano in maniera tale da creare un vorticoso insieme circolare sul quale si stagliano i contorni della Madonna, accrescendone la profondità atmosferica.

Il confronto col *trittico dell'Assunta* in Duomo conferma la sostanza di questo processo evolutivo[160]. Ho accennato all'ipotesi che questo sia la parte superiore del polittico con i *Santi Bassiano* e *Sebastiano* e con la *Morte della Vergine*. Le due figure laterali, la santa Caterina e il Battista, rispecchiano in tono di maggiore naturalezza quel 'rigore' espressivo che abbiamo sottolineato nel polittico di sant'Agnese. La maturazione avviene attraverso il risalto plastico e la verosimiglianza all'aspetto reale dei personaggi, sempre più aderenti al naturalismo frutto della fusione delle nozioni di scuola milanese con le sollecitazioni raffaellesche e classicheggianti. Questo legame è esplicito anche senza il richiamo suggerito dai due angeli appoggiati al parapetto, suggestivo segno dell'aggiornamento in corso sulle novità giunte attraverso la *Madonna Sistina* di Raffaello, all'epoca già collocata sull'altare di Piacenza. L'*Assunta* dipinta nel pannello centrale rispecchia la composizione del tondo di Denver, e la disposizione più tradizionale degli angeli potrebbe motivare la precedenza cronologica del trittico rispetto al tondo, in un arco di tempo comunque breve, poco dopo il 1520.

L'ultima opera accertata nel lodigiano

è il polittico di Castiglione d'Adda[161]. Assegnato unicamente dal Porro al solo Alberto, il monumentale complesso è stato dibattuto dalla successiva critica fra entrambi i fratelli, in una datazione spesso troppo anticipata, che non teneva conto dell'effettivo grado di maturazione rispetto alle altre opere. A complicare il giudizio sul polittico da taluni è stato suggerito anche l'intervento del giovane Callisto, senza che si considerasse la sua età e il differente inizio del suo percorso, ben documentato e in sintonia con la pittura bresciana del primo Cinquecento.

Col polittico di Castiglione d'Adda siamo di fronte all'opera più matura di Alberto nel lodigiano; rispecchia appieno i caratteri dell'evoluzione in senso naturalistico, spaziale e formale che il pittore si è prefissato di raggiungere. Se dal punto di vista strutturale non presenta particolari novità, in quanto si tratta di una evoluzione della tradizionale impostazione di polittico suddiviso in due grandi registri, con predella e cimasa, esiste un'enorme sviluppo per quanto riguarda la maturazione stilistica del suo autore. Sebbene riproponga modelli simili a quelli già visti nei polittici Berinzaghi e Galliani, con la scansione di una figura per ogni pannello, vi si legge un grado di aggiornamento prima impensabile, una complessa e profonda rete d'influenze che toccano l'area toscana e quella ligure, insieme a recuperi fiamminghi, in un esito che definirei equidistante da Pier Francesco Sacchi[162] e da Andrea Solario. Per consentire che questa crescita prenda corpo, la datazione logica potrebbe essere verso la metà del terzo decennio, in anni nei quali il percorso di Alberto ci è completamente ignoto. È infatti ancora da spiegare la scarsità di opere collocabili tra il 1520 e la morte del pittore, avvenuta allo scadere del 1528 o nei primi mesi dell'anno successivo[163]. Una utile traccia viene però suggerita dallo stile di alcuni pannelli del menzionato polittico, nei quali appare esplicita la conoscenza sempre più attenta e aggiornata dei fatti liguri, spostando ancora una volta il baricentro dell'attività di Alberto verso ponente, dove il pittore aveva certamente mantenuto vivi i contatti iniziati parecchi anni prima. Nella tavola centrale del registro superiore con la *Crocifissione* (fig. 108) si condensano i forti stimoli fiamminghi, ispirati in particolare al polittico genovese di Gerard David per San Gerolamo della Cervara, tanto quanto risente dell'interpretazione delle opere di Pier Francesco Sacchi.

E un importante tassello per comprendere questi anni perviene con l'attribuzione ad Alberto di questa nuova opera che si affianca all'esecuzione del polittico di Castiglione. Si tratta della *Vergine che allatta il Bambino* (fig. 113), della parrocchiale di Ombriano, nei pressi di Crema sulla direttrice verso Lodi, che il recente restauro ha riportato alla luce nella sua integrità[164]. È innegabile la somiglianza con le tavole centrali dei polittici Galliani e Pallavicino. Se della *Madonna col Bambino, san Giovannino e Nicola Galliani in un coro di angeli* (fig. 97) mantiene l'impostazione della figura principale, nella *Madonna col Bambino benedicente* (fig. 114) del registro inferiore di Castiglione si legge una totale comunione d'intenti. Anche gli angeli che sostengono il velo sono identici a quelli che incoronano la Vergine. Certo nella tela di Ombriano si rileva un leggero scarto, che interpreto come una crescita verso la maggiore sicurezza espressiva. I colori smaglianti e l'ariosità del paesaggio sono elementi che aprono ad altre nuove considerazioni. L'importanza della nuova tela risiede nel fatto che essa fornisce ulteriori elementi per spiegare quella che ritengo sia la successiva e ultima fase del percorso di Alberto.

Le considerazioni sulla sua maturazione artistica mi hanno stimolato a ipotizzare la soluzione del dibattuto problema di chi sia il 'Maestro della Visitazione di Wiesbaden'. Ora, il ritrovamento del dipinto di Ombriano aggiunge alla ricostruzione un importante contributo. In questo contesto diventano molto interessanti anche le cinque tavolette di predella con gli *Apostoli a mezza figura* (figg. 117-120) che rendo note per la prima volta[165]. Grazie ad esse abbiamo un ulteriore elemento di collegamento per comprendere l'ultima fase di Alberto. Se la relazione più diretta s'instaura col polittico di Castiglione d'Adda, è innegabile che la varietà dei tipi raffigurati getti un ponte verso la pala con gli *Apostoli attorno al sepolcro* (ora a Berlino, Staatliche Museen; Tav. X, fig. 116) e le altre opere del 'Maestro della Visitazione di Wiesbaden'.

Ma andiamo per gradi. Incominciamo a precisare che le due tavole esposte fino a qualche anno fa nella medesima sala del Museo di Wiesbaden appartengono verosimilmente al medesimo autore; sono troppo pertinenti i legami culturali, formali e stilistici per non essere accolte come tali. Il disegno, le lacche, i colori che le compongono sono gli stessi. Come appartiene allo stesso gruppo, nonostante il diverso stato di conservazione, la *Madonna col Bambino tra i santi Pietro e Luca* (Savona, Duomo; fig. 106), che ricalca, in controparte, la Vergine di Castiglione d'Adda, con la medesima posa del fanciullo e il movimento del braccio, mentre la torsione del capo, nel preciso disegno ovale, con gli occhi rivolti a terra e la morbidezza delle ombre trova riscontro nella fisionomia serena delle donne dipinte da Alberto nelle opere della fine del secondo decennio.

Addirittura il gesto della Vergine e la presa della mano sono identici a quelli che vediamo nell'incontro con Elisabetta (fig. 109), dove è ancora riconoscibile, nel nitore dello scorcio illuminato del viso, la tipica espressione dei volti femminili di Alberto. La pala di Savona si lega ancor più alla tavola con gli *Apostoli attorno al sepolcro* (fig. 116), per la totale somiglianza dei volti dei santi, incisivi e scavati dalla luce, e per il modo di realizzare le ampie pieghe che solcano le vesti, in un linearismo che è anche in sintonia con il *Battista* (fig. 104) e il *San Rocco* (fig. 105) di Castiglione d'Adda. Come non riconoscere l'unità fra queste figure che hanno conquistato la propria dimensione naturale all'interno di un rigido schema iconografico. E come non riconoscere nella rarefatta liquidità del paesaggio la mano di Alberto?

Il suo percorso sembra di fatto ricalcare, nelle linee fondamentali, la strada seguita dall'estetica rinascimentale. Dapprima persegue la sperimentazione realistica dell'imitazione della natura; e dovendo rappresentare nella sua completezza il mondo tridimensionale su una superficie a due dimensioni, Alberto la realizza attraverso quella resa espressiva e fisionomica di marcato sapore verista e quella statuaria monumentalità che abbiamo lungamente sottolineato quali sue caratteristiche peculiari. In seguito il cambiamento di Alberto sembra ricalcare la concezione umanistica della pittura che adempie ai suoi fini più alti mediante la raffigurazione mimetica della vita umana, non nella sua mediocrità ma nei suoi aspetti superiori, attraverso cioè la bellezza ideale. L'imitazione della natura non più come essa è ma, secondo la visione aristotelica, in modo tale che sia "rappresentativa nel senso più alto".

Il forte mutamento che si avverte nello stile di Alberto si può ipotizzare che abbia origine, se non altro inconsciamente, da questa concezione: avvicinandosi alla visione classica dell'arte, che abbraccia ad un certo punto, dopo il 1514, e accogliendo le novità di Raffaello egli, in fondo, persegue quello che verrà considerato da Vasari l'esempio più puro di stile rinascimentale per la sua insuperata naturalezza. D'altro canto la distinzione tra l'imitazione ideale e l'imitazione della natura era particolarmente incerta dal momento che bastava, secondo quanto affermava Leon Battista Alberti, preoccuparsi d'inserire quanto più il bello che il brutto e non è raro che agli inizi del Cinquecento le due concezioni convivessero nella ricerca della purezza.

Tutto ciò si rende esplicito nel dipinto con gli *Apostoli attorno al sepolcro* (fig. 116). Esso rappresenta il frutto dell'evoluzione di un artista lombardo, come sosteneva Longhi, che ha vissuto un'intensa esperienza classicistica; il legame con la Liguria e col Sacchi non è sufficiente a giustificare questo risultato. Devono essere intervenute dirette componenti emiliane, forse ferraresi, e toscane, per ora solamente ipotizzabili. Sembrano trovare conforto nell'evoluzione dei fatti costeschi e del Francia messa in atto da artisti come Niccolò Pisano, Garofalo, Ortolano e in quel pittore girovago tanto significativo che è Johannes Ispanus[166]. Sul fronte dei rapporti con la pittura del centro Italia, si respira il ricordo del filone che da Raffaello si trasmette a Fra' Bartolomeo, Andrea del Sarto, Bugiardini e Franciabigio. Il rapporto che si instaura con questi ultimi sottolinea una conoscenza non superficiale dei fatti fiorentini del secondo decennio, e mi convince a pensare che per Alberto sia stato indispensabile approfondirli direttamente. Oltre ai numerosi allievi di costoro si può istituire un'ideale parallelismo tra l'Alberto classico e Raffaello Botticini[167], anche se la più schietta e mai dimenticata fonte lombarda e gli incontri milanesi col Bramantino rendono più interessante lo sviluppo del nostro pittore. I volti asciutti e scavati, l'ordinata disposizione dei loro profili ha ancora questa componente ispiratrice. Certo i volumi si sono dilatati e, come gonfiate di un'aria nuova, le forme espanse si sono arricchite di luminose e vibranti cromie.

Ma tutto questo sembra la diretta evoluzione del maestro che realizza la *Morte della Vergine* del Seminario di Lodi, cioè Alberto Piazza. E come parametro delle sue capacità di crescita abbiamo sotto gli occhi il salto che egli è stato in grado di compiere tra quest'ultima opera e le altre che abbiamo avvicinato a quel momento, in relazione al polittico di Castiglione d'Adda. Una crescita che non può che sbalordire, soprattutto se pensiamo per un istante a quella che era considerata la figura di Alberto solo qualche anno addietro.

Se è stato in grado di migliorarsi fino a questo punto non vedo quale ostacolo impedisca l'unione dell'opera nodale di questi anni, il polittico di Castiglione d'Adda, con i dipinti del 'Maestro di Wiesbaden'. La *Visitazione* (fig. 109) si lega, a mio avviso, ancor più con la nuova fisionomia assunta dal pittore lodigiano. Le tipologie della Vergine e dei santi ricalcano espressioni assai frequenti nel suo repertorio, ad incominciare dalla Madonna sotto la croce (fig. 108), nel pannello centrale del registro superiore del polittico di Castiglione d'Adda, senza dimenticare le due opere savonesi, la pala Spinola e il pannello intarsiato con la *Vergine, il Bambino e papa Giulio II*, di cui ricalca la medesima immagine. L'incedere di san Giuseppe è addirittura lo stesso dell'altro pannello a fianco del medesimo complesso, con san Giacomo che si appoggia al bastone (fig. 110). Il *Battista* anticipa, in controparte (fig. 104), il movimento del san Sebastiano, al punto da far sorgere il sospetto che l'autore abbia usato lo stesso cartone con alcune modifiche. Insisterei inoltre sui gesti delle figure e sulla somiglianza delle pieghe gonfie, solcate da lunghe scanalature ammorbidite dalla luce.

È altresì nota la versione del medesimo soggetto un poco più tarda che riproduce sostanzialmente il prototipo di Wiesbaden, al Vescovado di Crema (fig. 115) - in stretta relazione con la *Madonna* di Ombriano (fig. 113) - con evidenti accenni ai fatti bresciani e rimandi alla situazione toscana[168]. Nella *Visitazione* di Wiesbaden sono di nuovo accentuate le connotazioni fiorentine, specie in rapporto ad alcune opere del Franciabigio come il *Matrimonio della Vergine* alla Santissima Annunziata, l'*Annunciazione* della Galleria Sabauda di Torino, eseguita per San Pier Maggiore a Firenze e alcune *Madonne col Bambino* come quella della Pinacoteca di Bologna e l'altra al Museum of Art di Birmingham (Alabama).

Personalmente interpreto la *Visitazione* savonese anche come approfondita rilettura, in una fase matura, di alcune suggestioni ispirate da Giovanni Agostino: nel contesto del 'dialogo' tra i personaggi e la natura circostante, di stampo nordico, l'artista inserisce forti richiami ai modelli del Lodigiano, specie nella parte di destra, con le rocce a ridosso delle figure e l'impervia rupe che ne sovrasta la scena. Nelle figure è più evidente l'impulso classicheggiante e il *San Sebastiano* bene si affiancherebbe alle opere di questo momento di Niccolò Pisano e dell'Ortolano.

Troverebbe, dunque, credito l'ipotesi di un nuovo soggiorno ligure, successivo ad una serie di contatti che non possiamo ancora definire con precisione. Sulla base degli esiti raggiunti a Castiglione d'Adda sarà determinante comprenderne la datazione. Se cade verso la metà del secondo decennio, non si può escludere che Alberto a Savona si rechi anche due volte, dopo il 1520 e nel sesto lustro, lasciando un nucleo cospicuo di opere come la pala Spinola e i cartoni preparatori per le tarsie, nel Duomo dove aveva già lavorato, la *Visitazione* e l'*Assunzione della Vergine* di cui restano gli *Apostoli attorno al sepolcro*.

Come era forse accaduto alcuni anni prima al fratello Martino quando, intorno al 1523 il territorio lodigiano venne invaso da un'epidemia di peste, può darsi che la morte di Alberto sia stata causata dallo stesso flagello che nel 1529 sappiamo imperversò nella zona, impedendogli di terminare il polittico per la Scuola di San Paolo[169].

Termina così una stagione particolare per la pittura a Lodi. Alberto che si configura l'artista al quale il clero cittadino affida maggiore credito per delineare un progetto iconografico omogeneo, ad un certo punto è probabilmente costretto a cercare migliore sorte fuori dalle proprie mura, troppo anguste e provinciali, nel momento in cui si renderà conto di poter crescere e di non voler rimanere legato a schemi di un ufficialità obsoleta.

Il fratello Martino, al contrario, sembra tutt'altro che interessato ad esprimersi attraverso un linguaggio canonico e ufficiale. Si dimostra maestro nelle opere di medio e piccolo formato, che nascevano per la devozione privata e avevano quale destinazione il luogo appartato più che l'altare. Una suddivisione di compiti che, almeno sulla carta, doveva essere confacente ai due fratelli, avvicinandosi anche alle esigenze della committenza.

In sostanza la scuola pittorica lodigiana assume una fisionomia tutt'altro che monotona e statica, caratterizzata anzi da personalità che raggiungono la propria realizzazione ben oltre i confini locali, nel continuo confronto con un panorama fremente di novità, con artisti e situazioni culturali che sono di incessante stimolo alla loro crescita.

Note

1) F. MORO, *I pittori Martino e Albertino Piazza da Lodi*, tesi di laurea, Università degli Studi di Milano, an. acc. 1984/'85. Rivolgo un sentito ringraziamento a Pierluigi De Vecchi, per la stima riposta, lasciandomi ampia libertà nella ricerca, ai suoi consigli, a quelli di Giulio Bora, a Liana Castelfranchi Vegas, correlatrice nella discussione. A quel tempo ho esposto i risultati della mia ricerca a Federico Zeri, Mina Gregori, Giovanni Romano, Mauro Natale e Alessandro Ballarin, che ringrazio per la cortesia e la fiducia accordatami. Sono particolarmente grato verso l'editore Leonilde Dominici, agli aiuti di Erich Schleier, ai conservatori di biblioteche, soprintendenze e musei, ai parroci, a Mino e Riccardo, agli amici Elisabetta e Filippo, Evelina e Guglielmo e a tutti coloro tra antiquari, collezionisti e restauratori che hanno contribuito a facilitarmi il lavoro.

2) F. MORO, *Pittura a Lodi. 1487 e oltre*, in *Pittura tra Adda e Serio. Lodi Treviglio Caravaggio Crema*, a cura di M. Gregori, Milano 1987, pp. 21-30, 100-114; Idem, *La famiglia dei Piazza e il suo viaggio nel mondo della pittura*, in 'Bollettino della Banca Popolare di Lodi', sett./dic. 1987 (1987a), pp. 40-42.

3) F. MORO, ad vocem *Albertino Piazza; Martino Piazza*, in *La pittura in Italia. Il Cinquecento*, a cura di G. Briganti, Milano 1988, vol. II, pp. 801-803; Idem, Albertino Piazza? Storie di santo Stefano (Giudizio, Lapidazione e Funerale), in *Piemontesi e lombardi tra Quattrocento e Cinquecento*, a cura di G. Romano, Torino 1989, pp. 80-85.

4) *I Piazza da Lodi. Una tradizione di pittori nel Cinquecento*, a cura di G. C. SCIOLLA, catalogo della mostra, Milano 1989. La prima parte della mostra, quella dedicata a Martino e Alberto, si è totalmente basata sulle mie proposte in ordine alla distinzione dei due percorsi artistici, alla cronologia delle rispettive opere e alle componenti culturali e stilistiche, senza che nei relativi saggi del catalogo ciò venisse ricordato, evitando il più possibile ogni riferimento alle indicazioni da me anticipate e precisate, sottolineando esclusivamente gli aspetti non condivisi. Inoltre, nella bibliografia non è stata citata la tesi di chi scrive, oggetto primo per comprendere queste proposte, dopo che la stessa è stata fornita in visione a più di un collaboratore del medesimo e potè venire consultata dal curatore della mostra all'epoca degli esami di dottorato del 1986 a Milano. In due casi sarebbe stata puntualmente menzionata in nota. Nel saggio di S. BISTOLETTI BANDERA (*La pittura e la scultura*, pp. 62-73), alle pp. 70-71, e alle relative note 58 e 67, si capisce che la studiosa aveva previsto di citare sia la mia tesi sia quella della Colombo, su Giovanni e Matteo Della Chiesa. Invece entrambi gli autori e i titoli dei due contributi non compaiono in nota e quindi neppure in bibliografia.
La conferma della scarsa chiarezza nell'esprimere i meriti altrui si rende esplicita nel momento in cui anche i recensori della mostra, lettori certamente tra i più attenti delle pagine del catalogo, riconoscono il merito di questi risultati ai loro estensori. È il caso di Nello Forti Grazzini che qui ringrazio per gli indiretti complimenti, quando sostiene: "Un primo importante dato acquisito con questa mostra coincide con la coerente e organica ricostruzione dei corpus pittorici di Martino Piazza e del fratello Alberto [...]: è ora stabilito in modo del tutto condivisibile (cfr. i saggi in catalogo di G. C. Sciolla, M. Natale, S. Sicoli) un preciso confine che delimiti, tra le opere loro ascritte, sfrondate dalle indebite aggiunte, le rispettive responsabilità. Non era un risultato scontato, se si pensa soltanto a un intervento di Federico Zeri, del 1979, che in pratica ribaltava sul nome di Martino tutte le opere di Alberto Piazza e viceversa, o alle numerose addizioni al catalogo dei Toccagni, non sempre condivisibili, proposte recentemente da Franco Moro." (N. FORTI GRAZZINI, *Recensioni. I Piazza da Lodi*, in 'Osservatorio delle Arti', n. 4, 1990, p. 114). Fa piacere sapere che lo studioso condivida una distinzione e una configurazione culturale dei due fratelli che era stata ben prima precisata dallo scrivente.
Basti ricordare che, nella stessa rivista, era stato di tutt'altra natura il parere di VALERIO TERRAROLI (*Recensioni. Pittura tra Adda e Serio*, in 'Osservatorio delle Arti', n. 2, 1989, pp. 108-109), il quale sottolinea l'importanza dei risultati raggiunti dagli studi pubblicati da chi scrive.

5) A. NOVASCONI, *I Piazza*, con un saggio introduttivo di G. C. Sciolla, Lodi 1971.

6) G. P. LOMAZZO, *Trattato dell'arte della pittura, scoltura et architettura*, Milano 1584, ed. cons. G. P. LOMAZZO, *Scritti sulle arti*, a cura di R. P. Ciardi, vol. II, Firenze 1974, p. 201; dal Ciardi viene interpretato come Albertino Piazza. Nel capitolo XIV "De gl'effetti che partorisce il lume ne i corpi terrei" del libro IV "De i lumi" Lomazzo elenca Correggio, Sebastiano

del Piombo, Giorgione, Palma il Vecchio, Moretto, Pordenone, Andrea del Sarto, Daniele da Volterra, Perin del Vaga, il Rosso, Mazzolino, Giulio Romano, Cesare da Sesto, Boccaccino, Bernardino Luini, Andrea e Cristoforo Solari e il "Toccagno".

7) Ibidem, p. 353. Nel capitolo XLV *"Composizione de gli edifici in generale"* del libro VI *"Della Prattica della Pittura"*.

8) Questa interpretazione è suffragata dal fatto che la frase "nei tempi di Francesco Sforza" è linguisticamente ambigua e non appare chiaro se vada intesa come riferimento all'epoca cui risalgono "quei baroni armati". In questo caso si può per la prima volta ipotizzare un'attività di Alberto a Milano, finora non documentata. Essa potrebbe risalire all'arco di tempo tra il 1513 e il 1515, corrispondente agli anni del ritorno in città di uno Sforza, Massimiliano, primogenito di Ludovico il Moro, che avrebbe potuto favorire un piano di restaurazione dell'immagine ducale attraverso la celebrazione di personalità dell'epoca sforzesca, come continuazione di quelli dipinti dagli altri pittori menzionati dal Lomazzo.

9) P. C. CERNUSCOLO, *Relatione delle rendite, et obligationi, che tiene la Chiesa della Santissima Incoronata, et Sacro Monte della città di Lodi et delle cose notabili occorse dalla loro fondatione sino all'anno corrente 1642*, ms. cartaceo, ff. 12 r. e v.; Lodi, Biblioteca Comunale Laudense, senza segnatura. A conclusione del testo in data 1519 un'aggiunta di altra mano ricorda: "Nel 27 febbraro Alberto riceve lire 20", che corrisponde alla notizia fornita dal documento originale.

10) Alcuni esempi sono costituiti dalle opere di Defendente Lodi ("Chiese ed oratori della Città e dei Chiosi date al clero secolare", "Storia dei monasteri, conventi, collegi religiosi della città e diocesi di Lodi", manoscritti cartacei 1650 circa; Lodi, Biblioteca Comunale Laudense, rispettivamente XXIV. A. 32. e XXIV. A. 33.) di ALESSANDRO CISERI (*Santuarii di Lodi*, Lodi 1729, *Giardino istorico lodigiano o sia istoria sacro-profana della città di Lodi e suo distretto*, Milano 1732) e di GIOVANNI BATTISTA MOLOSSI (*Memorie d'alcuni uomini illustri della città di Lodi*, Lodi 1776, II parte, p. 63 sgg.). Quest'ultimo, nella vita di Callisto, ricorda la commissione della pala d'altare per la scuola di San Bovo in Cattedrale "per essere stata senza felice riuscimento da Alberto Piazza incominciata, fu da Callisto, Cesare e Scipione Fratelli Piazza, nipoti di Alberto, a perfezione condotta, a' quali oltre le lire 180 già pagate al detto Alberto dalla scuola di S. Paolo come esecutrice della pia disposizione del M.R.D. Alberto Agostano Proposto de' SS. Nabore e Felice, furongli date lire 384 imperiali". La conferma di questo episodio, che documenta la già avvenuta morte di Albertino, si ricava dall'istrumento rogato per quella circostanza dal notaio Francesco de Nova in data 20 agosto 1529.

11) P. O. ORLANDI, *Abecedario pittorico*, Bologna 1704, ed. cons. Napoli 1763, p. 46, dove è detto "Albertino Lodiggiano Pittore notato dal Lomazzo a fol. 405" e non si fa cenno alcuno di Martino; L. LANZI, *Storia pittorica dell'Italia dal Risorgimento della belle arti fin presso la fine del XVIII secolo*, Bassano 1789; ed. cons. a cura di M. Capucci, 3 voll., Firenze 1968-'74, vol. II (1970), p. 290.

12) C. PORRO, *Guida della Regia città di Lodi compilata per uso de' forestieri*, Lodi 1833; C. PORRO, *Un quadro di Albertino Piazza in Castione Lodigiano*, in 'Ricoglitore', febbraio 1834; C. PORRO, *Il Santuario dell'Incoronata in Lodi*, Lodi 1841.

13) I. D. PASSAVANT, *Beitrage zur Geschichte der Alten Malerschule in der Lombardei*, in 'Kunstblatt', 1838, n. 74.

14) E. FERRARI, *Albertino e Martino Piazza da Lodi*, in 'L'Arte', 1917, p. 140.

15) G. K. NAGLER, ad vocem in *'Neues allgemeines Künstler-Lexicon'*, Leipzig 1835-'52, vol. XII, pp. 401-404.

16) A. F. RIO, *Léonard de Vinci et son école*, Paris 1855, p. 313 e sgg., ed. it. *Leonardo da Vinci e la sua scuola*. Prima traduzione con note di V. G. De Castro, Milano 1856, pp. 162-173. La fortuna del testo è confermata dall'altra immediata traduzione: *Leonardo da Vinci e la sua scuola. Illustrazioni storiche e note pubblicate per cura di Felice Turotti*, Milano 1857, pp. 185-196. È infatti il Rio (1856, p. 169) il primo a menzionare l'affresco che ricorda "distrutto nel 1825 per dar luogo ad un ignobile scarabocchio. Era d'esso una granpittura a fresco, precipuo ornamento della cattedrale di Lodi e condotto per intero da Martino Piazza". Sarebbe stato terminato nel 1508, mentre "Il quadro portante la stessa data, che già abbelliva l'altar maggiore della cattedrale e che venne da quivi trasferito all'arcivescovado, non ci compensa che in parte di sì grave perdita".
Non sappiamo quale affidamento nutrire per queste notizie, riprese solamente da L. MALVEZZI (*Le glorie dell'arte lombarda ossia illustrazione storica delle più belle opere che produssero i Lombardi in pittura, scultura ed architettura dal 590 al 1850*, Milano 1882, p. 112) il quale ricorda che il fratello maggiore Martino fu attivo in Cattedrale a Lodi nel 1508 e "Ivi lavorò intorno al tabernacolo della sottoconfessione, più altri ornati nella cappella del Sacrario, ed ai fianchi frescò S. Guglielmo ed il protomartire S.

Stefano. Questi lavori furono demoliti nell'anno 1825 per dar luogo a nuovi stucchi e dorature".
Le opere perdute non è detto che fossero realmente di Martino anche se, vista la sicurezza manifestata, si può pensare che vi fosse iscritta la firma e la data. Si è propensi a identificarle con gli affreschi poi distrutti, nel coro del Duomo, eseguiti da Antonio Campi nel 1568 (G. BORA, in *I Campi e la cultura artistica cremonese del Cinquecento*, 1985, p. 182). Circa il quadro ricordato sull'altare maggiore, la critica ha ritenuto di identificarlo col trittico ora nella cappella del Battistero, che però non reca alcuna indicazione di autore o di epoca e che, come vedremo, non può risalire a tale anno. Anche il CAFFI (*Dell'arte lodigiana*, in *Lodi. Monografia storico artistica*, Lodi 1877, p. 126) ripropone la notizia riferita dal Rio.

17) A. F. RIO, 1856, p. 168.

18) Ibidem, 1856, pp. 171-172.

19) Ibidem, 1856, p. 172; lo studioso francese afferma che ha ricavato le informazioni attinenti la storia della scuola di Lodi da un opuscolo inedito, curato da un lodigiano non nominato, "giacente presso il conte Gaetano Melzi, e che faceva parte dei materiali raccolti da Bossi e Cattaneo per una storia dell'arte in Lombardia" (Ibidem, 1856, p. 173). Il Cattaneo è stato il biografo di Giuseppe Bossi, artista fondamentale per l'influenza che ebbe sulle vicende artistiche milanesi e per l'approfondimento sulla pittura di Leonardo e dei leonardeschi.

20) G. L. CALVI, *Notizie sulla vita e sulle opere dei principali architetti, scultori e pittori che fiorirono in Milano durante il governo dei Visconti e degli Sforza*, Milano 1859-1865, 2 voll., 1865, vol. II, p. 130.

21) Ibidem, p. 131.

22) Ibidem, pp. 139-141, n 33. È probabile che il manoscritto dell'Albuzio, di cui il Calvi fa cenno nelle ultime pagine del suo saggio, sia il medesimo menzionato e utilizzato dal Rio, in quanto entrambi lo ricordano passato nelle mani di Giuseppe Bossi e di Gaetano Cattaneo. Dalla lettura dell'opuscolo, già presso il conte Melzi e pubblicato dal Nicodemi [A. F. ALBUZIO, *Memorie per servire alla storia de' Pittori, scultori ed architetti milanesi*, ms. 1776, p. 116, già nella biblioteca del conte Firmian, pubblicato a cura di G. Nicodemi, in 'L'Arte', appendice, LI, LII, LIV, LV (1948 - 1956); per Albertino Piazza l'appendice del numero del luglio 1951 - giugno 1952, anno LII, p. 21], non si ricava alcuna novità di rilievo circa i nostri due pittori.

23) B. MARTANI, *Sui capi d'arte e d'archeologia in Lodi*, Lodi 1868; B. MARTANI, *Lodi nelle sue antichità e cose d'arte*, IIa ed., Lodi 1876, riveduta e corretta rispetto all'edizione limitata del 1874.

24) Il parere del Martani (1868, pp. 179-180) si affianca a quello del Calvi, il quale definiva romanzesca l'ipotesi del Rio, che vedeva Martino "superiore di gran lunga al fratello Bertino, mentrecchè il Calvi pone giustamente in cima alla piramide lodigiana maestro Bertino, e dice che il fratello non servivali che d'aiuto". Avendo spostato l'attribuzione delle opere più significative ad Alberto, il Martani suppone che sia lui l'autore del trittico dell'Assunta in Duomo, ritenuto la parte superiore della pala dell'altare maggiore che il Rio ricorda insieme agli affreschi nell'abside, attribuiti a Martino, datati 1508 e distrutti nel 1825: "Il quadro portante la stessa data che già abbelliva l'altar maggiore della cattedrale e che venne da quivi trasferito all'arcivescovado" (A. F. Rio, 1856, p. 169).

25) J. A. CROWE, G. B. CAVALCASELLE, *A History of Painting in North Italy. Venice, Padua, Vicenza, Verona, Ferrara, Milan, Friuli, Brescia from the 14th to 16th century*, 2 voll., London 1871, vol. II, p. 75. Esclude cioè la veridicità della fonte, non pensando alla diversa interpretazione del passo che proponiamo in questa sede.

26) "*It is generally believed that he seldom painted any panels without the co-operation of his brother Martino*": ibidem, 1871, p. 76. Cavalcaselle è il primo che assegna le due figure alla mano dei Piazza, in seguito sottaciute dalla critica. Nell'edizione, curata alcuni anni dopo da Tancred Borenius, troviamo alcune precisazioni (J. A. CROWE, G. B. CAVALCASELLE, *A History of Painting in North Italy*, nuova edizione a cura di T. Borenius, London 1912, 3 voll.; vol.II, pp. 407-408). Lo studioso corregge l'errore che indicava Callisto figlio di Alberto (p. 407) e la datazione del polittico di Sant'Agnese. Ma l'annotazione più interessante appare quella dove il Borenius elenca con il nome di Martino le due opere monogrammate dell'Ambrosiana di Milano e della National Gallery di Londra, accogliendo i pareri del Mündler e del Morelli (p. 408).

27) F. ALIZERI, *Notizie dei Professori del Disegno in Liguria dalle origini al secolo XVI*, Genova 1874, vol. III, cap. VII, p. 79; cap. VIII, pp. 222-223.

28) Ibidem, 1874, p. 223. In occasione di questo soggiorno, l'Alizeri (1874, p. 223) propone di riferire al nostro pittore, oltre ad una pala poi riconosciuta di Defendente Ferrari, la *Madonna in trono fra i santi Pietro e Luca* (fig. 106) nella cappella Spinola del ricostruito Duomo savonese. Il dipinto è stato oggetto di un restauro che lo ha riportato ad un livello di

lettura sufficientemente corretto (P. ROTONDI, *Contributo ad Albertino Piazza*, in 'Arte Lombarda', V, 1960, pp. 68-74), anche se alcune ridipinture sembrano falsare il testo originale. In seguito B. BARBERO (*Albertino Piazza e alcuni aspetti di protoclassicismo a Savona*, in 'Arte Lombarda', n. 47/48, 1977, pp. 81-88) pone in relazione questo quadro con i due dipinti assegnati al Maestro della Visitazione di Wiesbaden, attribuendo il nucleo così costituito ad Alberto durante il soggiorno savonese del 1517. La *Visitazione* (fig. 109) originariamente si trovava nella chiesa di San Giacomo a Savona, mentre gli *Apostoli attorno al sepolcro* (olio su tavola, cm 112 x 78, fig. 116) fino a pochi anni fa erano esposti nella medesima sala del Museo di Wiesbaden. Ora il dipinto è tornato alla Staatliche Museen di Berlino (inv. n. 649; *Gemäldegalerie Berlin. Gesamtverzeichnis*, Berlin 1996, p. 83). Il problema fu in passato assai dibattuto come documentano i numerosi interventi dedicati all'argomento: Secondo l'Harck non si trattava di Gaudenzio Ferrari, attribuzione che contraddistingueva la *Visitazione* quando si trovava nella collezione Wesendonck (n. 22) ma di un artista veronese (F. HARCK, *Quadri di maestri italiani in possesso di privati a Berlino*, in 'Archivio Storico dell'Arte', anno II, 1889, fasc. V-VI, p. 211 sgg.). L'autore dei quadri di Wiesbaden potrebbe essere un lombardo, secondo il parere di Suida, il quale vi individuò un carattere bramantinesco (W. SUIDA, in *Jahrbuch der Kunstsammlungen des Allerh. Kaiserhauses*, Wien, XXVI, 1906, p. 293; W. SUIDA, *Bramante pittore e il Bramantino*, Milano 1953, p. 144, ill. 195). Berenson riferiva dubitativamente la *Visitazione* a Niccolò Pisano (B. BERENSON, *Italian Pictures of the Renaissance*, Oxford 1932, p. 185) e Longhi suggeriva un artista forse ferrarese, comunque influenzato da quel fare protoclassicista di matrice nord italiana comune a molti, tanto che in seguito modificherà il parere a favore di un pittore lombardo (R. LONGHI, in 'Officina Ferrarese', Roma 1934, ed. cons., Firenze 1968, p. 74, ill. 237). Voss infine stabiliva che le due tavole 'tedesche' appartenessero al medesimo autore, da lui definito con lo pseudonimo di "Maestro della Visitazione di Wiesbaden" (H. VOSS, in 'Berliner Museen', Berlin 1923, p. 83; H. VOSS, *Der Meister der Wiesbadener "Heimsuchung"*, Wiesbaden 1936).
L'attribuzione della sola pala di Savona ai Piazza è sostenuta anche da G. C. SCIOLLA, A. NOVASCONI (1971, pp. 16-17 e 58-61). Più recentemente è stato affermato: "C'è poi un'opera, come la pala eseguita da Albertino a Savona nel 1517, difficile da inserire pienamente nel ponderato schema evolutivo, che altrimenti parrebbe plausibile" (F. ZERI, *Una scheda per Albertino e Martino Piazza*, in 'Antologia di Belle Arti', 1979, n. 9-12, p. 58). Per un riesame delle proposte si veda: G. V. CASTELNOVI, *Il Quattro e il primo Cinquecento*, in *La pittura a Genova e in Liguria*, Genova 1987, IIa ed., vol. I, p. 157, n 29/d.

29) M. CAFFI, *Dell'arte lodigiana*, in F. DE ANGELI, A. TIMOLATI, *Lodi. Monografia storico-artistica*, Milano 1877, pp. 125-128; ripubblicato integralmente nell'opuscolo: M. CAFFI, *Degli artisti lodigiani*, Milano 1878. Egli afferma che i ritratti di Vescovi erano stati eseguiti a tempera su tela e non ad affresco, come sarà propensa a credere anche la critica successiva, ritenendoli definitivamente perduti in seguito alla distruzione dell'antica Cattedrale. Il Caffi sostiene che le tele erano state vendute "ad un incettatore girovago", tranne due che si trovavano ancora nella sagrestia del Duomo nuovo e delle quali riporta le dimensioni, avendole probabilmente viste (ibidem, 1877, p. 127).

30) Ibidem, 1877, p. 125.

31) G. MORELLI (J. LERMOLIEFF), *Le opere dei maestri italiani nelle Gallerie di Monaco, Dresda e Berlino*, Bologna 1886, p. 57.

32) Ibidem, 1886, p. 423. Per quanto riguarda Otto Mündler esiste alla Biblioteca della National Gallery di Londra il 'Diary' manoscritto che raccoglie le sue osservazioni durante il periodo trascorso quale emissario della Galleria per gli acquisti in Italia.

33) G. MORELLI (J. LERMOLIEFF), *Kunstkritische studien über italienische Malerei. Die Galerie zu Berlin*, Leipzig 1893, p. 123; J. A. CROWE, G. B. CAVALCASELLE, 1912, p. 408.

34) G. MORELLI (J. LERMOLIEFF), 1886, p. 423, che viene menzionata come un *Adorazione dei pastori*.

35) L. MALVEZZI, op. cit., 1882, pp. 112-113; C. PORRO, *Albertino de'Toccagni*, in 'Archivio Storico Lodigiano', 1885, p. 47 sgg.; G. CAIRO, F. GIARELLI, *Codogno e il suo territorio nella cronaca e nella storia*, Codogno 1898, p. 380.

36) G. FRIZZONI, *Le Gallerie dell'Accademia Carrara in Bergamo con alcune digressioni nelle raccolte private*, in *L'Arte in Bergamo e l'Accademia Carrara*, Bergamo 1897, pp. 73-75; il medesimo testo riappare in G. FRIZZONI, *Le Gallerie dell'Accademia Carrara in Bergamo*, Bergamo 1907, p. 52, ill. 118 a p. 171.

37) A. VENTURI, *La Galleria Crespi in Milano. Note e raffronti*, Milano 1900, pp. 276-281.

38) F. MALAGUZZI VALERI, *Maestri minori lombardi. I seguaci di Bergognone*, in 'Rassegna d'Arte', anno

V, 1905, n. 6, p. 92. Per quanto riguarda le ultime considerazioni sugli affreschi e le tavole del Bergognone a Lodi si veda; F. MORO, 1987, pp. 23 e 101-102.

39) B. BERENSON, *North Italian Painters of the Renaissance*, New York-London 1907, pp. 280-282.

40) G. NICODEMI, *Di Albertino Toccagni da Lodi e de' maggiori influssi da lui subiti*, in 'Archivio Storico Lodigiano', anno XXIII, 1915, pp. 3-24.

41) Ibidem, p. 6. A proposito degli affreschi scoperti pochi anni prima nella cappella di Sant'Antonio abate all'Incoronata, il Nicodemi pensa "a Martino, il più forte dei due pittori" per il paesaggio e quasi tutte le figure, che per la "loro robusta secchezza" (p. 10) si differenziano dalla dolcezza espressiva del gonfalone. Per il polittico nella medesima cappella, pur affermando: "il fatto che essa dimostra una speciale unità d'esecuzione fa pensare ad un solo artista" (p. 11), lo studioso distingue ugualmente alcune parti eseguite da Alberto, soprattutto superiormente, dalla maggioranza di Martino. Per gli esordi di entrambi pone la tavola votiva di Gian Giacomo Trivulzio del 1509, sotto la cantoria dell'Incoronata, seguita dalla pala di Cavenago, dal trittico in Duomo e dallo *Sposalizio mistico di santa Caterina* (Bergamo, Accademia Carrara), che precede il gonfalone, per il quale è significativo quanto scrive: "forse, non è tutto d'Alberto, come di lui non sembrano i piedi del S.Giovannino e quelli della Vergine, dalle dita troppo lunghe, come nelle figure del gonfalone non appaiono" (p. 17).

42) Ibidem, pp. 8-9. Successivi dovrebbero essere gli apporti del Bergognone. Va ricordato che lo Pseudo Boccaccino era un artista di recente ricostruzione e che solo pochi anni prima il Malaguzzi Valeri aveva proposto di riconoscerlo in Giovanni Agostino da Lodi (F. MORO, *Giovanni Agostino da Lodi ovvero l'Agostino di Bramantino: appunti per un unico percorso*, in 'Paragone', 1989 (gennaio 1990), n. 473, pp. 23-61).

43) A. VENTURI, *Storia dell'Arte Italiana*, VII, *La pittura del Quattrocento*, parte IV, Milano 1915, pp. 926-928, figg. 623-624.

44) Ibidem, pp. 927-928.

45) G. AGNELLI, *Lodi e il suo territorio*, Lodi 1917, pp. 304-305.

46) E. FERRARI, op. cit. 1917, pp. 140-158.

47) Ibidem, p. 141.

48) W. SUIDA, *Leonardo und sein Kreis*, München 1929, pp. 238-240. Lo studioso aveva affrontato marginalmente l'argomento nell'articolo: *Die Jugendwercke des Bartolommeo Suardi genannt Bramantino*, in 'Jahrbuch der Kunsthistorischen Sammlungen des allerhöchsten Kaiserhauses', XXV, 1904, fasc. I, p. 69.

49) A. M. ROMANINI, *Note sui fratelli Albertino e Martino Piazza da Lodi*, in 'Bollettino d'Arte', 1950, II, pp. 123-130.

50) Ibidem, p. 125.

51) Ibidem, pp. 128 e 130. Sorprende come la studiosa sbagli le dimensioni del dipinto e parli di tela, quando si tratta di una tavola.

52) P. ROTONDI, op. cit. 1960, pp. 68-74. Il critico rileva una maggiore "robustezza sia nell'impostazione prospettica, sia nella definizione plastica delle forme, sia nella compattezza delle superfici cromatiche, sia nella caratterizzazione delle figure che appaiono studiate dal vero molto più di quanto non avvenga solitamente nelle opere note dello stesso artista" (p. 71). Per giustificare queste differenze lo studioso adduce alcune motivazioni: si tratta innanzitutto di un'opera giovanile rispetto alle altre, dove le forme diventano "stanchi e manierati motivi da ripetersi" (p. 71); inoltre qui Alberto lavora da solo e in terzo luogo essa afferma meglio delle altre i contatti con Perugino, Fra' Bartolomeo e Raffaello, secondo il punto di vista del Calvi, che proponeva per Alberto un viaggio nel centro Italia tra la fine del Quattrocento e i primi anni successivi.
L'argomento è stato già in parte affrontato alla nota 28. Ricordo che prima del parere dell'Alizeri la pala era giudicata nello stile del Perugino (C. G. RATTI, *Descrizione delle pitture, sculture e architetture che trovansi in alcune città delle due Riviere dello Stato Ligure*, Genova 1780, p. 35) e del Perugino stesso (P. T. TORTEROLI, *Monumenti di Pittura, Scultura e Architettura della città di Savona*, Savona 1847, pp. 123-124).

53) A. D'AURIA, *I pittori Albertino e Martino Piazza da Lodi*, in 'Archivio Storico Lodigiano', n. 1/2, 1962, pp. 3-78.

54) B. BERENSON, *Italian Pictures of the Renaissance. Central Italian and North Italian Schools*, London 1968, pp. 335-336, ill. 1454-1468. Il precedente elenco (B. BERENSON, *Italian Pictures of the Renaissance*, Oxford 1932, pp. 444-445) presentava poche varianti rispetto a quello del 1907.

55) G. C. SCIOLLA, *Il problema di Albertino e Martino Piazza*, in *L'Arte dei Piazza*, saggio introduttivo al volume di A. NOVASCONI, *I Piazza*, Lodi 1971, pp. 13-20. È estremamente complesso ripercorrere il pensiero dello studioso; il catalogo di Alberto si aprirebbe con la tavola votiva del 1509 all'Incoronata, rispecchiante la cultura di Giovanni e Matteo Della Chiesa (che sono padre e figlio e non fratelli) e

aderente al Bergognone. Poi si situerebbe il trittico del Duomo, "prima opera nella quale ci risulti la collaborazione di Albertino con il fratello Martino" (p. 15), mentre per gli affreschi nella cappella di Sant'Antonio abate si propongono due ipotesi: se spettano a Martino, denotano un abbassamento qualitativo, rispetto alla *Madonna* del Museo di Budapest e all'*Adorazione* dell'Ambrosiana, che lo Sciolla gli riconosce, altrimenti sono di un pavese affine al Sacchi giovane. Al 1517 riconosce la pala del Duomo di Savona e al 1519 l'esecuzione del gonfalone è riferita ad entrambi, come per il polittico Galliani. Segue la pala di Cavenago d'Adda, mentre successive al 1524 si scalano la *Madonna* Lederer, il trittico già Crespi e il polittico Berinzaghi, dove l'intervento di Martino sarebbe solo nel laterale di sinistra. Le affinità con questo pannello spingono Sciolla a ritenere di Martino anche la *Morte della Vergine* del Seminario, l'affresco in Santa Maria della Pace a Lodi e lo *Sposalizio mistico di Santa Caterina* dell'Accademia Carrara di Bergamo.

56) B. BARBERO, op. cit., 1977, p. 86. Secondo lo studioso Martino sarebbe "attento spesso ad un facile classicismo peruginesco e non alieno talora da qualche desunzione raffaellesca" (p. 86).

57) F. ZERI, op. cit., 1979, pp. 58-61. La tavola votiva del 1509 viene confermata quale prima opera di Alberto, che si caratterizza per i legami con la cultura quattrocentesca lombarda di Ambrogio Bevilacqua e che si evolve in "una formula di protoclassicismo" (p. 58) che ha origine nella conoscenza delle opere del Perugino e nei contatti con il Luini. A lui spettano il trittico del Duomo, l'*Assunta* del Museo di Denver, l'ordine inferiore del polittico di Castiglione d'Adda e lo scomparto con la Vergine nel polittico Galliani. Un diverso orientamento Zeri individua nei quattro episodi della cappella di Sant'Antonio abate, che pone in relazione col documento del 1514 e riferisce al solo Martino in quanto "il senso di queste composizioni è, contro ogni aspettativa, privo di ogni connotato classicistico, anzi, tutto al contrario; specificandosi a tratti [...] in chiave anticlassica, che, se rammenta il repertorio fisionomico di uno Pseudo - Bramantino, denuncia un rapporto con la massima personalità del primo Cinquecento lodigiano, Giovanni Agostino" (p. 58). A Martino Zeri assegna il *San Bassiano* e il *San Sebastiano* del Museo Vescovile, l'ordine superiore del complesso di Castiglione e il rimanente di quello Galliani, il trittico già Crespi e il polittico Berinzaghi. Ricostruisce l'originaria struttura della pala d'altare coi *Santi Gerolamo tra Pietro e Paolo* (Lodi, collezione della Banca Popolare di Lodi) ricongiungendovi i rispettivi pannelli di predella (Milano, Pinacoteca di Brera e collezione privata). Assai utile è l'aver ricondotto all'ambito dei Piazza, anche se per Zeri è di Martino, l'*Adorazione dei Magi* del Museo Civico di Vicenza.

58) Per l'elenco completo dei documenti d'archivio che li riguardano si veda: M. MARUBBI, *Documenti per i Piazza*, in *I Piazza da Lodi*, 1989, pp. 349-353.

59) In data 22 aprile 1522: "*Item utsupra numerati Baptistae Bruno nomine Magistri Martini Tochagni pro imagine Virginis depictae super hostio Montis pietatis novi die 7 martii lib. 2 sold.*" (dai "*Libri provisionum et ordinationum Ecclesiae Incoronatae Laude*",Libro A, ms., Lodi, Archivio della Congregazione di Carità). Il Caffi (1877, p. 128) rese noto l'atto, affermando che dell'affresco non vi era più alcuna traccia. Il Nicodemi (1914, p. 21) si confonde e attribuisce l'esecuzione ad Albertino. L'Agnelli (1917, p. 265) si limita a menzionarlo come in seguito tutti gli altri studiosi. L'istituzione lodigiana venne fondata nel 1512, con l'inaugurazione avvenuta il 20 maggio, giorno dell'Ascensione.

60) Il gruppo delle tre opere era già noto a Otto Mündler. Le ricorda nel *Diario* manoscritto in due volumi (1855-'58), conservato alla Biblioteca della National Gallery di Londra, stilato quando figurava da agente per la National Gallery. Egli fu il primo, e unico, che interpretò le iniziali dei tre dipinti come quelle di Martino Piazza al punto che, quando, nel 1857, vide il quadro nella collezione Bortolan di Treviso, ne annotò il monogramma e lo mise in relazione con gli altri due. Questa ipotesi ebbe scarso seguito e venne immediatamente abbandonata dalla critica che, seppure accolse come di Martino le opere di Londra e di Milano, preferì considerare Martino il collaboratore ideale di Alberto nell'esecuzione delle varie parti dei polittici lodigiani e delle altre opere che di volta in volta, parevano meglio rappresentare il suo stile. Giovanni Morelli (J. LERMOLIEFF, op. cit., 1886, p. 423) accoglieva questa conclusione, conoscendo però solamente due quadri, il *San Giovanni Battista* di Londra e l'*Adorazione* dell'Ambrosiana. Accettati entrambi dal Berenson (op. cit. 1932, p. 444; op. cit. 1968, p. 336), incertezze sulla sua identificazione sono state avanzate da F. ZERI (1979, p. 58), secondo il quale appariva "molto dubbia [...] la lettura in favore di Martino dei monogrammi [...] il cui scioglimento è, a nostro avviso, estremamente incerto", anche se in seguito, ha condiviso le mie ipotesi (F. MORO, 1984-'85, pp. 144-149; Idem, 1987, pp. 25 e 105; Idem, 1987 a, p.

42 ill.). Anche recentemente si è continuato ad accogliere solo due dipinti: si veda G. C. SCIOLLA (*I Piazza da Lodi*, 1989, p. 87) e M. NATALE (*Alberto e Martino Piazza: problemi aperti*, in *I Piazza da Lodi*, 1989, p. 107). L'autore di queste tre opere è certamente lo stesso in quanto i monogrammi, seppure variati, presentano sempre le medesime iniziali oltre a caratteri grafici comuni, come le misteriose ali aperte. Olio su tavola, cm 75 x 55, attuale ubicazione ignota; a destra verso il basso il monogramma "TP" a lettere intrecciate con due ali d'uccello a caratteri in oro. Proviene dalla collezione Bortolan di Treviso, poi Mantovani-Orsetti: Catalogo delle due Gallerie di quadri del Conte Della Torre di Rezzonico Giovio e di Mantovani-Orsetti (eredità Bortolan di Treviso), vendita G. Sambon, Milano, 31 maggio 1898, lotto n. 18, tav. X (come Giovanfrancesco Penni). Del quadro esiste una tavola incisa in: S. REINACH, *Répertoire de peintures du Moyen Age et de la Renaissance* (1280-1580), vol. I, 1905, p. 219 (sempre come Penni). È nuovamente apparso alcuni anni addietro sul mercato antiquario (vendita Finarte, n. 85, Milano 21 maggio 1970, lotto n. 32, tav. XVII, come Cesare da Sesto). Spetta a M. DAVIES (*National Gallery catalogues. The earlier Italian Schools*, London 1951, p. 326; IIa ed., 1961, p. 419) sulla traccia del Mündler, ricordarlo in relazione alle altre due opere monogrammate. Il dipinto già Bortolan è stato anche pubblicato da chi scrive: F. MORO, 1987a, p. 42. Il recente esame sia del *Battista* alla National Gallery di Londra (olio su tavola, cm 69 x 52), sia dell'*Adorazione dei pastori* all'Ambrosiana (olio su tavola, cm 83 x 60) si deve a: F. MORO, 1987, pp. 105-107, tavv. 33 e 37. Per la sola *Adorazione* rinvio anche alla scheda di S. BISTOLETTI BANDERA in *I Piazza da Lodi*, 1989, pp. 114-116, con un interessante dettaglio del paesaggio.

61) F. MORO, 1984-'85, pp. 118-120; F. MORO, 1987, p. 26. L'affresco è stato illustrato a rovescio nel saggio di G. C. SCIOLLA (1989, pp. 86 e 91).

62) Olio su tavola, già nella collezione di Anna Sessa Fumagalli a Milano. Cfr. P. D'ANCONA (*Antichi pittori lombardi*, in 'Dedalo', 1923, IV, pp. 369-380, come Albertino con dubbio), W. SUIDA (op. cit. 1929, p. 240), B. BERENSON (op. cit. 1968, p. 336, ill. 1468, la giudica di entrambi i Piazza). L'architettura del fondo deriva dalla xilografia con l'*Adorazione dei Magi* nella "Marienleben" di Albrecht Dürer fonte comune d'ispirazione per altre opere di Martino oltre che per alcuni esempi giovanili del figlio Callisto e dei suoi fratelli. Un'altra interessante personalità che si ispira a questo modello è quella che dipinge la *Natività*, datata 1534, nella chiesa della Madonna a Sassella in Valtellina (M. GNOLI LENZI, *Inventario degli oggetti d'arte d'Italia*. IX. *Provincia di Sondrio*, Roma 1938, pp. 285-286, attribuita allora a Gaudenzio Ferrari o a Fermo Stella) che apre la questione sul percorso di Cipriano Valorsa.

63) Sarà interessante verificare se la personalità che si configura non possa corrispondere ad uno di loro, o piuttosto a Cesare Magni, artista la cui produzione si dimostra particolarmente influenzata dai modi del Lodigiano. L'evoluzione di questo pittore, oltre che nell'affresco in Santa Chiara, si segue nella monumentale *Adorazione del Bambino con un monaco e un donatore* (olio su tavola, cm 172,5 x 114,5; vendita Christie's, Londra, 10 aprile 1970, n. 93, con l'attribuzione al Bergognone; fig. 6) che rispecchia i caratteri del nostro, evidenziando nuovamente la conoscenza delle opere lodigiane di Alberto.
Alla luce di quanto suggerito circa le possibili origini di Cesare Magni in relazione a Martino Piazza, non è senza interesse che ricordo la sua versione della *Vergine delle rocce* conservata alla Galleria di Capodimonte a Napoli, in tutto simile nei personaggi ridotti di formato e nel clima naturalistico a due altre tavolette che gli vanno restituite, databili nel terzo decennio. La *Madonna col Bambino, San Giovannino e l'angelo* (olio su tavola, cm 47,5 x 33,5) si trova nelle collezioni reali di Buckingham Palace a Londra e viene schedata da J. SHEARMAN (*The Early Italian Pictures in the Collection of Her Mayesty The Queen*, Cambridge 1983, pp. 137-138, n. 136) come "After Leonardo da Vinci". L'altra (fig. 46) è apparsa anche di recente in una vendita londinese (Sotheby's, 30 ottobre 1997, lotto n. 62 come "Lombard school, circa 1530"; olio su tavola, cm 37,5 x 28,5). Cesare è anche l'autore di questa *Madonna col Bambino* (olio su tavola, cm 51,5 x 34,5) già sul mercato antiquario a Venezia proveniente dalla vendita Sotheby's di New York (10 gennaio 1991, lotto n. 18 con l'attribuzione a Giovanni Agostino da Lodi; fig. 52), in una data molto vicina all'*Adorazione del Bambino* di Codogno (chiesa di San Biagio; fig. 51), e prossima allo stile di Martino. Non si può neppure negare che questo dipinto suggerisca qualche riscontro con le opere dell'anonimo collaboratore. A Cesare Magni va inoltre confermato il tondo raffigurante la *Madonna della cintola tra i Santi Agostino e Giovanni Evangelista* (olio su tavola, diametro cm. 156, col cartiglio e la scritta: "Cesare/da/Sesto 15 (?) 1"; Roma, Musei Vaticani, cat. n. 336, inv. 186) giustamente assegnatogli da M. T. FIORIO (in *Disegni*

e dipinti leonardeschi dalle collezioni milanesi, Milano 1987, p. 26, n 13 a p. 27, 241) e altrimenti messo in discussione (M. CARMINATI, *Cesare da Sesto 1477-1523*, Milano-Roma 1994, p. 16, n 54). Sono inoltre di utile confronto per comprendere l'artista sia l'*Incoronazione della Vergine* (fig. 47) già a Milano in collezione Sessa Fumagalli, sia questa *Madonna col Bambino e Sant'Andrea* (fig. 49) di ubicazione ignota che conferma i contatti intessuti con Martino.
Alla maturità di Cesare Magni si può restituire la pala centinata raffigurante l'*Adorazione dei Magi*, conservata nel convento milanese di Santa Maria dei Servi, ora San Carlo, considerata di anonimo "Pittore lombardo (?)" da L. P. GNACCOLINI (in *Santa Maria dei Servi tra Medioevo e Rinascimento. Arte superstite di una chiesa scomparsa nel cuore di Milano*, Milano 1997, pp. 55-56). È interessante per comprendere l'evoluzione in rapporto alla situazione milanese degli anni quaranta.

64) F. MORO, 1987, pp. 105-107. Olio su tavola, cm 49 x 37, datato '1518' sulla pietra dell'arco diroccato, al centro del quadro. Con l'attribuzione a Gaudenzio Ferrari è appartenuto a Erich Lindhurst a Bruxelles e alla collezione dell'architetto Luigi Bonomi di Milano. Il quadro mi è noto attraverso le riproduzioni conservate negli archivi Berenson ai Tatti e Zeri a Mentana.

65) F. MORO, 1987, pp. 25 e 106, tav. 35. Nel recente catalogo della mostra "I Piazza da Lodi" (1989), pur accogliendo le conclusioni da me suggerite in merito alla distinzione dei due fratelli e alla cronologia delle loro opere, si respinge l'attribuzione a Martino di questo affresco, giudicato da Sciolla di anonimo lodigiano del principio del secolo (pp. 86-87), e dal Natale come uno degli "improvvisi cedimenti" (p. 107) delle opere assegnate a Martino.

66) Per un esame della situazione si veda: F. MORO, 1987, pp. 21-26 e 100-110.

67) Tempera su tela applicata su tavola, cm 51 x 38; proviene dalla collezione del barone Michele Lazzaroni a Parigi. Prima di appartenere agli attuali proprietari il quadro è passato alla vendita Semenzato a Milano nell'aprile 1988 (lotto n. 81) come Ambrogio da Fossano.

68) M. CARMINATI, op. cit., pp. 148-150. Non vanno dimenticati gli affreschi nell'abbazia di San Donato a Sesto Calende (M. NATALE, in *Le collezioni civiche di Como: proposte, scoperte e restauri*, Como, 1981, p. 22), in uno stato di conservazione che ne limita il valore, per i quali non escluderei un esecuzione di qualche anno successiva a quella proposta.

69) Riprodotto da L. Baldass (*Gotik und Renaissance im werke des Quinten Metsys*, in *Jahrbuch der Kunsthistorischen Sammlungen in Wien*, 1933, p. 161, ill. 129) quando si trovava sul mercato antiquario londinese, come seguace milanese di Leonardo.

70) Olio su tavola, cm 57,5 x 44, inv. n. 1653. Appartenuto alla collezione bergamasca di Gustavo Frizzoni, il quadro passò a Enrichetta Hertz a Roma che donò la propria collezione allo Stato Italiano nel 1915; dal 1921 il dipinto venne esposto nel Museo di Palazzo Venezia a Roma (F. HERMANIN, *Il Palazzo di Venezia. Museo e grandi sale*, Bologna 1925, p. 72 e ill.) con l'attribuzione a Francesco Napoletano (A. VENTURI, 1915, vol. VII/4, p. 927; I. P. RICHTER, *La collezione Hertz e gli affreschi di Giulio Romano nel Palazzo Zuccari*, Leipzig 1928, n. 38, pp. 52-53, tav. XXXIV). Spetta al Berenson (1932, p. 281; Idem, 1968, p. 336, ill. 1466) aver ricondotto il dipinto a Martino (F. MORO, 1984-'85; pp. 154-162; Idem, 1987, p. 105, tav. 31).

71) Olio su tavola. Conosco il dipinto grazie ad una fotografia dell'archivio di Roberto Longhi, schedata come Cesare da Sesto; reca la scritta: "*Lombard about 1500 possibly an early work by Cesare da Sesto. Febr. 1957*". Ringrazio la Fondazione Longhi di Firenze per avermi concesso la pubblicazione dell'immagine.

72) Olio su tavola, cm 80 x 56; collezione privata. Il dipinto mi era noto da tempo grazie alla fotografia della Frick Art Reference Library di New York (n. 30419) con l'attribuzione a scuola lombarda. L'opera appartenne alla collezione del Conte Blumenstihl di Roma e venne pubblicata come di Bernardino Luini (A. COLASANTI, *Una tavola di autore lombardo a Roma*, in 'Rassegna d'Arte', luglio 1906, n. 7, pp. 102-104). Informazioni che ho segnalato a G. FOSSALUZZA (in *I Piazza da Lodi*, 1989, pp. 112-113).

73) Olio su tavola, cm 42 x 32; collezione privata.

74) W. SUIDA, 1929, p. 195, ill. 226. Sulla personalità dello 'Pseudo Boltraffio' andrebbe aperta una parentesi, che diverrebbe impropria in questa sede; la configurazione di questo artista è stata da me rivista e verrà pubblicata nel giusto contesto.
Prima di passare verso il 1928 presso l'antiquario Julius Böhler di Monaco di Baviera, il dipinto apparteneva alla collezione dell'ingegner Luigi Bernasconi di Milano. Dell'opera la Pinacoteca di Brera a Milano (inv. n. 474, olio su tavola, cm 58 x 46) conserva una copia antica abbastanza consunta, attribuita al veneto Giovanni Martini detto Martino da Udine. Una copia più tarda, con l'aggiunta ai lati della Vergine, di due santi si trova nei depositi

di Brera (inv. n. 25 gesso), come di scuola cremonese.

75) Il dipinto mi è noto grazie alla riproduzione conservata nell'archivio fotografico di Roberto Longhi a Firenze, tra gli anonimi leonardeschi come Ambrogio de'Predis. La tavola (cm 65 x 51) apparteneva a: "The Ehrioh Galleries di New York".

76) Ricordo che per la *Madonna col Bambino e i santi Elisabetta, Giovannino e Michele* del Louvre (inv. n. 785) in passato sono stati espressi numerosi pareri in favore a Cesare da Sesto, la cui validità non escluderei a priori al contrario di quanto recentemente affermato (M. CARMINATI, op. cit. 1994, p. 16, n 66). L'autore della tela del Louvre potrebbe essere il medesimo della tavoletta che raffigura l'*Adorazione del Bambino*, al Rijksmuseum di Amsterdam (inv. A 3383), attribuita ad artista milanese prossimo al Bramantino. Anche per quest'opera esiste già un'ipotesi in favore a Cesare da Sesto da parte di P. GIUSTI (in *Leonardo e il leonardismo a Napoli e a Roma*, catalogo della mostra, Firenze 1983, p. 172).
Per quanto riguarda il Giampietrino suggerirei il confronto con l'incompiuta *Madonna col Bambino e l'agnellino* della Pinacoteca di Brera, da assegnargli senza riserve (P. C. MARANI, *Leonardo e i leonardeschi a Brera*, Firenze 1987, pp. 199-202).

77) Olio su tavola, cm. 54,5 x 44,5. Il dipinto mi era noto dalla riproduzione dell'archivio Longhi, tra gli 'anonimi leonardeschi', prima di apparire nella vendita Sotheby's a New York nell'ottobre 1996.

78) G. VASARI, *Le vite de' più eccellenti pittori, scultori ed architettori*, Firenze 1568, ed. cons. a cura di G. Milanesi, Firenze 1906, vol. V, pp. 101-102. Per l'identificazione del pittore brianzolo si veda: J. SHELL, G. SIRONI, *Bernardinus dictus Bernazanus de Marchixelis dictus Quagis de Inzago*, in 'Arte Cristiana', 740, pp. 363-366.

79) G. P. LOMAZZO, 1584, ed. cons. 1974, p. 165. Per il recente esame del quadro si veda: G. BORA, in *Zenale e Leonardo*, 1982, pp. 170-176 e 264.

80) Olio su tavola, cm 127 x 105. Non escluderei che il paesaggio possa essere di Martino.

81) Olio su tavola, cm 52 x 38, inv. n. A 335 (F. FRANGI, *Sulle tracce di Altobello giovane*, in 'Arte Cristiana', 729, nov.-dic. 1988, p. 402, nota 21).

82) Olio su tavola, cm 41,5 x 30,5. Agli inizi del nostro secolo il quadro appartenne al conte Cesare Borgia di Milano con l'attribuzione al Solario (A. OTTINO DELLA CHIESA, *Bernardino Luini*, Novara 1956, p. 116, n. 44).

83) Olio su tavola, cm 98,5 x 69,5; Staatliche Museen, Gemäldegalerie, Berlino (inv. n. 1466).

84) Per la concezione del paesaggio di Agostino e l'importanza da lui assunta si veda: F. MORO, op. cit. 1989 (gennaio 1990), pp. 23-61.

85) Olio su tavola, cm 32 x 24, inv. n. 6311 (F. MORO, 1984-'85, pp. 186-191; Idem, 1987, p. 106, tav. 34; Idem, in *I Piazza da Lodi*, 1989, pp. 113-114). Un'opera ispirata a quella di Budapest è più volte apparsa sul mercato antiquario in questi decenni. Si tratta della *Madonna col Bambino e san Giovannino* (olio su tavola, cm 36 x 30, collezione privata; fig. 27), dove l'angelo che appare con la croce è una chiara premonizione della Passione. Se l'idea e l'impostazione corrispondono ai modi di Martino, ben indicati dal viso della Vergine, gran parte della tavoletta sembra opera di un allievo della bottega. È invece probabilmente autografa di Martino una *Madonna col Bambino e l'agnello* (vendita Christie's Londra, 10 aprile 1981, lotto n. 51; olio su tavola, cm 62 x 48, attuale ubicazione ignota; fig. 28, ill. anche da M. CARMINATI, op. cit., pp. 184-185) ispirata al prototipo leonardesco con Sant'Anna e al dipinto di Cesare da Sesto del Museo Poldi Pezzoli di Milano. Nonostante numerose cadute di colore, si coglie come il dipinto si colleghi ad opere della maturità di Martino che incontreremo più oltre; in particolare il viso della Vergine e del Bambino, la stesura dei panneggi e la raffinata qualità del paesaggio appartengono al maestro lodigiano.

86) F. MORO, 1987, pp. 107-108 e Idem, in "I Piazza da Lodi", 1989, p. 120.

87) F. MORO, *The Allentown Nativity: Giorgione to Agostino and vice versa*, in 'Achademia Leonardi Vinci', a cura di C. Pedretti, V, 1992, pp. 52-57.

88) La grande tela (cm 244 x 155) mi era nota da tempo, tanto che l'avevo segnalata alla mostra come fondamentale opera di Martino. È stata citata, nel saggio di G. C. SCIOLLA (1989, p. 91) come attribuita a Martino dal Marubbi.

89) Ubicazione ignota. Conosco il dipinto attraverso la riproduzione (n. 798) del catalogo della IIa fiera nazionale d'arte antica, svoltasi a Cremona nel 1938, dove era attribuito a Marco d'Oggiono.

90) Apparso alla vendita Sotheby's Parke Bernet a Montecarlo (Principato di Monaco) il 25 giugno 1984 (lotto n. 3334) con l'attribuzione a Bernardino Lanino.

91) A. G. De MARCHI, W. ANGELELLI, *Pittura dal Duecento al primo Cinquecento nelle fotografie di Girolamo Bombelli*, Milano 1992, p. 84.

92) Olio su tavola, cm 65 x 50. Un esame delle

molte versioni di questo soggetto è stato svolto da E. RAMA (in *Pinacoteca di Brera. Scuola veneta*, Milano 1990, pp. 19-21), che sottolinea "la lettura in chiave lombarda del dipinto".

93) Olio su tavola, cm 51 x 41. L'opera è schedata come Bernardino de' Conti nella fototeca del Kunsthistorisches Institut di Firenze, con l'indicazione del restauro effettuato da Mauro Pelliccioli a Milano.

94) Il quadro è pubblicato come anonimo leonardesco da: A. G. DE MARCHI, W. ANGELELLI, 1992, p. 41, n. 57.

95) Olio su tavola, cm 39 x 31,5. Il dipinto apparve sul mercato antiquario milanese in due circostanze con l'attribuzione ad Altobello Melone; nella vendita Finarte n. 7 (lotto n. 42) e in quella n. 15 (lotto n. 28). Un rapporto stringente si instaura tra quest'opera di Martino e quest'altrettanto inedita *Pietà* (fig. 37) del più intenso Altobello Melone, un gioiello di poesia, una piccola reliquia dalla pennellata luminosa e densa, che bene rappresenta questo momento di intense relazioni culturali in parte indagate (F. MORO, *Per Altobello Melone*, in 'Arte Cristiana' 760, 1994, pp. 13-20). Il nervoso incresparsi delle maniche e delle pieghe del vestito presenta molte assonanze con lo stile di Martino. Altobello è anche l'autore di questo *Ritratto di donatore di profilo* (olio su tavola, cm 36 x 33,5, collezione privata; fig. 35) caratterizzato dal liquido impasto cromatico e dallo scorcio delle tipiche mani, inedito frammento di una grande pala per ora perduta, di cui si intuisce il manto azzurro della Vergine e il panneggio di un santo.

96) Olio su tavola, cm 43,5 x 36,5, collezione privata. Con il riferimento a Giampietrino il quadro è passato nella vendita n. 90 della Finarte di Milano al lotto n. 4.

97) Si vedano le considerazioni di M. NATALE (in *I Piazza da Lodi*, 1989, pp. 103-106) sul pittore veronese. L'interessante *Madonna col Bambino* riprodotta dal Natale era stata inserita nella congiuntura con Giovanni Agostino da chi scrive (F. MORO, op. cit. 1989 (gennaio 1990), p. 60).

98) Olio su tavola. Devo la conoscenza del dipinto a Gianni Romano che me lo segnalò nel 1988.

99) Olio su tavola, cm 34 x 44,5; F. MORO, 1987, pp. 106-107, tav. 36.

100) F. MORO, 1984-'85, pp. 172-180. Non è nota l'originaria provenienza del pannello (olio su tavola, cm 185 x 58, datata "1519" in basso al centro) pervenuto alla Pinacoteca (inv. n. 337) dalla Direzione Generale del Demanio il 5 luglio 1805.

101) C. MARCORA, *Marco d'Oggiono*, Oggiono (Lecco) 1976, tavv. 8, 4, 25; F. MORO, *Ancora su Marco d'Oggiono*, in 'Museovivo', n. 5, 1994, pp. 17-27; F. NAVARRO, *Lo Pseudo-Bramantino: proposta per la ricostruzione di una vicenda artistica*, in 'Bollettino d'Arte', 1982, n. 14, pp. 37-68. Per comprendere il livello culturale raggiunto in Italia dal pittore spagnolo richiamo alla memoria questa *Flagellazione* (fig. 88) nella Pinacoteca della Basilica di San Paolo fuori le Mura a Roma, straordinario repertorio del panorama artistico agli inizi del '500.

102) Il documento cremonese del 21 agosto 1523 è stato correttamente letto da Ugo Teschi (in M. MARUBBI, 1989, p. 353): Gerolamo Romanino reclama un pagamento per gli affreschi del Duomo, ricordando che erano stati collaudati (*"laudate et approbate"*) da *"magistrum Martinum Tochagnum pictorem laudensem"* in una data prossima al 25 agosto 1520. Questa notizia conferma i rapporti di Martino con la cultura cremonese e documenta la conoscenza diretta del Romanino, non escludendo l'esistenza di un legame amichevole fra i due in considerazione delle condizioni di non ufficialità dell'incarico, svoltosi in "secreto". Il rapporto col Romanino spiega l'orientamento dei figli di Martino verso Brescia, alla morte del padre. In particolare dimostra il motivo della successiva formazione di Callisto presso il maestro bresciano.

103) M. NATALE, in *I Piazza da Lodi*, 1989, p. 107.

104) Olio su tavola, cm. 104 x 77; F. MORO, 1987a, p. 41, ill.

105) Olio su tavola, cm. 50 x 46,5.

106) Un interessante segnale della diffusione anche a Brescia dei motivi paesaggistici utilizzati da Martino si rileva in Moretto nello sfondo del *San Gerolamo* (Stoccolma, Museo dell'Università) databile agli inizi del terzo decennio. Permangono ancora poco sondati gli intrecci culturali tra le molte personalità attive agli inizi del Cinquecento nell'Italia settentrionale. Personalmente intendo approfondire anche in futuro queste relazioni, continuando le ricerche finora pubblicate, come nel caso del rapporto tra Bembo e Grammorseo: F. MORO, *'Carta di tornasole': la pala di Giovan Francesco Bembo con i Santi Stefano e Francesco*, in 'Paragone', n. 439, 1986, pp. 17-33.

107) Nel documento di compravendita del 6 maggio 1523, Cesare e Scipione agiscono a Lodi anche per conto di Callisto, mentre Scipione figura testimone a Brescia in un atto dell' 8 dicembre 1523. Di Cesare a Brescia si ha notizia nel documento del 16 febbraio 1528 (M. MARUBBI, 1989, pp. 353-354).
A questo riguardo è plausibile assegnare agli esordi lodigiani di Callisto questa figura di *Santa Caterina*

d'Alessandria (fig. 45; un tempo nei depositi del Museo di Palazzo Venezia a Roma; sono grato alla cortesia di Gianni Romano per la conoscenza del dipinto) che reca sulla manica in primo piano il monogramma "CPLF" ("*Callisto de la Platea Laudensis faciebat*") a lettere in oro, seguendo l'abitudine del padre. La tavola presenta caratteri assai prossimi allo stile di Martino, nella raffinata esecuzione della capigliatura e nella decorazione della veste, a cui si aggiunge una spiccata componente zenaliana, nella monumentale pienezza fisica della donna e nel dettaglio della mano scorciata che sostiene lo stelo di garofani.
In questi anni tra i seguaci del Romanino e certo in contatto con Callisto, ricordo Francesco Prata da Caravaggio (F. MORO, *Una Adorazione a Bedulita e l'area del Romanino*, in 'Osservatorio delle Arti', n. O, 1988 (ma 1986), pp. 40-44; M. TANZI, *Francesco Prata da Caravaggio: aggiunte e verifiche*, in 'Bollettino d'Arte', 1987, n. 44-45, pp. 141-156; V. GUAZZONI, *Prata e Caylina a confronto*, in 'Osservatorio delle Arti', 1989, n. 3, pp. 37-46; F. MORO, *Prata Francesco*, in *Dizionario degli artisti di Caravaggio e Treviglio*, a cura di E. De Pascale e M. Olivari, Treviglio 1994, pp. 198-203. Per richiamare alla mente il suo stile rendo nota questa enigmatica *Sacra Famiglia con san Giovannino* (olio su tavola, cm. 51,5 x 42,5; collezione privata; fig. 124) che rimanda ai rapporti intercorsi con Romanino, Callisto Piazza e Moretto.

108) Le conclusioni alle quali era giunta la critica conducevano a pensare che l'attività di Alberto si sviluppasse tra il 1509 e il 1529 (cfr. G. C. SCIOLLA, A. NOVASCONI, 1971). Il primo termine veniva indicato dalla data sulla tavola votiva raffigurante la *Madonna col Bambino tra i santi Giovanni Battista e Giacomo con il donatore Trivulzio*, collocata all'ingresso della chiesa dell'Incoronata, sotto la cantoria, entrando a destra. Seppure ridipinta, l'iscrizione sembra coerente: "VIRGINI MATRI ATQUE HIS DIVIS PRO SE DEUM DEPRECANTIBUS NICOLAUS TRIULTIUS / MISOCHI COMES INEXPUGNABILI MORBO LIBERATUS VOTIS. QUAE / SUSCEPERAT PROCURATIS HANC TABELAM RELIGIOSE POSVIT ANNO MDVIIII". Il primo studioso che attribuisce il dipinto ai Piazza è il Nicodemi (1915, pp. 14-15: "Nel dipinto, oscurato dal tempo e dall'incuria, qualche caratteristica s'è perduta. Di Alberto noi vi vediamo soltanto la Vergine che regge il Putto. La testa della Vergine, però, nelle luci radenti, e nelle linee, meglio par derivare dal Bergognone, ed anzi ci sembra questa la più diretta emanazione del maestro lombardo nell'opera di Alberto"). Secondo il parere di Emma Ferrari (1917, pp. 142-143) le due figure nella parte destra della tavola spetterebbero ad Alberto, mentre la Madonna, di "carattere foppesco", e il Battista sono "caratteristiche dell'arte di Martino". La Romanini (1950, p. 125) considera il quadro del solo Albertino, anche se rileva molti elementi che riconducono "alla scuola lodigiana dei bergognoneschi Giovanni e Matteo Della Chiesa". La D'Auria (1962, pp. 23-24) è la prima studiosa che nutra alcuni dubbi sull'attribuzione ad Alberto, notando che la "luminosità del colore [è] inusitata nell'arte dei Toccagni". Il riferimento al solo Albertino viene confermato da Sciolla (secondo il quale "l'impronta marcatamente arcaistica del dipinto dalle figure rigide e legnose, denuncia 'ad evidentiam' l'allineamento della prima produzione dell'artista, con la cultura ufficiale lodigiana del primo decennio del '500") e Novasconi (1971, pp. 13, 34-35). Anche Zeri (1979, p. 58), seppure con un margine d'incertezza ("se, come pare, è di Albertino"), mantiene l'attribuzione al pittore lodigiano, rilevando che la fonte culturale allude "piuttosto ad Ambrogio Bevilacqua", di cui suggeriamo il confronto con la pala del 1502 alla Pinacoteca di Brera (Milano). Personalmente ho preferito non affidarmi all'opera (F. MORO, 1984-'85, pp. 218-219) vista la difficile lettura, dovuta allo strato di vernice ingiallita che la offusca, sebbene siano innegabili alcuni caratteri dello stile di Alberto. Allo stesso tempo va considerato in questo contesto, tra Martino e Alberto, anche l'inedito affresco sulla parete che conduce alla cripta del Duomo lodigiano, raffigurante *San Giovanni Battista con il donatore* (fig. 61) inserito in una cornice dipinta a monocromo con una scritta in alto e lo scorcio di un sepolcro nella parte inferiore. Le condizioni di conservazione molto precarie, con vaste lacune e numerosi interventi di ripristino del colore, rendono difficile esprimere un parere.

109) Per i Della Chiesa esiste la tesi di A. Colombo, discussa con M. Boskovits presso l'Università Cattolica di Milano. Per le corrispondenze stilistiche con le due ante dell'Incoronata, a Matteo vanno ricondotti l'affresco con l'*Adorazione dei pastori*, in San Lorenzo a Lodi, la pala con la *Vergine e il Bambino in trono tra i Santi Paolo e Gerolamo e una donatrice* (Berlino, Staatliche Museen, inv. n. 56; *Gemäldegalerie Berlin. Gesamtverzeichnis*, Berlin 1996, p. 47, come di anonimo ferrarese, parere che risaliva al Longhi) , l'*Adorazione dei pastori* apparsa sul mercato antiquario milanese con un'attribuzione di Marco Tanzi a Bernardino Lanzani (vendita Finarte, n. 718, 13 dicembre 1989, lotto n. 108) e la *Madonna col Bambino e l'angelo*

musicante, apparsa sul mercato antiquario (vendita Sotheby's, Importanti Dipinti e Disegni Antichi, Firenze, 3 dicembre 1990, lotto n. 1021, attribuita a Bernardo Zenale, olio su tavola, cm 53 x 38). Il quadro era già noto a Roberto Longhi e una vecchia riproduzione è conservata nel suo archivio tra gli 'anonimi lombardi del '400'.

110) P. C. CERNUSCOLO, ms. cit.

111) Libri provisionum ..., Libro A, ms., p. 125. Per le vicende critiche e la definitiva conferma ad Alberto del dipinto si veda: F. MORO, 1984-'85, pp. 376-386; idem, 1987, p. 107.

112) P. C. CERNUSCOLO, ms. cit.

113) Libri provisionum..., Libro A, ms. cit.

114) *"MDXVII die XXVI Martii: Magister Obertus de Laude pictor acordatus cum Spectatis DD. Massariis anni presentis ad pingendum figuras Episcoporum in Capitulo Ecclesie Majoris et qui [...] XVII de S.L. singulo habet pingere tondos sex de figuris duabus pro tondo: debet pro sibi solutis per D. Franciscum Gramionum Massarium seu pro dicto I. XIV"* (dai Libri dell'Opera del Duomo di Savona, "Libro di scritture della Masseria della Cattedrale Basilica 1515 - 1526", Savona, Archivio di Stato; il documento è stato reso noto da F.Alizeri, 1874, vol. III, cap. VIII, p. 223). A questo accordo fanno seguito sei note di pagamento, indicate nei medesimi Libri, dalle quali si desume che l'artista rimane in città almeno sino all' 8 agosto 1517, data del saldo del lavoro.
Si trattava di *figure di Vescovi della città di Savona* andate perdute con la distruzione del Duomo nel 1543 (F. ALIZERI, op. cit. 1874, vol. III, p. 223). Michele Caffi (1877, p. 127) riprende la questione con maggiore dovizia di particolari inediti; egli ricorda, stranamente con riferimento attorno al 1526, che "questi ritratti dipinti a tempera sovra tela conservaronsi fino ai nostri giorni prima nella Cattedrale, poi in una cappella canonicale villereccia detta di Santo Antonio, quindi vennero recentemente venduti ad un incettatore girovago, meno due tele comprendenti ciascuna due figure di vescovi portanti nel pastorale lo stemma della città, che rimangono tutt'ora nelle sagrestie del Duomo di Savona. La dimensione di ciascuno di questi due quadri è di metri 1,50 in altezza ed 1 per larghezza". Come tondi sono ricordati da: G. ALGERI, in G. ALGERI, C.VARALDO, *Il Museo della Cattedrale di S. M. Assunta a Savona*, Savona 1982, n. 7, pp. 38-39.
Ricordiamo che per un'analoga impresa era stato chiamato il pittore Filippo da Verona, impegnatosi ad eseguire fin dal 15 ottobre 1515 trentadue ritratti di vescovi e cardinali per il medesimo capitolo del Duomo (cfr. L. ATTARDI, *Filippo da Verona: un pittore tra "arte" e artigianato*, in 'Arte Veneta', annata XXXIV, 1980, pp. 41-51). Un recente punto sul pittore viene fatto da M. TANZI (*Filippo da Verona, affini & omonimi*, in 'La pittura veneta negli stati estensi', a cura di J. Bentini, S. Marinelli, A. Mazza, Modena 1996, pp. 117-134), il quale propone di assegnare a Filippo le specchiature principali del leggio savonese (p. 129), non cogliendo quello che sembra essere il diverso spirito: fondamentalmente classico quello dei cartoni (Alberto) quanto irregolare e inquieto è Filippo.

115) F. MORO, 1984-'85, pp. 250-258; Idem, 1987, p. 25; Idem, 1988, p. 802; Idem, 1989, pp. 83-85; Idem, cat. Piazza, 1989, pp. 116-117.

116) Tempera e olio su tavola, cm 121 x 59; inv. A 21 (B. BERENSON, 1968, p. 336).

117) Vendita Sotheby's, *Old Master Paintings and British Paintings 1500 - 1850*, Londra, 31 ottobre 1990, lotto n. 64. Olio e tempera su tavola, cm 121,5 x 35,5. Il frammento è stato ricondotto al trittico anche da Mauro Natale nella conferenza del 16 aprile 1991 tenuta all'Università Cattolica di Milano.

118) F. MORO, 1984-'85, p. 222; un ampio esame si veda in: F. MORO, cat. Piazza, 1989, pp. 116-117.

119) Per la ricostruzione del quale si veda: M. NATALE, *L'ancona dell'Immacolata Concezione a Cantù*, in *Zenale e Leonardo*, 1982, pp. 24-33. Alla fase matura del maestro trevigliese, per intendersi dopo le significative pale con la *Deposizione*, in San Giovanni Evangelista a Brescia (1509 circa), e la *Sacra Famiglia con i santi Ambrogio e Gerolamo*, al Denver Art Museum di Denver, che recenti ricerche hanno datato al 1510 (S. BUGANZA, in *Ambrogio. L'immagine e il volto. Arte dal XIV al XVII secolo*, catalogo della mostra, Venezia 1998, pp. 66-68), resto dell'avviso che vada considerata con attenzione l'opera di Bergamo raffigurante *Sant'Alberto carmelitano*, nella chiesa di Sant'Agata nel Carmine. Come giustamente avanza G. ROMANO (in *Zenale e Leonardo*, op. cit. 1982, p. 104) il quadro è frutto degli esiti maturi del trevigliese, "quando è impegnato in opere di architettura". Sono inoltre convinto che allo stesso Zenale vada condotto lo straordinario *San Rocco* un tempo nella collezione Stramezzi (Crema, Museo Civico, n. 216), non corrispondente alle nervose secchezze di Vincenzo Civerchio, come è propensa a credere la recente critica (M. MARUBBI, *Vincenzo Civerchio*, Milano 1986, pp. 90-91). Si tratta del capolavoro finale di Bernardo Zenale, il canto del cigno di un maestro che, sebbene ancora in relazione ai ricordi foppeschi, continua ad aggiornarsi sulle novità leonardesche e nordiche, mantenendosi costante punto di riferimento anche per le nuove generazioni come dimostrano

gli esiti delle contemporanee opere di Martino. È l'unico artista lombardo in grado di fondere la monumentalità della figura umana alle nozioni sul chiaroscuro e sulla resa naturale del paesaggio, con una stesura liquida e luminosa. Per queste caratteristiche l'opera appare fondamentale nodo per comprendere gli intrecci culturali venutisi a determinare nell'ambiente milanese, forse una risposta al *Battesimo di Cristo* di Cesare da Sesto e Bernazzano.

120) Olio su tavola, cm 162 x 157. La predella era costituita dall'episodio finale di ciascun santo effigiato nella pala: la *Crocifissione di san Pietro* (olio su tavola, cm 21 x 39; Milano, Pinacoteca di Brera, inv. n. 752; fig. 82), l'*Ultima comunione di san Gerolamo* (olio su tavola, cm 19 x 68; collezione privata; fig. 83) e la *Decollazione di san Paolo* (olio su tavola, cm 19 x 36,5; collezione privata; fig. 84). Per l'attribuzione ad Alberto e il riassunto delle vicende critiche si veda: F. MORO, 1984-'85, pp. 294-302; Idem, 1987, p. 108, tav. 39 e Idem, cat. Piazza, 1989, pp. 121-122. La tavola principale, con l'attribuzione a Cesare da Sesto, venne proposta alla vendita Sidney della Christie's di Londra, il 10 dicembre 1937, al lotto n. 17 e acquistata da Manenti, secondo quanto indica la scheda presso la Witt Library di Londra.

121) F. MORO, 1984-'85, p. 223; idem, cat. Piazza, 1989, pp. 118-120.

122) I due dipinti (olio e tempera su tavola, cm 140 x 90 circa) mi sono noti tramite le riproduzioni nell'archivio della Fondazione Longhi di Firenze, schedate tra gli 'anonimi lombardi'. Non è escluso che si debbano identificare con i pannelli del polittico ricordato nella Parrocchiale di San Fiorano, presso Lodi (G. NEGRI, in 'Bollettino della Parrocchia di San Fiorano', maggio 1972, pp. 3-4).

123) F. MORO, 1988, p. 801; Idem, 1989, pp. 80-85. Si tratta dei seguenti episodi: *Giudizio, Lapidazione* e *Funerale di santo Stefano*. Tempera e olio su tavola, rispettivamente cm 25,5 x 48,5; 25,5 x 63 e 25,5 x 49; Torino, collezione privata. La *Presentazione al tempio* (olio su tavola, cm 40 x 30, attuale ubicazione ignota) era appartenuta alla collezione del senatore conte Giacomo Suardo e a quella di Ottaviano Venier con l'attribuzione al Butinone (L. COLETTI, T. SPINI, Collezione Ottaviano Venier, Bergamo 1954, p. 52, tav. 21).

124) Gli affreschi erano stati condotti allo stretto ambito zenaliano (M. L. FERRARI, *Ritorno a Bernardo Zenale*, in 'Paragone', 157, gennaio 1963, pp. 14-29, tavv. 12-14). Per un esame dettagliato e un diverso parere si veda: S. SICOLI, *Un problema di filologia: gli affreschi della chiesa dell'Immacolata Concezione a Rivolta d'Adda*, in *I Piazza da Lodi*, 1989, pp. 152-159. L'ostacolo più evidente appare l'ipotetica data di nascita del pittore, anche se non ritengo sufficiente il documento del 20 marzo 1520 per stabilire con esattezza che questa risalga al 1490 (M. MARUBBI, in *I Piazza da Lodi*, 1989, p. 352, nn. 18-20). Se, infatti, Alberto aveva veramente tredici anni quando iniziò a vivere con Bernardina Ferrari di Novara, secondo quanto afferma nell'atto, e se rimasero insieme per diciassette anni, bisogna innanzitutto osservare che la donna al momento del processo risulta già sposata. Mi sembra perciò azzardato concludere che l'età di Alberto sia semplicemente la somma algebrica di questi due numeri e l'anno di nascita si ricavi dalla sottrazione della sua età dal momento dell'episodio documentato. Ammesso che non vi siano errori o interessi che abbiano motivato dichiarazioni diverse dal vero, si dovrà concedere qualche tempo affinché la suddetta Bernardina passasse dalla convivenza con Alberto al matrimonio e qualche mese perché il processo venisse effettuato. In questo modo capiamo che nel 1520 l'età di Alberto non sarà inderogabilmente di trent'anni, ma di qualche anno maggiore. Questa considerazione mi sembra necessaria per ristabilire la corretta lettura di un documento certo importante ma che non stabilisce niente di sicuro, illustrando semmai per Alberto una situazione familiare e forse anche affettiva del tutto insolita.

125) Olio e tempera su tavola, entrambe cm 81 x 35; Genova, collezione privata.

126) Ultimamente queste opere sono state disgiunte nell'improbabile suddivisione in due tronconi del catalogo del Braccesco con la creazione del 'Maestro dell'Annunciazione del Louvre' (M. NATALE, *Maestro dell'Annunciazione del Louvre*, in *Nicolò Corso, un pittore per gli Olivetani. Arte in Liguria alla fine del Quattrocento*, catalogo della mostra, Genova 1986, pp. 128-136). Sull'unicità del nucleo di opere riferibile a Carlo si sono già espressi M. BOSKOVITS (*Nicolò Corso e gli altri. Spigolature di pittura lombardo-ligure di secondo Quattrocento*, in 'Arte Cristiana', 723, 1987, p. 372), P. DONATI (*Carlo Braccesco a Levanto*, in 'Arte Lombarda', n. 83, 1987, pp. 20, 24-25), lo scrivente (*Una prova alla fiamminga di Pier Francesco Sacchi*, consegnato anni addietro a 'Paragone') e A. DE FLORIANI (*Verso il Rinascimento*, in G. ALGERI, A. DE FLORIANI, *La pittura in Liguria. Il Quattrocento*, Genova 1991, pp. 383-393 e 474, n. 4). Sul pittore si veda anche: G. ALGERI, *Per Carlo Braccesco: Precisazioni e conferme*, in 'Arte Cristiana', 744, 1991, pp. 163-172.

127) Olio su tavola, cm. 46 x 64. (*La Galleria di*

Palazzo Reale a Genova, a cura di L. Lodi, Genova 1991, pp. 85-86, fig. 31). Ringrazio il dott. Leoncini per le cortesi informazioni.

128) Per Ludovico (Alvise): G. ROMANO, in *Colección Cambó*, Madrid 1990, pp. 272-277; A. PORRO, *Proposte per il primo '500 lombardo: Alvise De Donati e Bernardino De Conti*, in 'Arte Cristiana', 1990, n. 741, pp. 399-416; F. MORO, in R. Casciaro, F. MORO, *Proposte e aggiunte per Giovan Pietro, Giovanni Ambrogio e Ludovico De Donati*, in 'Rassegna di studi e di notizie', Castello Sforzesco, Milano, 1996, pp. 75-79, 81, 85-86, note 41-46; F. MORO, *Bernardo e Antonio Marinoni*, in 'Osservatorio delle Arti', 1990, n. 4, pp. 50-57.

129) Per l'identificazione del Maestro di San Lorenzo col Maestro della Pentecoste Cernuschi si veda: F. MORO, in *Pittura lombarda 1450-1650*, catalogo a cura di A. Morandotti, (Milano) Torino 1994, pp. 26-31; per il soggiorno savonese di Marco d'Oggiono, dal 1501 al 1503 si veda: C. VARALDO, *Un'opera leonardesca nella Liguria di ponente. Il polittico di Marco d'Oggiono e Battista da Vaprio per il S. Giovanni di Andora*, in 'Rivista ingauna e intemelia', 1976-'78 (1981), pp. 164-171.

130) Ricordato nel 1490 anche a Milano, nel 1498 con Giacomo de Mottis stima la doratura dell'ancona dei De Donati e la decorazione del Bergognone nella cappella maggiore all'Incoronata. Particolarmente interessante nel contesto del rapporto fra il più anziano Lanzani e Alberto Piazza è il ciclo ad affresco nella cappella di San Maiolo, in San Salvatore a Pavia. Soprattutto nell'episodio di *Maiolo catturato dai saraceni* si rilevano punti di tangenza con gli affreschi già attribuiti allo Zenale, nella cappella Pallavicino in San Francesco a Cortemaggiore (cfr. P. CESCHI LAVAGETTO, in *Zenale e Leonardo*, 1982, pp. 232-237). Vi sono rappresentati i *Padri della Chiesa*, gli *Evangelisti*, i *Profeti* e la *Trasfigurazione di Cristo*, in una tecnica raffinata, dal sapore espressivo, con l'affresco integrato da parti a tempera e i nimbi in pastiglia rilevata e dorata. Soprattutto i *Dottori* nelle vele della volta e i *Profeti* nei sottarchi presentano un'impronta marcatamente lombarda, legata ai modi bergognoneschi e zenaliani della fine del Quattrocento. A questo stesso pittore si può affiancare la figura di *San Gioachino* (fig. 66) alla Pinacoteca del Castello Sforzesco di Milano (inv. n. 48; affresco staccato proveniente dalla chiesa di Santa Maria del Giardino, cm 206 x 101), formalmente e tipologicamente analogo al frammentario pannello col busto di *San Giuseppe*, in origine centinato, nel Museo Lia di La Spezia, attribuito alla fase avanzata del Borgognone (F. ZERI, in *La Spezia. Museo Civico Amedeo Lia. Dipinti*, La Spezia 1997, pp. 60-61).

Il pittore di San Colombano è tra i primi al nord a farsi suggestionare dalle novità umbre, non solo per quelle peruginesche che apprende alla Certosa di Pavia, e la sua adesione riscontrabile negli affreschi pavesi, in particolare in quelli nell'Oratorio in Santa Maria della Pusterla (Seminario Vescovile) a Pavia, è così tangibile da suggerire una conoscenza diretta di tali opere. La sua personalità si dimostra per certi versi simile a quella di Alberto, almeno per la propensione verso i fatti figurativi centro italiani. La differenza consiste nella fonte: per Lanzani si tratta di episodi precedenti, risalenti a Pinturicchio e a Bernardino di Mariotto, sui quali s'innesta la tradizione lombarda della fine del Quattrocento. In seguito il pittore dimostra di avvicinarsi in più di una circostanza allo stile di Alberto, cercando di aderire ad un classicismo più aggiornato, anche se la sua chiave di lettura resta legata ad una visione ormai provinciale. Un'ottima tesi sul pittore è stata preparata da Francesca Lunati (*L'opera pittorica di Bernardino Lanzani*, anno accademico 1995-96, Università Cattolica di Milano). Altri pittori 'padani' che si avvicinano a certi esiti di Alberto, in questa fusione di elementi zenaliani e novità classiciste, sono il trevigliese Nicola Moietta (per il più recente contributo si veda: F. MORO, ad vocem, in *Dizionario ...*, 1994, pp. 174-178) e, in tono minore, Cristoforo Ferrari De Giuchis (F. MORO, ad vocem, in *Dizionario ...*, 1994, pp. 108-110).

Al Lanzani sono da restituire alcune opere come l'inedita *Natività* (fig. 64) in collezione privata a Torino (tempera su tavola, cm 38,8 x 25,7), caratteristica dello stile del pittore nei primi anni del Cinquecento, il trittico con la *Vergine adorante il Bambino con due angeli musicanti e i santi Giovanni Battista e Giacomo* (fig. 67), un tempo a Berlino, al Kaiser-Friedrich-Museum, in *Pittura a Pavia dal Romanico al Settecento, 1988*; (R. BATTAGLIA, pp. 230-231, tav. 92) e gli affreschi nella cappella Bezio in San Marino a Pavia, di cui fa parte l'*Adorazione del Bambino* (M. TANZI, *Da Vincenzo Foppa al Maestro delle Storie di Sant'Agnese (1458-1527)*, in 'Pittura a Pavia dal Romanico al Settecento', a cura di M. Gregori, 1988, p. 220, tav. 60, come Bernardino de Rossi), probabilmente poco prima delle *Storie di san Maiolo*. Sono infatti troppo palmari i confronti con le opere del Lanzani e la personalità del de Rossi, come ci appare dagli affreschi del 1491, dimostra un orientamento culturale differente e si configura troppo evanescente per poter essere responsabile del ciclo in questione. Sono da restituire al prolifico Lanzani anche due opere della maturità, prossime agli affreschi e alle pale di Bobbio - in particolare all'*Adorazione del Bambino* nel locale Museo - conservate nel Duomo di Crema: la *Sacra Famiglia con Sante* e l'*Istruzione della Vergine* (entrambe tempere su tela), forse appartenute al medesimo altare dedicato alla Madonna. Sono state in passato attribuite a seguace del Civerchio (M. MARUBBI, *Vincenzo Civerchio. Contributo alla cultura figurativa cremasca nel primo Cinquecento*, Milano 1986, pp. 146-147) e dimostrano un'adesione un poco tardiva a quelli che erano i modi di Alberto verso la metà del secondo decennio. È invece sconosciuta alla critica la pala d'altare nella parrocchiale di Vaiano Cremasco, raffigurante il *Battesimo di Cristo* (olio e tempera su tela; fig. 65), ultimo segnale del pittore di San Colombano.

In questo contesto padano, sono di grande interesse le quattro tavole di predella con *Storie di santa Caterina e san Gerolamo* pervenute all'Indiana University, Study Collection di Bloomington (inv. L. 62153 - 62156) come donazione Kress (F. R. SHAPLEY, *Paintings from the Samuel H, Kress Collection. Italian Schools. XV-XVI Century*, London 1968, p. 21). L'autore mostra di inserirsi con grande libertà e spirito originale nel panorama artistico tra Brescia, Cremona, Caravaggio e Lodi, conoscendo la situazione del primo decennio, non distante da Alberto Piazza e Vincenzo Civerchio. Personalmente avanzo l'ipotesi che si tratti delle opere più antiche di Polidoro da Caravaggio, dipinte ancora in Lombardia. Soprattutto nel *Seppellimento di santa Caterina* l'autore sembra anticipare il suo stile e incarnare quanto avanzato a suo tempo da chi scrive (F. MORO, *Tra Polidoro e Boccaccino*, in 'Osservatorio delle Arti', n. 5, 1990, pp. 51-54).

131) Olio su tavola, cm 179,5 x 161, inv. n. 1431, proviene dalla collezione Solly. L'attribuzione al Maestro delle Storie di Sant'Agnese si deve a Gianni Romano (com. orale 1993) come riferisce E. SCHLEIER nel recente catalogo: *Gemäldegalerie Berlin. Gesamtverzeichnis*, Berlin 1996, p. 83. Al Maestro di Sant'Agnese ritengo si possa assegnare la pala che raffigura la *Vergine col Bambino e quattro Santi*, nell'Arizona Museum di Phoenix (collezione Kress, K144) attribuita normalmente a Girolamo Genga. Un'opera determinante per approfondire le ricerche sulla sua personalità. Sono invece dell'avviso che vadano escluse dal suo catalogo due opere pavesi come il *Trittico* in San Teodoro e la *Sacra Famiglia con san Barnaba* in Duomo (M. TANZI, op. cit., 1988, pp. 221-222), per assegnarle a Bartolomeo Bonone. Certo documenti del più intenso momento di tangenza tra i due pittori. In esse mi sembra di cogliere le movenze e lo spirito del più tradizionale pittore, certamente ispirato dalle più stravaganti visioni dell'eccentrico maestro anonimo. Nei primi anni del Cinquecento lo stesso Bonone è probabilmente l'autore degli affreschi nell'abside in San Salvatore a Pavia (per un diverso parere si veda M. TANZI, op. cit., 1988, p. 217, Tav. 51).

132) Cfr. F. MORO, 1984-'85, pp. 309-328; Idem, 1987, p. 108.

133) Cfr. F. MORO, 1984-'85, pp. 303-308; Idem, in *I Piazza da Lodi*, p. 131. Questa considerazione costituisce un'ulteriore testimonianza del rientro in patria di Giovanni Agostino che (F. MORO, *op. cit.*, in 'Achademia Leonardi Vinci', 1992, pp. 52-57) sappiamo essere avvenuto da alcuni anni.

134) Il *Compianto* del Museo di Brno (inv. A 138) venne assegnato ai Piazza da B. Berenson (1968, p. 335) e lasciato nell'anonimato dal catalogo di O. PUJMANOVA (*Italské Gotické a Renesancni Obrazy v Ceskoslovenskych Sbirkach*, Praga 1987, pp. 109-110). Su personale suggerimento è stato anche dubitativamente proposto ad Alberto Piazza da M. NATALE (in *I Piazza da Lodi*, 1989, pp. 101-102). Una piccola tavola che raffigura la *Vergine col Bambino tra due Santi (un vescovo certosino e Sebastiano) e un donatore* (apparsa nella vendita Christie's a Londra, 24 febbraio 1967, lotto n. 17), nonostante i danni e le ridipinture, è assegnabile ad Alberto in prossimità del *Compianto* di Brno.

Il dipinto raffigurante l'*Ascensione* è illustrato nel primo numero di 'Apollo' del 1916 con l'attribuzione a Cesare da Sesto.

La tavola di predella raffigurante i *Santi Nicola da Tolentino e Antonio da Padova* è nota per la foto Moscioni n. 21360 quando era attribuita a Giovanni Bellini. Un'analoga tavola di predella con *Cristo tra due apostoli* si conserva, piuttosto ridipinta, nei depositi del Museo Civico di Padova (inv. n. 446).

135) Per il riassunto critico si veda: F. MORO, 1984-'85, pp. 279-293; Idem, cat. Piazza 1989, pp. 126-130. Con il testamento del 15 maggio 1516 Albertino Berinzaghi, zio di quel Giovanni Antonio che possiede il patronato della cappella di Sant'Antonio abate, lascia 800 lire alla chiesa dell'Incoronata per usi pii e nomina il nipote quale erede (in '*Familiarum Nobilium Laud. Arbores*', ms. della Biblioteca Comunale Laudense, XXI.A.1).

136) Cfr. F. MORO, 1984-'85, pp. 331-338.

137) L'ipotesi appartiene a B. BERENSON (1968, p. 335, ill. 1454-1459). Ora è tornato sull'argomento M. MARUBBI (in *I Piazza da Lodi*, 1989, pp. 135-138). Personalmente nutro qualche riserva sul loro

avvicinamento in quanto mi sembra di rilevare un leggero scarto stilistico e quindi cronologico.

138) F. ZERI, *Me pinxit. 6. 'Ioanes Ispanus'*, in 'Proporzioni' a cura di R. Longhi, Firenze 1948, pp. 172-175. Un recente riesame dell'attività di Niccolò si deve a E. SAMBO (*Niccolò Pisano tra Ferrara e Bologna*, in 'Paragone', 455, 1988, pp. 3-20). Personalmente ho contribuito con alcune aggiunte (F. MORO, *Appunti ferraresi. Una traccia per gli esordi estensi di Niccolò Pisano*, in 'Paragone', 505-507, 1992, pp. 3-8).

139) Si veda: G. A. DEL'ACQUA, G. MULAZZANI, *L'opera completa di Bramantino e Bramante pittore*, Milano 1978.

140) Per la complessa vicenda critica rimando a F. MORO (1984-'85, pp. 343-363) e, più sinteticamente, Idem, 1987, pp. 108-109, tav. 41.

141) Tempera su tela, cm 84 x 64; già Bergamo, collezione Gustavo Frizzoni Salis, fino al 1924; Milano, collezione Lutomirski; Milano, collezione Salamon. J. LERMOLIEFF, 1886, p. 423 (come *Adorazione dei pastori*); G. FRIZZONI, 1897, p. 74, ill. p. 73; B. BERENSON, 1968, p. 335, ill. 1461; F. MORO, 1984-'85, pp. 339-340.

142) Il Priamar. 'Atti della Società Savonese di Storia Patria', Savona 1959. Un recente riassunto si trova in: R. MASUCCO, M. RICCHEBONO, T. TASSINARI, C. VARALDO, Il Priamar prima pietra della storia bimillenaria di Savona, Savona 1982.

143) A. MORASSI, *Capolavori della pittura a Genova*, Milano 1951, p. 46.

144) Si veda in particolare: F. WITTGENS, *Vincenzo Foppa*, Milano 1942; P. ROTONDI, *Vincenzo Foppa in S. Maria di Castello a Savona*, Genova 1958 e più recentemente A. DE FLORIANI, op. cit. 1991, pp. 360-367.

145) O. VARALDO, *Le tarsie del coro del Duomo di Savona*, in 'Atti e memorie della Società Storica Savonese', vol. II, 1890, pp. 82-86; V. POGGI, *Il coro monumentale della Cattedrale di Savona e gli artisti tortonesi che lo eseguirono*, in 'Bollettino della Società Storica Tortonese', 1904; P. TORRITI, *I "maestri" del coro del Duomo di Savona*, in 'Bollettino Ligustico', n. 4, 1951, pp. 108-109; P. TORRITI, *Tarsie del coro del Duomo di Savona*, in 'Commentari', 1952, fasc. III, pp. 184-193, tavv. VI-VIII. Più recentemente ricordo il riesame effettuato da E. PARMA ARMANI (*A proposito delle tarsie del Duomo di Savona e della Cattedrale di San Lorenzo a Genova*, in 'Arte Lombarda', anno XVI, 1971, pp. 231-242) e da G. FUSCONI (*Il coro dell'antica cattedrale di Savona come replica del coro della Certosa di Pavia*, in 'Studi di storia delle arti', n. 1, 1977, pp. 91-102).

146) M. FERRETTI, *I maestri della prospettiva*, in 'Storia dell'arte italiana', vol. XI, Torino 1982, p. 549, ill. 559.

147) Olio su tavola, cm 38,5 x 164 (inv. A 178). Alla vicenda critica che assegnava l'opera all'ambito luinesco aveva risposto F. ZERI (1979, pp. 59-61) accostando la tavola al gruppo da lui assegnato a Martino Piazza. Il riferimento ad Alberto spetta allo scrivente (F. MORO, 1984-'85, pp. 430-435).

148) E. PARMA ARMANI, 1971, p. 233.

149) F. MORO, 1984-'85, p. 233.

150) E. Parma ARMANI, 1971, p. 239.

151) Il pannello è stato preso in considerazione anche da M. NATALE (1989, p. 103) che lo giudica opera dell'anonimo autore della pala Spinola nella Cattedrale.

152) Oltre al grande affresco nel catino absidale della basilica di San Simpliciano, è significativo l'affresco staccato proveniente dalla chiesa di Santa Maria dei Servi a Milano (Pinacoteca di Brera, inv. n. 25), con il medesimo tendaggio e la stessa disposizione delle figure principali.

153) Sono grato a Federico Zeri che mi ha permesso di riprodurre l'immagine che qui illustro. Si tratta di una fotografia Spink & son Ltd. di Londra del 1928. Il dipinto, che misura cm 110,5 x 56, sembra trasferito su tela e, come Scipione Piazza, appartenne alla collezione Burrell di Glasgow, secondo quanto indicato nella cartella alla Witt Library di Londra.

154) Assegnata ad Alberto da W. SUIDA (1929, p. 238, ill. 329). Per le successive vicende critiche si veda: F. MORO, 1984-'85, pp. 368-371.

155) Resa nota da B. BERENSON (1907, p. 281) con l'attribuzione ad Alberto, mantenuta in seguito (G. NICODEMI, 1915, p. 14; E. FERRARI, 1917, p. 152; B. BERENSON, 1932, p. 444; F. MORO, 1984-'85, pp. 372-375) con la sola eccezione della D'Auria (1962, p. 57, ill. 12) che pensa a Martino. La tavoletta di Bergamo è stata assegnata ad Alberto da J. LERMOLIEFF (1886, p. 423) e mantenuta da buona parte della critica se si esclude la ROMANINI (1950, pp. 127-128) che pensa a Martino, allo SCIOLLA (1971, p. 19) che la ritiene di quest'ultimo con interventi della bottega e al NOVASCONI (1971, pp. 88-89) che pensa a Martino, Alberto e bottega.

156) Il *Cristo fra gli Apostoli* misura cm 34,5 x 205 (inv. n. 152). Considerato per lo più di Martino (A. F. RIO, 1856, p. 169; B. BERENSON, 1907, p. 281).

157) Si tratta di un pannello di predella, olio su tavola ottagonale, cm 14 x 34,5. Rintracciato sul mercato antiquario con l'attribuzione a pittore fiorentino. Sul retro un'etichetta ricorda la provenienza

inglese "H.Q.R. Hamilton/from G.G.A./1931".

158) Il dipinto appartenuto alla collezione del marchese Giovanni Visconti Venosta è illustrato da C. GAMBA (*La raccolta Visconti Venosta*, in 'Dedalo', 1920, I, p. 532) come opera di Martino, mentre è considerato di Alberto da B. BERENSON (1907, p. 281; 1932, p. 445; 1968, p. 336) e dal sottoscritto (F. MORO, 1984-'85, p. 436-438).

159) Olio su tavola, diametro cm 79,5 (Kress 371, F. R. SHAPLEY, op. cit. 1968, II, p. 23; F. MORO, 1984-'85, pp. 423-429). Gianni Romano mi proponeva di considerarla la parte superiore, resecata, dell'ancona con gli *Apostoli attorno al sepolcro*. L'ipotesi è certo suggestiva e risolverebbe non pochi problemi. Nel pannello di Berlino il fondale è un paesaggio e sembrerebbe di leggermente più evoluta rispetto al tondo dell'*Assunta*, anche se l'ultima parola può essere spesa dopo il restauro del quadro di Denver.

160) Cfr. F. MORO, 1984-'85, pp. 411-422; Idem, 1987, p. 107; Idem, 1988, p. 802.

161) Per le vicende storiche si veda: F. MORO, 1984-'85, pp. 439-455; Idem, 1987, pp. 107-110; Idem, 1988, pp. 801-802.

162) Attorno a Pier Francesco Sacchi, alla situazione ligure di quegli anni e al rapporto con Alberto esiste un mio saggio scritto da quasi una decina d'anni, che avrebbe dovuto vedere la luce da tempo. Attraverso due opere del Museo Fesch di Ajaccio (nn. 852-1-600 e 601), considerate di anonimo lombardo (D. THIEBAUT, cat. nn. 34-35), possiamo individuare un artista equidistante da entrambi. Lo stesso discorso vale per questi due pannelli centinati, la *Vergine col Bambino in trono* e i *Santi Bernardino e Luigi* (figg.126-127) attribuiti al Civerchio nel Musée des Beaux-Arts di Rennes (olio su tavola, entrambi cm 114x42; rispettivamente inv. n. 894-34-6/7), che ci tramandano un artista probabilmente attivo in Liguria, che ha certamente conosciuto le opere di Alberto, oltre a quelle di Nicolò Corso e del Sacchi, neppure troppo distante dai contemporanei esiti del Prata da Caravaggio.

163) Il 20 agosto del 1529 viene chiesto a Cesare, Callisto e Scipione, figli di Martino, di continuare l'ancona lasciata in sospeso a causa della morte dello zio Alberto (M. MARUBBI, op. cit., 1989, pp. 354-355).

164) Olio su tela, cm 120 x 77. Il dipinto viene attribuito a Callisto Piazza: C. ALPINI, *Pittura sacra a Crema dal '400 al '700*, Crema 1992, pp. 29-34.

165) Olio su tavola, mediamente cm 17,5 x 14; Crema, collezione privata.

166) Sull'importanza di questi artisti, nonostante l'ampia bibliografia anche recente, non si è insistito abbastanza. Uguale discorso per la diffusione 'trasversale' operata dai molti pittori spagnoli venuti in Italia tra la fine del '400 e i primi decenni del secolo successivo.

167) F. ZERI, *Raffaello Botticini*, in 'Gazette des Beaux-Arts', ottobre 1968, pp. 159-170.

168) Sulla *Visitazione* (fig. 115) del Palazzo Vescovile di Crema, originariamente nel Duomo, si è aperto un ampio dibattito dopo la sua pubblicazione come Civerchio in una data (il 1543) che pare troppo avanzata (M. MARUBBI, 1986, pp. 144, 187-188). A sostegno delle ipotesi personali, avanzate a suo tempo, si veda F. FRANGI (*Vincenzo Civerchio: un libro e qualche novità in margine*, in 'Arte Cristiana', 722, sett.-ott. 1987, p. 328, n 14, dove riporta un parere orale della Gregori a favore di questa soluzione). Seguono il punto di vista di M. NATALE (1989, p. 103, n 36) e di C. ALPINI (1992, pp. 31).

169) Accanto ad Alberto viene a delinearsi la personalità di quest'altro pittore al quale si possono assegnare la *Madonna che allatta il Bambino e san Giovannino* (fig. 122), della Quadreria Arcivescovile di Milano (tempera su tela, cm 63 x 47; inv. n. 116) e la pala che raffigura la *Madonna col Bambino, sei santi e angeli* (fig. 125), apparsa sul mercato antiquario milanese come di Martino Piazza (tempera su tela, cm 198 x 120; Gallerie Gilberto Algranti, catalogo n. 65, vendita del 29 maggio 1989, n. 24). Il loro autore dimostra una formazione aderente alla cultura figurativa prodotta da Alberto nel terzo decennio, esibita su un registro che fa trasparire un certo impaccio formale. Chissà se siamo di fronte a Cesare, il maggiore e meno conosciuto dei figli di Martino, o ad un seguace, affine al più noto Francesco Soncino?

1. *Martino Piazza,* Madonna col Bambino e san Giovannino, *ubicazione ignota, già Treviso, collezione Bortolan.*

2. *Martino Piazza,* San Giovanni Battista alla fonte, *Londra, National Gallery.*

3. *Martino Piazza,* Adorazione del Bambino, *Milano, Pinacoteca Ambrosiana.*

4. *Seguace di Martino Piazza (Cesare Magni?),* Sosta dalla fuga in Egitto, *Lodi, chiesa di Santa Chiara Nuova.*
5. *Seguace di Martino Piazza (Cesare Magni?),* Adorazione dei pastori, *1520, ubicazione ignota, già Milano, collezione Sessa Fumagalli.*
6. *Seguace di Martino Piazza (Cesare Magni?),* Adorazione del Bambino con un monaco e un donatore, *ubicazione ignota.*

7. *Martino Piazza,* Adorazione dei pastori, *1518, ubicazione ignota.*

8. *Martino Piazza,* Madonna col Bambino e donatore, *(particolare) Lodi, chiesa di Santa Maria alla Fontana.*
9. *Martino Piazza,* Madonna col Bambino, collezione privata.

10. *Martino Piazza,* Madonna col Bambino, san Giovannino e sant'Elisabetta, *Roma, Galleria Nazionale d'Arte Antica.*

11. *Martino Piazza,* Madonna col Bambino san Giovannino, *Milano, chiesa di San Marco.*
12. *Martino Piazza,* Madonna col Bambino tra le sante Caterina d'Alessandria e Lucia, *ubicazione ignota.*

13. *Martino Piazza,* Vergine con sant'Anna, san Giovannino e l'agnello, *ubicazione ignota.*
14. *Martino Piazza,* San Gerolamo penitente, *collezione privata.*

15. *Martino Piazza,* Madonna che bacia il Bambino, *già Monaco di Baviera, galleria Böhler.*

17. *Martino Piazza,* Madonna che bacia il Bambino, *ubicazione ignota.*

16. *Martino Piazza (?),* Suonatrice di liuto, *1520, Milano, Pinacoteca di Brera.*

18. *Bartolomeo Veneto,* Ritratto di giovane ebrea, *già Milano, collezione Melzi d'Eril.*

19. *Martino Piazza,* Sacra Famiglia con donatrice *(particolare), Milano, collezione privata.*

20. *Martino Piazza,* Salvator Mundi, *collezione privata.*

21. *Martino Piazza,* Riposo dalla fuga in Egitto, *Oxford, Ashmolean Museum.*

22. *Cesare da Sesto,* San Gerolamo penitente, *Stoccolma, Nationalmuseum.*
23. *Martino Piazza,* Madonna col Bambino e san Giovannino *(particolare), ubicazione ignota, già Treviso, collezione Bortolan.*

24. *Martino Piazza,* Crocifissione con la Vergine, san Giovanni evangelista la Maddalena come devota, *Berlino, Staatliche Museen, Gemäldegalerie.*

25. *Martino Piazza,* Madonna col Bambino e san Giovannino, *Budapest, Museo di Belle Arti.*

26. *Martino Piazza,* Sacra Famiglia, *ubicazione ignota.*

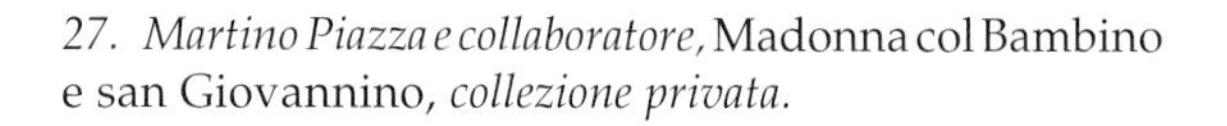

27. *Martino Piazza e collaboratore,* Madonna col Bambino e san Giovannino, *collezione privata.*

28. *Martino Piazza,* Madonna col Bambino e l'agnello, *ubicazione ignota.*

29. *Martino Piazza,* Madonna col Bambino, *collezione privata.*

30. *Martino Piazza,* Fuga in Egitto, *Milano, collezione della Banca Commercio e Industria.*

31. *Martino Piazza,* Madonna col Bambino tra le sante Caterina d'Alessandria ed Eufemia, *collezione privata.*

32. *Martino Piazza,* San Giovanni Battista, *1519, Milano, Pinacoteca di Brera.*

33. *Martino Piazza,* Madonna col Bambino, *collezione privata.*

34. *Martino Piazza,* Madonna col Bambino e donatore *(particolare), Lodi, chiesa di Santa Maria alla Fontana.*

36. *Martino Piazza,* Madonna col Bambino, *ubicazione ignota.*

35. *Altobello Melone,* Ritratto di donatore *(frammento), collezione priovata.*

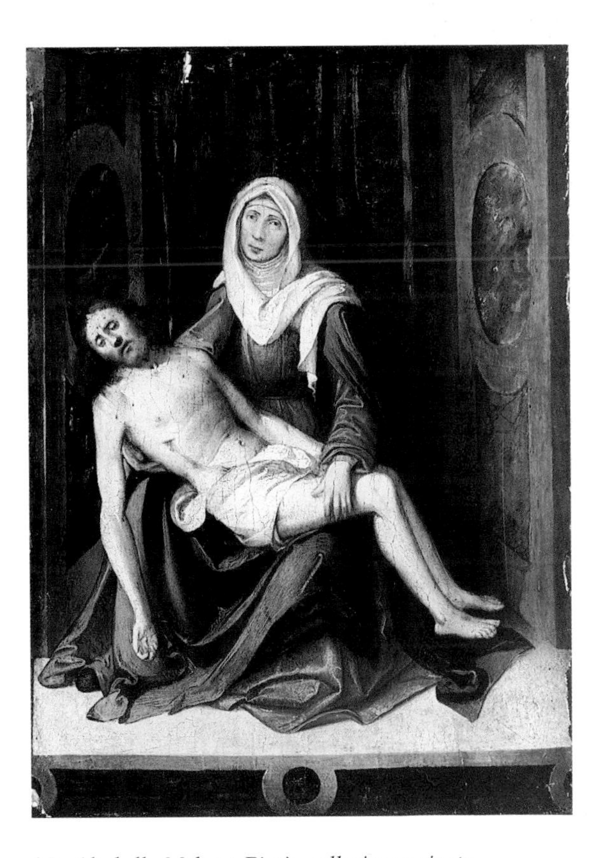

37. *Altobello Melone,* Pietà, *collezione privata.*

38. *Martino Piazza,* Visione della Vergine col Bambino, *San Diego, Museum of Art.*

39. *Martino Piazza,* Santa Caterina d'Alessandria, *Roma, depositi del Museo di Palazzo Venezia.*

40. *Martino Piazza,* Madonna col Bambino, *ubicazione ignota.*

41. Bartolomeo Veneto, Ritratto d'uomo, *collezione privata.*
42. Bartolomeo Veneto, Ritratto di Bernardino da Lesmo, *Milano, Pinacoteca Ambrosiana.*

43. *Martino Piazza,* San Gerolamo penitente, *Milano, collezione privata.*

44. *Martino Piazza,* Adorazione del Bambino, *Bergamo, collezione privata.*

45. *Callisto Piazza (attr.),* Santa Caterina d'Alessandria, *Roma, depositi del Museo di Palazzo Venezia.*

46. *Cesare Magni,* Madonna col Bambino, san Giovannino e l'angelo, *collezione privata.*

47. *Cesare Magni,* Incoronazione della Vergine, *già Milano, collezione Sessa Fumagalli.*

49. *Cesare Magni,* Madonna col Bambino e sant'Andrea, *collezione privata.*

48. *Cesare Magni,* Madonna col Bambino tra i santi Agostino e Giovanni Evangelista, *Roma, Pinacoteca Vaticana.*

50. *Cesare Magni,* Adorazione dei Magi, *Milano, San Carlo al Corso.*

51. *Cesare Magni,* Adorazione del Bambino, *Codogno, chiesa di San Biagio.*
52. *Cesare Magni,* Madonna col Bambino, *ubicazione ignota.*

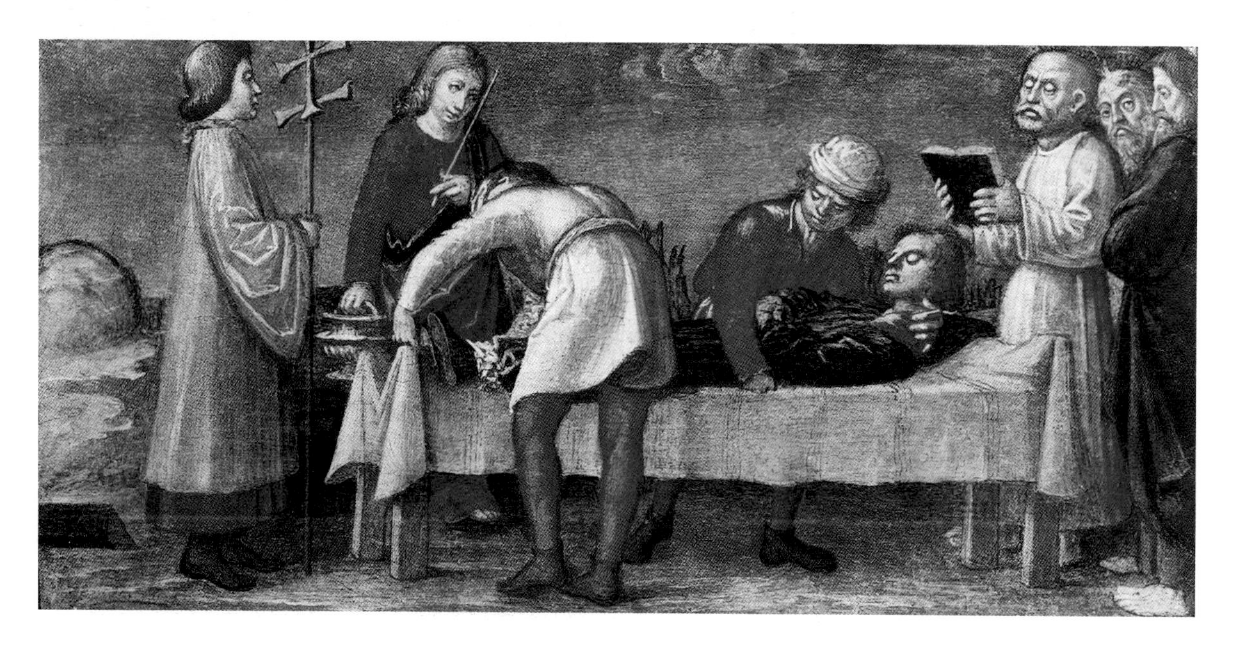

56. *Alberto Piazza,* Adorazione del Bambino, *Milano, depositi della Pinacoteca del Castello Sforzesco.*
57. *Alberto Piazza,* Presentazione al tempio, *ubicazione ignota.*

(alla pagina precedente)
53. *Alberto Piazza,* Giudizio di santo Stefano, *Torino, collezione privata.*
54. *Alberto Piazza,* Lapidazione di santo Stefano, *Torino, collezione privata.*
55. *Alberto Piazza,* Funerale di santo Stefano, *Torino, collezione privata.*

58. *Alberto Piazza,* San Pietro, *Genova, collezione privata.*
59. *Alberto Piazza,* San Giacomo Maggiore, *Genova, collezione privata.*

60. *Alberto (e Martino?) Piazza,* Adorazione dei Magi, *1506, Rivolta d'Adda, chiesa dell'Immacolata Concezione.*
61. *Alberto Piazza (?),* San Giovanni Battista col donatore, *Lodi, Duomo.*

62. *Alberto (e Martino?) Piazza,* Teste clipeate entro cornici dipinte, nella volta, *1506, Rivolta d'Adda, chiesa dell'Immacolata Concezione.*
63. *Alberto Piazza,* Scena di sacrificio, *Genova, Palazzo Reale.*

64. *Bernardino Lanzani,* Adorazione del Bambino, *Torino, collezione privata.*
65. *Bernardino Lanzani,* Battesimo di Cristo, *Vaiano Cremasco, Parrocchiale.*
66. *Artista pavese,* San Gioacchino, *Milano, Pinacoteca del Castello Sforzesco.*

67. *Bernardino Lanzani,* Vergine adorante il Bambino con due angeli musicanti e i santi Giovanni Battista e Giacomo, *già Berlino, Kaiser - Friedrich - Museum (Stargard, Pommerania, chiesa cattolica).*

68. Alberto Piazza, Crocifissione, *frammento, Lodi, Duomo.*

69. *Alberto Piazza,* Vergine col Bambino in trono fra due angeli e i santi Bassiano, Giovanni Battista, Pietro e un diacono, con Dio Padre benedicente nella lunetta, *composizione originale in parte dispersa.*

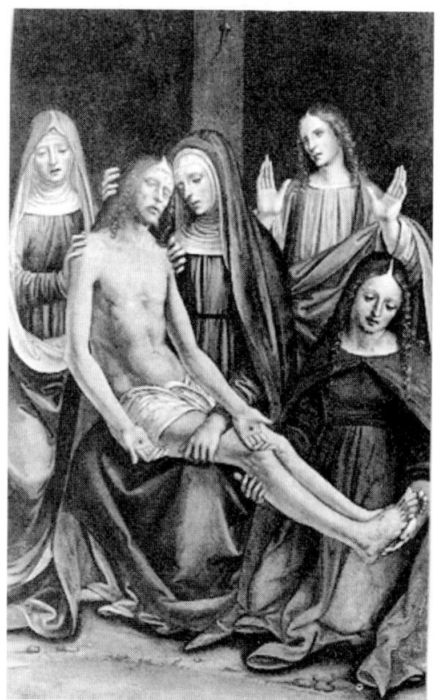

70. *Alberto Piazza,* Santi Bassiano e Giovanni Battista, *Vienna, Galleria dell'Accademia.*
71. *Alberto Piazza,* San Pietro, *collezione privata.*
72. *Alberto Piazza,* Compianto sul corpo di Cristo, *Brno, Museo.*

73. *Alberto Piazza,* San Pietro, *ubicazione ignota.*

74. *Alberto Piazza,* San Bassiano, *ubicazione ignota.*
75. *Alberto Piazza,* Adorazione dei Magi, *collezione Salamon.*

76. *Alberto Piazza,* Disputa di sant'Antonio abate, *Lodi, Museo Civico (già chiesa dell'Incoronata).*

77. *Alberto Piazza,* San Gerolamo penitente, *Berlino, Staatliche Museen, Gemäldegalerie.*

78. *Alberto Piazza,* Morte di san Paolo eremita *(particolare), Lodi, Museo Civico (già chiesa dell'Incoronata).*
79. *Alberto Piazza,* Sant'Antonio abate e san Paolo eremita ricevono il cibo dal corvo, *Lodi, Museo Civico (già chiesa dell'Incoronata).*

80. *Alberto (e Martino?) Piazza,* Sant'Antonio abate percosso dai demoni, *Lodi, Museo Civico (già chiesa dell'Incoronata).*

81. Alberto Piazza, San Gerolamo tra i santi Pietro e Paolo, *Lodi, collezione della Banca Popolare di Lodi.*

(alla pagina seguente)
82. Alberto Piazza, Crocifissione di san Pietro, *Milano, Pinacoteca di Brera.*
83. Alberto Piazza, Ultima comunione di san Gerolamo, *collezione privata.*
84. Alberto Piazza, Decollazione del Battista, *collezione privata.*

85. *Alberto Piazza,* San Nicola da Bari e santi, *Lodi, collezione della Banca Popolare di Lodi.*
86. *Alberto Piazza,* San Bassiano, *Lodi, Museo Civico.*
87. *Alberto Piazza,* Madonna col Bambino in trono, *Lodi, Museo Civico.*

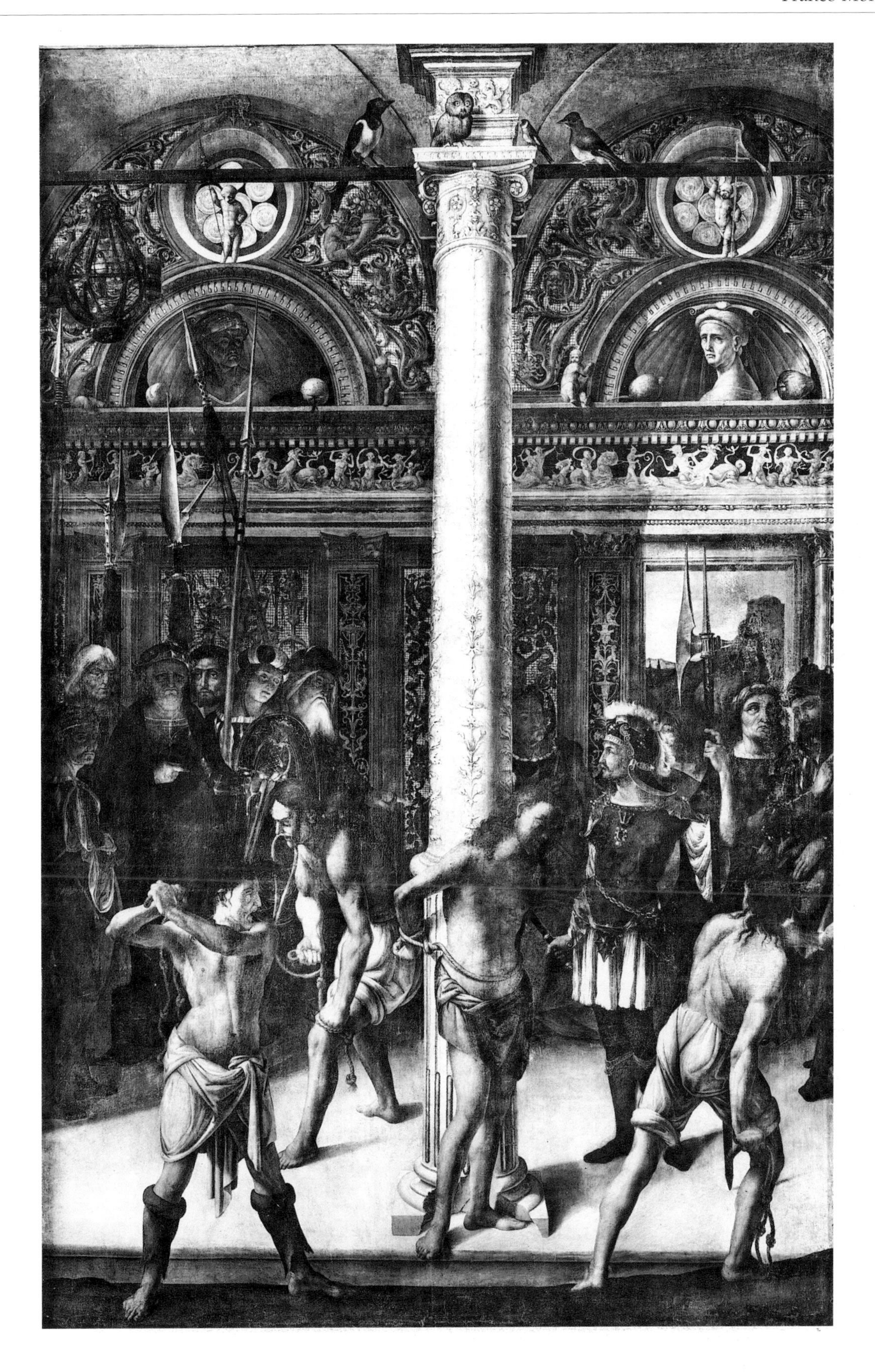

88. Pedro Fernandez (Pseudo Bramantino), Flagellazione, *Roma, Pinacoteca della Basilica di San Paolo fuori le Mura.*

I.N.R.I.

90. *Alberto Piazza,* Morte della Vergine, *Lodi, Seminario Vescovile.*

91. *Alberto Piazza,* Vergine col Bambino benedicente tra due angeli musicanti, *ubicazione ignota.*

(alla pagina precedente)
89. *Alberto Piazza,* Polittico Berinzaghi, *Lodi, chiesa dell'Incoronata.*

92. *Alberto Piazza,* Angelo annunciante, *Milano, collezione privata.*

94. *Alberto Piazza,* Vergine annunciata, *Milano, collezione privata.*

93. *Alberto Piazza,* Vergine col Bambino e san Giovannino, *già Vienna, collezione Lederer.*

95. *Alberto Piazza,* Sposalizio mistico di santa Caterina e san Giovannino, *Bergamo, Accademia Carrara.*

96. *Alberto Piazza,* Incoronazione della Vergine, *1519, Lodi, chiesa dell'Incoronata.*
97. *Alberto Piazza,* Madonna col Bambino, san Giovannino e il donatore Galliani, in un coro di angeli, *1520, pannello del polittico, Lodi, chiesa di Sant'Agnese.*
98. *Alberto Piazza,* Santi Nicola da Tolentino e Antonio da Padova, *già Roma, collezione privata.*

99. Alberto Piazza, Polittico Galliani, *1520, Lodi, chiesa di Sant'Agnese.*

100. Alberto Piazza, Assunzione della Vergine incoronata tra i santi Giovanni Battista e Caterina d'Alessandria, *Lodi, Duomo.*

101. Alberto Piazza, Adorazione dei Magi, *Vicenza, Museo Civico.*

(alla pagina seguente)
102. Alberto Piazza, Assunta in un coro di angeli, *Denver, (Colorado), Denver Art Museum.*
103. Alberto Piazza, Miracolo di un santo (Antonio abate?), *collezione privata.*

104. *Alberto Piazza,* San Giovanni Battista *(pannello del polittico), Castiglione d'Adda, chiesa dell'Incoronata.*

105. *Alberto Piazza,* San Rocco *(pannello del polittico), Castiglione d'Adda, chiesa dell'Incoronata.*

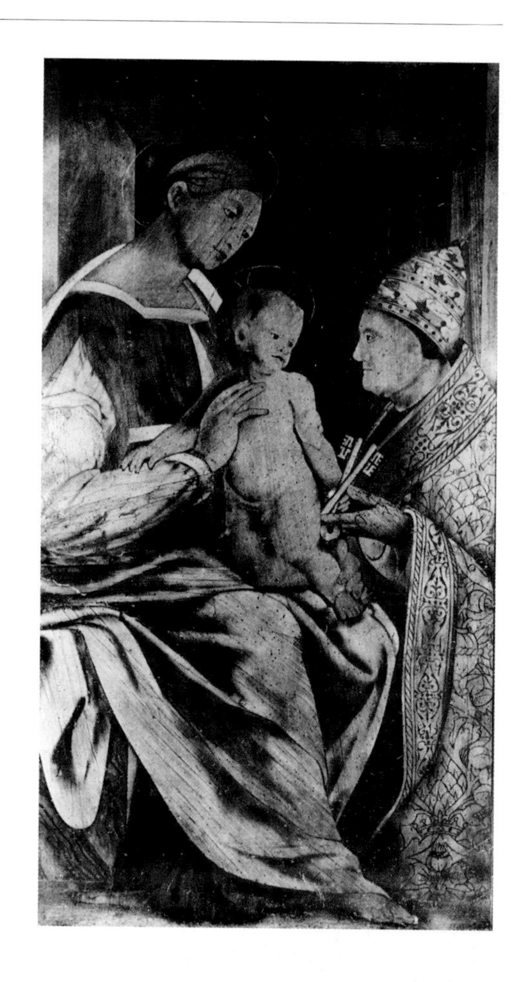

106. Alberto Piazza, Madonna col Bambino in trono tra i santi Pietro e Luca *(pala Spinola), Savona, Duomo*
107. Giovan Michele de Pantaleoni, su cartone di Alberto Piazza, Madonna col Bambino che dona le chiavi a Giulio II, *Savona, Duomo, tarsia del coro.*
108. Alberto Piazza, Crocifissione *(pannello del polittico), Castiglione d'Adda, chiesa dell'Incoronata.*

109. *Alberto Piazza,* Visitazione e santi, *Wiesbaden, Museo.*

110. *Alberto Piazza,* San Giacomo *(pannello del polittico), Castiglione d'Adda, chiesa dell'Incoronata.*
111. *Alberto Piazza,* San Bassiano *(pannello del polittico), Castiglione d'Adda, chiesa dell'Incoronata.*
112. *Alberto Piazza,* Vergine annunciata *(pannello del polittico), Castiglione d'Adda, chiesa dell'Incoronata.*

113. Alberto Piazza, Vergine che allatta il Bambino, *Ombriano, chiesa parrocchiale.*
114. Alberto Piazza, Madonna col Bambino *(pannello del polittico), Castiglione d'Adda, chiesa dell'Incoronata.*
115. Alberto Piazza, Visitazione, *Crema, Palazzo Vescovile.*

116. *Alberto Piazza,* Apostoli attorno al sepolcro, *Berlino, Staatliche Museen, Gemäldegalerie.*

117. *Alberto Piazza,* San Pietro, *Crema, collezione privata.*

119. *Alberto Piazza,* San Giovanni Evangelista, *Crema, collezione privata.*

118. *Alberto Piazza,* San Giacomo Maggiore, *Crema, collezione privata.*

120. *Alberto Piazza,* San Bartolomeo, *Crema, collezione privata.*

121. *Alberto Piazza,* Apostolo *(pannello del polittico), Castiglione d'Adda, chiesa dell'Incoronata.*

123. *Alberto Piazza,* Apostolo *(pannello del polittico), Castiglione d'Adda, chiesa dell'Incoronata.*

122. *Seguace di Alberto Piazza,* Madonna che allatta il Bambino e san Giovannino, *Milano, Quadreria Arcivescovile.*

124. *Francesco Prata da Caravaggio,* Sacra Famiglia e san Giovannino, *collezione privata.*

125. *Seguace di Alberto Piazza,* Madonna col Bambino, santi e angeli, *collezione privata.*

126. Artista ligure-padano, Madonna col Bambino, *Rennes, Musée des Beaux-Arts.*

127. Artista ligure-padano, San Luigi e san Bernardino, *Rennes, Musée des Beaux-Arts*

EMILIO NEGRO

INTORNO A NICOLO' DELL'ABATE: A PROPOSITO DEL SUO TRASFERIMENTO IN FRANCIA

Nei depositi del Musée du Louvre è conservato un grande dipinto a olio su tela, firmato "Danieli opus"[1], piuttosto interessante. Rappresenta infatti un soggetto assai noto agli studiosi d'iconografia, la *Tabula Cebetis* (fig. 1), ossia una raffigurazione allegorica della vita umana intesa come difficile percorso verso la Saggezza. Questa risiede in un castello sopra una vetta, circondata da tre cinte di mura concentriche che simboleggiano l'itinerario che porta alla meta, da dove si potranno raggiungere le Virtù e la Beatitudine. Pochi sono coloro che arrivano alla fine del difficile percorso poichè l'umanità, introdotta nel primo settore da un genietto, frequentemente si perde sedotta dalla Fortuna, dalle False Opinioni e dai Vizi[2].

Altrettanto interessante risulta la lettura stilistica dell'opera che è stata giudicata di ambito giorgionesco, "*proche d'un artiste influencé par le style de Girolamo Romanino*", o *tout court* di Marcello Fogolino[3].

Tra questi giudizi, convergenti fra loro, quello che sembra più convincente è l'ultimo, sebbene le palesi analogie del dipinto con gli affreschi eseguiti dal Fogolino più di un decennio prima nel castello di Malpaga, non escludano anche rapporti con l'arte ferrarese-modenese della prima metà del XVI secolo, finora non riscontrati.

Infatti, taluni dei personaggi raffigurati riprendono tipologie decisamente dossesche (fig. 2); per non tacere della scena erotica (allegoria dei vizi), a destra della dea Fortuna (fig. 3), i cui precedenti più immediati sono costituiti dai dipinti di analogo soggetto eseguiti dal maestro ferrarese [4].

Particolarmente significativi sono inoltre i richiami alle opere di Alberto Fontana e Nicolò dell'Abate: si confrontino ad esempio i puttini nudi (al di fuori della prima cinta muraria) con i *Putti vendemmiatori* (fig. 4) affrescati dal Fontana nelle beccherie nuove di Modena (ora nella Galleria Estense). Oppure il gruppo di uomini, a sinistra della Fortuna (fig. 5), con gli affreschi eseguiti da Nicolò nel castello di Scandiano (ora nella Galleria Estense), soprattutto con quelli raffiguranti il cosidetto *Matteo Maria Boiardo che scrive il suo poema* (ma in realtà si tratta probabilmente dell'*Autoritratto del pittore* (fig. 6)[5] e la *Caccia col falcone* (fig. 7). Tali concordanze stilistiche con le pitture di Scandiano inducono altresì a datare l'esecuzione della grande tela tra il 1535 e il '40.

Anche le architetture raffigurate nel dipinto - archi (fig. 2), portali, la spalliera del trono, nonché il castello nel mezzo della scena (fig. 8) - denunciano la loro discendenza dai modelli architettonici di Biagio Rossetti e di Pietro Barbini, che lavorarono rispettivamente a Ferrara e a Modena. È agevole infatti riconoscere nelle sobrie volumetrie della rocca, ove risiede la Saggezza, puntuali riferimenti a Palazzo dei Diamanti e al castello di Ferrara.

Mentre le colonne, che delimitano l'arco d'ingresso all'ultima cinta muraria, sono identiche a quelle che si vedono nel chiostro grande del monastero di San Pietro di Modena (figg. 2, 9)[6].

Ma ciò che più interessa ora approfondire non è il problema attributivo, ma l'ambiente in cui maturò la committenza per un dipinto di soggetto così particolare.

A tale scopo è opportuno ricordare che la fonte letteraria da cui ebbe origine la raffigurazione della *Tabula Cebetis* ebbe larga diffusione negli anni in cui la Riforma luterana si propagava nel nord dell'Italia; essa divenne assai famosa per i contenuti legati alla filosofia d'impronta stoica e, soprattutto, alla dottrina della predestinazione, che ispirarono larga parte della letteratura riformata dell'epoca.

Durante il XVI secolo, infatti, le teorie luterane ebbero largo seguito a Ferrara e, ancor più, a Modena, l'antica "Mutina" romana[7]. Questa, per la Chiesa di Roma, divenne la prima tra le città a rischio di "*infettione lutherana*".

Nel 1540 Domenico Sigibaldi, vicario di Giovanni Morone (vescovo di Modena), così si lamentava, in una lettera inviata al suo pastore: "Tutta questa cità (per quanto è la fama) è maculata, infetta del contagio de diverse heresie come Praga. Per le botege, cantoni, case etc. ogniuno (intendo che) disputa de fede, de libero arbitrio, de purgatorio et eucharistia, predestinatione"[8].

A Mutina, dunque, si era sviluppato un dibattito acceso che vedeva schierarsi da un lato il clero modenese più reazionario e fedele alla curia romana, dall'altro i monaci e i sacerdoti "Spirituali" solidali col gruppo di umanisti raccolti nell' "Accademia" di Modena.

Nella città padana uomini di scienza, sottili intellettuali e principi della chiesa come i vescovi Morone e Jacopo Sadoleto (futuri cardinali), l'abate Gregorio Cortese e padre Tommaso Badia[9], mostrarono inizialmente per la riforma religiosa lo stesso appassionato interesse nutrito per gli studi classici.

L'umanesimo libertario promulgato verso la fine del Quattrocento da Giovanni Pico della Mirandola nel *De hominis dignitate*, fu perciò accolto con entusiasmo nella neonata Accademia modenese (1530 ca.), sorta all'ombra della Ghirlandina[10].

"Non ti ho assegnato, o Adamo, nè una sede precisa nè un aspetto particolare nè una funzione speciale... Tu, non rinchiuso in stretti confini, secondo il tuo libero arbitrio, a cui ti ho rimesso, determinerai la tua natura"[11]. Era questo il messaggio pichiano che più accendeva di speranza gli animi degli accademici. Si trattava infatti di un insegnamento rivoluzionario che puntava ad un rinnovamento civile basato sul principio del libero arbitrio [12].

Occorre ricordare inoltre che i tempi sembravano essere particolarmente favorevoli a questo nuovo umanesimo, poichè la venuta a Ferrara di Renata di Francia (dal 1528 consorte del duca Ercole II d'Este) "aveva suscitato un chè di novatorio e di libertà di pensiero"[13] che aveva contagiato anche la vicina Modena.

"Era Madama Renea dotata di un felice ingegno, s'era applicata allo studio della Filosofia, della Storia, delle Lingue, delle Matematiche, e anche dell'Astrologia...Qui però non si strinse tutta la sua curiosità...secondo l'uso e abuso delle femmine del suo paese, che amano di farla da dottoresse anche nella Religione, penetrar nelle questioni di Teologia, sucitate in quei miseri tempi da Lutero, dagli Anabatisti...e da altri paricidi della chiesa di Dio". Con queste parole, che esprimono un misto di risentimento e di ammirazione, il Muratori commentava gli anni ferraresi di Renata di Francia[14]. Renea, infatti, simpatizzava per i partigiani della Riforma, ed era vincolata da amicizia con Calvino, che fu suo ospite a Ferrara nel 1536 e con cui mantenne un fitto rapporto epistolare[15].

Gioverà ricordare ancora una volta che, nei primi decenni del XVI secolo, l'atteggiamento della Chiesa di Roma nei confronti dei partigiani di Lutero era sostanzialmente aperto al dialogo. In quegli stessi anni il clero più colto - e quello modenese non faceva eccezione - coltivava, con lo studio della teologia, quello per la letteratura classica e per le antichità romane.

Non meraviglia dunque di apprendere che il modenese Jacopo Sadoleto, mentre serviva a Roma il pontefice Giulio II, sia stato il primo ad accorrere alla notizia che un gruppo di operai aveva portato alla luce un colossale gruppo marmoreo, e a "riconoscere con grande giubilo in quel marmo il Laooconte quale fu descritto da Plinio"[16].

Risale dunque ai primi decenni del Cinquecento la diffusione in Mutina delle dottrine filosofiche che determinarono la straordinaria crescita intellettuale dell'Accademia, voluta e fortemente sostenuta da alcuni dei più brillanti spiriti del tempo: il medico e speziale Giovanni Grillenzoni, il letterato e filosofo Lodovico Castelvetro, il chirurgo anatomista Gabriele Falloppia, ecc.

A questi "cervelli gagliardi"[17] per i quali la rinnovata religiosità andava di pari passo con la rinascita degli studi classici, si affiancarono, fin dall'inizio, i più valenti artisti attivi in città.

Nonostante sia assodato che il propagarsi di una dottrina religiosa e filosofica proceda quasi all'unisono con la nascita di un nuovo linguaggio figurativo, nel caso di Modena non si è provveduto a comparare tra loro questi due aspetti dello stesso problema.

Eppure i pittori modenesi seppero rappresentare con efficacia, nelle pale d'altare eseguite agli inizi del Cinquecento, quella agognata *plenitudo temporum* che coniugava sapientemente le verità assolute proclamate dalla Fede, con quelle ricercate dalla Sapienza nell'umana ragione. Ottenendo così un misticismo visivo in cui non mancavano delicati omaggi all'arte pagana, divenuta, come il latino, parte integrante della ricchezza culturale della Chiesa.

Una tale raffinata consuetudine corrispondeva sostanzialmente al tentativo, già attuato in letteratura, di "cantare in versi la vita di Cristo e la religione cristiana; adornando quei fatti con le metafore più efficaci adoperate dai migliori poeti greci e latini"[18].

Qualcosa di simile era in uso tra i rimatori e i letterati romani contemporanei, soliti ad "incoronare di omaggi poetici oraziani e catulliani il gruppo sansoviniano della *Madonna col Bambino e Sant'Anna*" (Roma, chiesa di Sant'Agostino a Campo Marzio (fig. 10)"[19].

A Roma, come a Mutina, si tendeva perciò all'esaltazione di un novello classicismo etico e morale, che ben si adattava a rappresentare la parte più colta delle tendenze degli "spirituali"[20].

Fu da tale *renovatio* che scaturì un linguaggio figurativo inizialmente assai gradito agli uomini d'intelletto modenesi laici e religiosi; tra costoro, come abbiamo ricordato, vi erano quegli ecclesiasti che, come Gregorio Cortese, tentavano di arginare la spinta rivoluzionaria della Riforma, senza giungere a rotture definitive. A

Modena, nei primi decenni del XVI secolo, l'eredità artistica di Francesco di Bianco Ferrari fu raccolta da Pellegrino Aretusi detto il Munari; questi abbandonò la città natale per recarsi a Roma alla scuola di Raffaello. Dopo la morte del Sanzio, fece ritorno in patria dove fu assassinato nel dicembre del 1523[21].

Nonostante questo tragico evento, che interruppe bruscamente la carriera dell'artista, appare evidente che le sue ultime opere eseguite per chiese e conventi cittadini costituiscono la chiave di volta su cui si reggeranno i futuri sviluppi delle esperienze figurative di Antonio Begarelli *in primis*, ma anche di Nicolò dell'Abate e di tutti gli altri valenti maestri che costituirono la "scuola modenese".

È già nella conturbante *Natività con numerosi angeli, s.Giuseppe e due sibille*[22] (fig. 11), ambientata dal Munari sullo sfondo di eleganti architetture - così prossime a quelle incise da Nicoletto da Modena - che si avverte, in particolare nelle tre inquietanti figure sulla destra e nella Madonna arcana[23], la dipendenza della composizione da un'inusuale fonte evangelica eterodossa e apocrifa: forse, ma è un'ipotesi da verificare, da uno di quei "testi mistici che sembravano convergere con le tradizioni di una *prisca theologica* che Ficino aveva dissotterrato nei libri ermetici"[24], e la cui conoscenza non doveva essere del tutto estranea ai discepoli di Raffaello.

Gioverà rilevare inoltre che nelle figure delle donne - quasi una versione al femminile delle tre età dell'uomo - già compaiono quelli che diverranno, di lì a poco, i termini stilistici più frequenti nel linguaggio pittorico di Nicolò dell'Abate e dei suoi epigoni più accreditati: mi riferisco ovviamente ai visi regolari, alla gestualità aulica e ai panneggi rigonfi e ben pieghettati; tutti caratteri che conferiscono ai personaggi l'aspetto dignitoso di statue antiche [25].

Più concretamente è possibile osservare queste formule pittoriche negli affreschi eseguiti da Alberto Fontana per le beccherie di Modena (fig. 4), nei pochi e significativi dipinti di Girolamo Comi, di Gaspare Pagani (fig. 12), in quelli dei fratelli Taraschi e nei lavori modenesi (fig. 13) (e nei reggiani meno convincentemente) attribuiti a Nicolò dell'Abate. L'esistenza di questo importante *milieu* artistico, finora ignorato, composto da maestri che si erano formati culturalmente all'interno dell'Accademia modenese, e che perciò utilizzavano all'incirca lo stesso linguaggio figurativo, spiega inoltre l'eccessivo allargamento del catalogo delle opere di Nicolò dell'Abate[26].

Fu così che si sviluppò una novella cultura artistica - se non la si vorrà chiamare scuola - nata a Modena, e propagatasi nel territorio vicino di Reggio di Lombardia e nel mantovano, in quel di Polirone (San Benedetto Po). Essa seppe dotarsi di un pensiero visivo sufficientemente originale, prossimo, eppure non uguale, a quello che si andava sviluppando contemporaneamente nella confinante Bologna[27].

Alla luce di queste nuove considerazioni appare evidente che la tavola del Munari assume l'aspetto inquietante del primo manifesto figurativo dello Spiritualismo modenese. Non a caso la *Natività* era stata dipinta per l'altar maggiore della chiesa cittadina di S. Paolo delle monache agostiniane (lo stesso ordine a cui appartenne Lutero); le suore che, nella prima metà del Cinquecento, avevano avuto in Mutina un ruolo rilevante tra i sostenitori della necessità di un vasto rinnovamento spirituale della chiesa e del clero[28]. Le agostiniane modenesi, infatti, avevano appoggiato il Morone (vescovo di Modena dal 1529) quando questi in più di un'occasione si era apertamente schierato coi "lutherani" suoi concittadini.

Ciò accadde ad esempio nel febbraio del 1543, quando il cardinale, con una lettera pastorale inviata da Trento, mostrandosi aperto verso i simpatizzanti della Riforma, accese per breve tempo di speranze l'animo degli accademici modenesi[29]. Un atteggiamento contrastante con quello tenuto solo pochi anni prima, quando, nella primavera del 1540, in una lettera indirizzata al Sigibaldi, suo vicario in Modena, lo invitava a vigilare con grande attenzione sul clero, e in particolare sugli agostiniani, poichè "sapete ho sempre dubitato di quelli di quell'ordine"[30].

Anche i rapporti di amicizia, o addirittura di parentela, che legarono gli artisti dell'entourage di Nicolò dell'Abate con gli umanisti dell'Accademia, non sono stati mai presi in considerazione, sebbene siano facilmente dimostrabili consultando le fonti archivistiche e storiche del tempo. Eppure essi costituiscono una chiave di lettura indispensabile per comprendere come si svolsero i fatti in quell'epoca lontana, e di quali complicità e protezioni poterono avvalersi gli artisti modenesi. Seguendo questi indizi ci si ritrova frequentemente dinanzi ad omonimie non casuali, che rivelano la presenza, nel gruppo degli accademici, di appartenenti agli stessi nuclei familiari.

Infatti, era in questa rete di parentele che, come lamentava il cardinal Morone, trovavano asilo "quelli cervelli gagliardi ... molto ostinati [che] si persuadevano sapere molto et erano stipati di molte parentelle et amicitie et favori nella corte del duca di Ferrara"[31].

Proseguendo su questa strada ci si accorge, ad esempio, che il pittore Alberto Fontana aveva lo stesso patronimico del notaio Alessandro Fontana. Questi, che sovente si avvaleva di Alberto come testimone nella stipulazione di contratti, era il proprietario dei locali affittati alla "spetiaria de li Grillentioni" (sede dell'Accademia).

Per non tacere poi di Orazio e Francesco Grillenzoni, l'uno rinomato scultore, l'altro attivissimo accademico e soprattutto raffinato collezionista, legato da profonda amicizia ad Antonio Allegri detto il Correggio; Francesco, come è ricordato dal Vasari[32], era a quel tempo il proprietario che custodiva gelosamente lo *Sposalizio mistico di santa Caterina* (fig. 14) dipinto dal Correggio (ora a Parigi, Musée du Louvre): uno dei capisaldi della pittura correggesca a Modena[33].

Questo periodo felice e creativo durò all'incirca fino all'estate del 1542. Poi, coll'istituzione del Sant'Uffizio romano e la morte del cardinal Contarini, a cui fecero seguito le clamorose fughe oltralpe dei monaci Bernardino Ochino e Pietro Martire Vermigli[34], le cose precipitarono velocemente: "alla vigilia del Tridentino... e dopo il definitivo fallimento dei colloqui di religione, nuovi indirizzi si andavano affermando ai vertici della chiesa, che si avviava oramai verso scelte politiche e religiose rigorosamente intransigenti"[35].

Di conseguenza fu proprio a Modena - la città dove il fuoco dell'eresia "era di tal maniera che scaldava tutta l'Italia"[36] - che si venne a creare una situazione estremamente difficile e pericolosa, della quale ben si rendeva conto Giovanni Morone.

Egli infatti lamentava per iscritto il disappunto per il silenzio con cui erano state accolte le suppliche di fare ritorno a Modena, nella sua diocesi. Qui avrebbe potuto prendere opportuni provvedimenti contro "queste male piante [che] hano fatto continuamente maggiore radice et dilatato li rami, in tanto che mi vien scritto che a Praga in Boemia non si ragiona tanto de tutte l'heresie come a Modena; et nelle boteche si parla contra il purgatorio, contra la messa, contra la potestà ecclesiastica, contra l'invocatione de sancti ed altri articuli non altrimente che si faccia in Germania"[37].

Fu dopo l'episodio del Formulario di Fede del 1542 (la dichiarazione di fedeltà al pontefice e alla Chiesa di Roma, imposta dall'autorità ecclesiastica affinchè il cardinal Morone la facesse firmare a tutti i dissidenti modenesi) che l'Accademia ed i vivaci fermenti artistici ad essa collegati iniziarono a dare preoccupanti segni di crisi.

La situazione andò a complicarsi ulteriormente quando, il 24 maggio del 1545, il duca Ercole II d'Este promulgò un'editto che vietava sotto gravissime pene - compresa quella capitale - di possedere libri ereticali e, soprattutto, il disputare, sia pubblico che privato, di argomenti attinenti alla religione. Conseguentemente, nello stesso anno, si giunse allo scioglimento forzato dell'Accademia.

È opportuno ricordare che una prima avvisaglia della "purga" religiosa che stava per colpire gli accademici e la comunità degli artisti modenesi, la si poteva già scorgere in un episodio, apparentemente di poca importanza, accaduto nell'estate del 1539. Il fatto è riportato nella cronaca modenese di Giovan Battista Spaccini e vide coinvolto Nicolò dell'Abate: "Adì 29 agosto...essendo a mesi passati Ixac Hebreo che fa il banco...alla botega di M° Nicolò Abà dipintore, el quale culuriva un crucifixo, el detto hebreo disse: che bestiamo è questo, di modo che l'è stato accusato al Vicario del Vescovo et lo ha fatto mettere in Castello in preson..."[38].

L'episodio, che a tutta prima sembrerebbe irrilevante, se rapportato ai problemi ben più gravi che di lì a pochi anni avrebbero contrapposto il clero e gli Spirituali modenesi, era al contrario sintomatico e premonitore delle divergenze che sarebbero divenute insanabili tra i due gruppi contrapposti.

Credo dunque di non forzare eccessivamente l'interpretazione nello scorgere in esso non tanto il desiderio del pittore di prendere le distanze da un ebreo che - come sempre, in analoghe circostanze storiche - fungeva da capro espiatorio; quanto il desiderio di procurarsi, a poco prezzo, la fama di "buon cristiano". Una sorta di salvacondotto che, attestando la sua religiosità, avrebbe verosimilmente dovuto evitargli la richiesta imbarazzante di sottoscrivere il Formulario di Fede alla Chiesa di Roma.

Un tentativo, compiuto *in extremis*, per rimediare all'accusa di essere stato "uno di quelli della Cademia"[39], ovvero di aver fatto parte della "diabolica Sinagoga"[40] capeggiata da Lodovico Castelvetro, l'"archimandrita de l'academie" (come ancora nel 1558 lo definiva Annibal Caro)[41]. Ma tutto ciò fu inutile poichè, ad oltre un secolo di distanza, il sacerdote Ludovico Vedriani - benchè testimone reticente nei confronti del dissenso religioso modenese - ricordava ancora fra i pittori membri dell'Accademia "che fioriva in Modena... Nicolò Abbate, Alberto Fontana, Gaspare Pagani"[42].

Nonostante gli infelici tentativi di mediazione del cardinal Giovanni Morone - a cui va riconosciuto il merito di aver tentato di risolvere con "desterità e mansuetudine"[43], fino al punto di essere arrestato ed inquisito egli stesso, il problema dell'*infectione* luterana a Modena - nel 1546 egli decise di chiamare i Gesuiti in città per dargli manforte nella lotta contro le eresie e, probabilmente, per dissipare ogni residuo sospetto della Chiesa di Roma che lo accusava di pericolose connivenze con gli Spirituali modenesi[44].

Come era prevedibile, negli anni seguenti non mancarono persecuzioni più mirate nei confronti degli artisti modenesi e dei loro familiari.

In proposito sarà utile ricordare una preziosa testimonianza, resa nota da Adolfo Venturi, relativa al pittore Girolamo Comi. Questi, che secondo lo studioso fu personaggio assai noto nell'ambiente artistico che si muoveva attorno all'Accademia[45], era parente dello scultore Ludovico Begarelli (nipote del più celebre Antonio). Al Comi, inoltre, fu affidato il compito prestigioso di completare gli affreschi delle Beccherie (nel 1550, dopo l'ampliamento "del macello novo"), iniziati dal Fontana e da Nicolò dell'Abate.

Come ricordato dal Venturi, Girolamo era stato già inquisito nel 1548, quando la moglie Lucia fu accusata di essere eretica, poichè si ostinava a negare che "*purgatorium esse in alio mundo*". Egli aveva preso parte al movimento degli Spirituali modenesi "quantunque nel 1568 abiurasse gli errori alla presenza del cardinale...Morone"[46].

Vale dunque la pena di riportare il contenuto della confessione (trascritta nei Registri dell'Inquisizione modenese e ricopiata dal Venturi) poichè essa apre uno spiraglio significativo sul coinvolgimento delle capacità artistiche di un pittore attivo a Modena nel propagandare gli insegnamenti di Lutero: "Mi ricordo che un giorno messer Giovanni Rangone [noto esponente della nobiltà e dell'Accademia di Modena] levò in domo me ed un altro dipintore chiamato Francesco Mignono, et ci condusse in disparte, et ci mostrò una certa stampa ove erano alcuni vescovi che dormivano, et alcuni lupi che portavano via le pecore, et alcuni vescovi che giocavano et alcuni capellani che lasciavano portare via le pecore, et alcune volpi vestite da frati che predicavano alli agnelli, pregandomi che io volessi dipingere un quadro così fatto, et io risolsi di farlo"[47].

Alla luce di questi fatti, e considerando i caratteri stilistici che affiorano dalla lettura della *Tabula Cebetis*, non si può escludere che essa sia stata eseguita da un artista veneto-lombardo, forse attivo per un committente modenese favorevole alla riforma luterana[48].

Dallo stesso punto di vista anche il noto racconto del Vedriani su come avvenne l'incontro tra Nicolò dell'Abate e Francesco Primaticcio viene ad assumere ben altri più nascosti e inquietanti significati.

Secondo quanto narrato dal sacerdote modenese, Nicolò, mentre stava eseguendo alcune decorazioni per un basso compenso, fu veduto casualmente dal Primaticcio che, stupitosi della pochezza del prezzo richiesto, lo invitò a trasferirsi a Bologna (1548 ca.) e di qui, successivamente, in Francia (1552), dove rimase fino alla morte sopraggiunta probabilmente nel 1571[49].

Ora, dopo quanto abbiamo rilevato, sorgono legittimi sospetti sulla veridicità dei fatti riportati dal presule modenese; a questi, poi, si aggiungono anche i dubbi, più autorevoli, già avanzati da Girolamo Tiraboschi sulla "storiella finta a capriccio"[50] dal Vedriani che, come osservava il Tiraboschi, l'avrebbe ricopiata dai più conosciuti modelli di storiografia storico-artistica, noti fin dal tempo del Vasari. Probabilmente per circondare di un aurea di leggenda l'espatrio di Nicolò e, soprattutto, per nascondere una verità sconveniente. Questi fatti rilevanti, accaduti durante gli anni modenesi del pittore, sono stati finora disattesi; sebbene quanto osservato opportunamente dal Tiraboschi, che giudicava poco convincente il racconto del Vedriani, avrebbe dovuto costituire un valido motivo per cercare ben altre giustificazioni al trasferimento definitivo di Nicolò nell'ospitale Francia: "Ma questa, a mio parere, è una storiella finta a capriccio. Perciocchè se Niccolò prima di passare a Bologna avea dipinta, come è probabilissimo, la Sala di questa Comunità [di Modena], e fors'anche la Rocca di Scandiano, ei non era certo istato di prestar l'opera sua per si scarsa mercede. Oltre di che l'Ab. Primaticcio dopo il 1540 non par che fosse più in Italia"[51]. Rileggendo questo brano della vita di Nicolò, si ha la chiara impressione che il Tiraboschi abbia voluto dire - tra le righe - ben più di quanto abbia potuto scrivere.

Non dobbiamo dimenticare infatti che il Tiraboschi, per quanto illuminato, vestiva pur sempre l'abito talare dei Gesuiti e che nel Settecento erano ancora all'indice del Sant'Uffizio gli stessi libri che avevano infervorato gli animi degli accademici modenesi[52].

Inoltre, per rendere meno credibile il racconto del Vedriani, basta mettere a confronto alcune delle date cruciali di quegli anni tormentati, per vedere spuntare l'ombra nera di Lutero dietro alla decisione presa da Nicolò di trasferisi oltralpe, mentre in patria l'inquisizione cominciava a far sentire il peso della sua intolleranza.

Il 1542 segnò infatti l'inizio delle ostilità, che si protrassero per oltre un ventennio, nei confronti dei dissidenti. In quell'anno i conservatori di Modena, dopo molti rinvii e tentennamenti, furono costretti a concedere il loro assenso a sottoporre le persone sospette di eresia alla sottoscrizione del Formulario di Fede. Gioverà ricordare che per ottenere il beneplacito dei conservatori vennero mandati appositamente a Modena alcuni vicari del pontefice. Fra costoro ricorderemo almeno Jacopo Sadoleto e Gregorio Cortese che, come già ricordato, furono tra i religiosi-umanisti inizialmente più aperti nei confronti delle dottrine luterane; ma, successivamente (forse anche per scongiurare dall'interno il pericolo della definitiva rottura coi protestanti), non esitarono ad accettare dal pontefice Paolo III alte cariche ecclesiastiche nei tribunali del Sant'Uffizio[53].

Tutto ciò non tanto in ossequio al motto del Folengo: "*non Modonesus erit cui non phantastica testa*"[54], quanto piuttosto perchè anch'essi furono inclini al Nicodemismo, ossia alla pratica della cosiddetta "doppia verità" [55]. Quest'usanza, discutibile ma assai utile in quegli anni travagliati, era stata consigliata anche dal cardinal Gasparo Contarini (autore del Formulario di Fede da sottoporre ai modenesi sospetti) e consisteva nell'utilizzare due verità. L'una quasi segreta e riservata alle persone d'intelletto, l'altra destinata al popolo: *ad Mutinenses catholicos*.

Questa condotta ambigua, tuttavia conveniente, fu tenuta all'inizio da molti dei componenti dell'Accademia che, come Nicolò dell'Abate, probabilmente rischiavano di trovarsi, davanti agli inquisitori, incolpati di eresia. Ma, in seguito, tale atteggiamento non fu più sufficiente ad allontanare i sospetti dagli accusati: l'Inquisizione voleva ben altre garanzie di fedeltà al papato. Ai sospettati venne perciò richiesta la sottoscrizione del Formulario di Fede che attestasse la genuinità del loro credo cattolico. Fu per questa ragione che molti degli accademici preferirono abbandonare Modena e l'Italia, piuttosto che sottoscrivere l'umiliante e, soprattutto compromettente, formulario di fede. Tra costoro, quasi sicuramente, ci fu Nicolò dell'Abate[56].

Note

1) Il dipinto (Inv.855) è in discreto stato di conservazione e misura cm 272 X 362; la firma *Danieli opus* è leggibile su un libro tenuto in mano da uno dei personaggi. Come cortesemente mi segnala Stéphane Loire, che colgo l'occasione di ringraziare per l'amichevole collaborazione, la sua provenienza è testimoniata da un documento scoperto da M.me Marie-Martine Dubreuil (*Documentaliste au département des Peintures, aux Archives des Musées Nationaux* [*P 14, 15 avril 1850*]), da cui risulta che il dipinto fu donato al musée verso il 1849 da M. Foertsch, *Conseiller à la Cour des Comptes à Paris*. La tela, infatti *provenait des Archives de la Cour des Comtes, et auparavant, d'un couvent des Barnabites (a Paris, ou en Italie ? Le lieu n'est pas précisé)*. Il dipinto è stato pubblicato da A. BREJON DE LAVERGNEE-D.THIEBAUT, *Catalogue Sommaire illustré des Peintures du Museé du Louvre: Il Italie, Espagne, Allemagne, Grande-Bretagne et divers*, Paris 1981, p. 256.

2) Cfr. E. SCHLEIER, *Tabula Cebetis*, Berlin 1973, con bibliografia precedente.

3) Cfr. rispettivamente M. C. TARRAL, *Observations sur le classement actuel des tableaux du Louvre et analyse critique du nouveau catalogue*, Paris 1850, p. 54; BREJION DE LAVERGNEE-THIEBAUT, cit.; comunicazione orale di A. BALLARIN, espressa durante una sua visita del 4 gennaio 1994.

4) Si confronti in particolare con dipinti del Dosso come *Le tre età dell'uomo* (New York, Metropolitan Museum of Art) o, meglio ancora, coi *Baccanali* ora a Roma (Castel Sant'Angelo) e Londra (National Gallery).

5) Mi riferisco anche all'affresco ottagonale col *Concerto* e a quelli con la *Caccia alle anatre* e il *Convegno amoroso* (Modena, Galleria Estense: cfr. S. BÉGUIN, *Nicolò dell'Abate*, Bologna 1969, pp. 53-65, figg. 4, 9, 15). L'identificazione del personaggio raffigurato (fig. 6) con Matteo Maria Boiardo che scrive l'*Orlando innamorato*, è grottesca e, benchè abbia tratto in inganno un numero incredibile di storici dell'arte, è priva di qualsivoglia fondamento storico. Va da sè che durante il XVI secolo, fino all'Ottocento, nessun uomo intento a svolgere attività speculative ed intellettuali, come comporre poemi, è mai stato raffigurato dagli artisti al di fuori del suo "studiolo". Solo nel XIX secolo è accaduto qualcosa di simile. L'interpretazione della lunetta affrescata come *Ritratto del Boiardo* (fig. 6) si deve probabilmente all'occhio smaliziato di un lettore *fin du siecle*, che ben conosceva gli esiti della rivoluzione romantica e quelli successivi che portarono gli artisti italiani ad eseguire i quadri di soggetto storico.

6) Cfr. V. VANDELLI, *Il monastero: le fasi costruttive, il carattere distributivo, gli artisti*, in *San Pietro di Modena mille anni di storia e di arte*, Milano 1984, pp. 67-75.

7) Cfr. G. BIONDI, *Ordini religiosi ed eresie nel XIII e XIV secolo*, in *Storia illustrata di Modena*, a cura di P. GOLINELLI-G. MUZZIOLI, I, Milano 1989, pp. 301-320, con bibliografia precedente.

8) Cfr. *Lettere modenesi*, Ms, Fondo Ansidei 25, Perugia, Archivio di Stato, c.17 r., in data 10 novembre 1540. La citazione è stata precedentemente utilizzata da M. FIRPO, *Gli "Spirituali", l'Accademia di Modena e il formulario di fede del 1542: controllo del dissenso religioso e nicodemismo*, Firenze 1984, p. 47.

9) Per Morone, Sadoleto, Cortese e Badia, cfr. A. BARBIERI, *Repertorio bio-bibliografico dei modenesi illustri*, in *Modena vicende e protagonisti* (a cura di G. Bertuzzi), Bologna 1971, vol. 3, *ad vocem*, con bibliografia precedente.

10) Il sodalizio infatti trovava generosa ospitalità nella farmacia dei Grillenzoni, a poche decine di passi dalla torre campanaria del Duomo, detta per l'appunto Ghirlandina.

11) G. PICO DELLA MIRANDOLA, *"De hominis dignitate"*, traduzione di C. CARENA, in *Vi dico cos'è l'uomo*, in 'Il Solè 24 Ore', N. 309, 13 novembre, 1994, p. 23.

12) Non bisogna dimenticare inoltre che l'Accademia modenese tenne stretti rapporti con la famiglia dei Pico, attraverso Giovanni Maria Barbieri (Modena, 1519-1574), colto umanista oltre che membro influente dell'Accademia; egli fu infatti precettore dei Pico e dei Rangoni; inoltre, nel 1538, accompagnò in Francia Ludovico II Pico. Cfr. G. TRENTI, *Al paisan da Modna*, Modena 1976, pp. 25-26, n 40, con bibliografia precedente.

13) La citazione è tratta da L. F. VALDRIGHI, *Di Bellerofonte Castaldi, e per incidenza di altri musicisti modenesi dei sec. XVII e XVIII*, in 'Atti e memorie della Deputazione di Storia Patria per le Antiche provincie Modenesi', 1880, n.s., vol. 5°, p. 99.

14) Cfr. L. A. MURATORI, *Antichità estensi*, vol.II, Modena 1740, pp. 389-391.

15) Per Renata di Francia si veda almeno B. FONTANA, *Renata di Francia*, Roma 1889-1899, 3

voll. Inoltre, come è risaputo, quando la duchessa fu costretta a ritornare in patria, a causa del suo atteggiamento ribelle nei confronti della chiesa di Roma, il suo castello divenne un rifugio sicuro per gli Ugonotti.

16) Cfr. N. BERNABEI, *Vita del cardinale Giovanni Morone vescovo di Modena e biografie dei cardinali modenesi e di casa d'Este, dei cardinali vescovi di Modena e di quelli educati in questo collegio di S. Carlo*, Modena 1885, p. 162.

17) La citazione è del cardinale Giovanni Morone: cfr. FIRPO, cit., pp. 56-57, con bibliografia precedente. Per le biografie del Grillenzoni, Castelvetro e Falloppia, cfr. almeno BARBIERI, cit., *ad vocem*, con bibliografia precedente.

18) La citazione è dell'umanista cremonese Girolamo Vida: cfr. TOFFANIN, cit., p. 9.

19) Cfr. G. TOFFANIN, *L'Umanesimo al concilio di Trento*, Bologna 1955, p. 7, con bibliografia precedente.

20) Concetti assai simili sono stati espressi da P. PIVA, *Un committente benedettino*, in *Dal Correggio a Giulio Romano. La committenza di Gregorio Cortese*, Mantova 1989, p. 16, con bibliografia precedente. Di quest'ultimo interessante intervento non condivido l'attribuzione al Correggio dell'affresco nel refettorio del monastero di Polirone.

21) Per Pellegrino Aretusi detto il Munari che, come ricorda il poeta Giovanni Maria Parente, era "Zoveno bello e degno in la pictura" oltre che innamorato corrisposto di Cassandra Calori, una delle più belle e nobili fanciulle modenesi, cfr. G. M. PARENTE, *Commendatione de Donzelle Modonese vivente nell'anno MCCCCLXXXII*, Modena 1483, p. 67; G. CAMPORI, *Pellegrino Munari*, in *Due racconti artistici*, Modena 1853, pp. 3-9; M. FERRETTI, *Nota su Pellegrino da Modena*, in 'Bollettino d'Arte', 24, marzo-aprile, 1984, pp. 53-58; id., *Integrazione a Pellegrino da Modena*, in 'Bollettino d'Arte', 27, settembre-ottobre, 1984*, pp. 119-120; E. NEGRO, in *Disegni emiliani del Rinascimento*, a cura di M. Di Giampaolo, Milano 1989*, pp. 10-11, M. JAFFÈ, *The Devonshire Collection of Italian Drawings. Bolognese and Emilian Schools*, London 1994, p. 212, n. 639; il foglio raffigurante *S.Orsola e le compagne*, attribuito dallo Jaffè al Munari, è in realtà il disegno preparatorio per la tavola di analogo soggetto firmata e datata da Ercole Setti (1568) e custodita nella Chiesa di S. Pietro di Modena (sesta cappella a sinistra): cfr. A. GHIDIGLIA QUINTAVALLE, *San Pietro in Modena*, Modena, ed. 1966, p. 58, fig. 36.

22) La tavola, attualmente esposta nella sezione cinquecentesca della Galleria Estense di Modena, si trovava in origine nella chiesa modenese di S. Paolo delle monache agostiniane: cfr. M. A. LAZZARELLI, *Pitture delle chiese di Modana Rifferite da D. Mauro Alessandro Lazzarelli Monaco Casinense nell'anno 1714*, Ms. it. 997, Modena, Biblioteca Estense, ed. a cura di O. Baracchi Giovanardi, Modena 1982, p. 83; G. F. PAGANI, *Le pitture e sculture di Modena*, Modena 1770, p. 72; G. SOLI, *Le chiese di Modena*, Modena, sec. XX, ed. a cura di G. Bertuzzi, Modena 1974, III, pp. 63-77; R. PALLUCCHINI, *I dipinti della Galleria Estense*, Roma 1945, p. 61, n. 80; FERRETTI, cit., 1984, 1984*.

23) Molto probabilmente le due sibille che guardano verso il Bambino vogliono simboleggiare l'*Ecclesia ex circumcisione* e l'*Ecclesia ex gentibus*, queste si riuniranno nella figura di Cristo indicata da san Giuseppe.

24) Cfr. E. GARIN, *Pico filosofo della pace*, in 'Il Sole 24 Ore', n. 268, 2 ottobre 1994, p. 35.

25) Anche se appare evidente che la raffigurazione di madonne e santi, belli e monumentali come divinità dell'Olimpo, comportava il rischio, non saprei fino a qual punto inconsapevole, di cadere in una sorta di panteismo figurativo.

26) Tra questi ricorderemo almeno quelli più palesemente apocrifi: *Le scene allegoriche* affrescate nel loggiato interno della cosiddetta casa Fiordibelli (*alias* di Antonio Casotti) a Reggio Emilia (cfr. M. PIRONDINI-E. MONDUCCI, *La pittura del Cinquecento a Reggio Emilia*, Milano 1985, pp. 135-137, tavv. XXVI-XXIX); *L'adorazione dei Magi con vari personaggi e santi* della chiesa parrocchiale di S. Polo di Reggio Emilia (cfr. ibidem, p. 137, tav. XXX); gli affreschi con scene mitologiche, putti e festoni nella Rocca di Soragna presso Parma (cfr. G. GODI, *Nicolò dell'Abate e la presunta attività del Parmigianino a Soragna*, Parma 1976); alcuni dei riquadri di Palazzo Poggi a Bologna con *Storie di Ercole*, dove è evidente che Nicolò si è avvalso della collaborazione di aiuti (cfr. W. BERGAMINI, *Nicolò dell'Abate*, in *Pittura bolognese del '500*, a cura di V. Fortunati Pietrantonio, Bologna 1986, pp. 289-290, 326-327). A questi dipinti si aggiungano inoltre alcuni disegni erroneamente attribuiti al dell'Abate, di cui tratterò in un mio prossimo articolo.

27) Per la pittura bolognese del XVI secolo si veda la pubblicazione a cura di V. FORTUNATI PIETRANTONIO, cit., 1986; id., *La pittura in Emilia e in Romagna. Il Cinquecento*, Milano 1994.

28) Cfr. S. PEYRONEL RAMBALDI, *Speranze e crisi nel Cinquecento modenese*, Milano 1979, pp. 185-189.

29) Questi si erano infatti affrettati a ringrazire "Dio ch'el nostro pastore, il reverendissimo cardinal Morone... è doventato dei nostri" cosicchè "molti lutherani de Modena... facevano gran festa et allegrezza, con dire che il detto reverendissimo Morone era stato illuminato dalla verità et era divenuto loro fratello nelle cose della fede, et quivi lo magnificavano quanto potevano con parole e narravano come dal

suo ritorno da Trento in Modona, essendo stato visitato da alcuni di loro, li haveva dimostrato grande amorevolezza et scusatosi con loro e quasi dimandatogli perdonanza dell'haverli altre volte travagliati per le cose della fede". La citazione, già utilizzata dal Firpo, è tratta dalla testimonianza di Giovan Battista Scotti, negli atti del processo intentato dall'inquisizione contro il Morone; cfr. FIRPO, cit., p. 109, n 228.

30) Ibidem, p. 45, n 15.

31) La citazione è del cardinale Giovanni Morone: cfr. FIRPO, cit., pp. 56-57.

32) Cfr. G. VASARI, *Le vite de' più eccellenti pittori, scultori ed architetti*, 1568, ed. a cura di G. Milanesi, VI, Firenze 1880, pp. 470-471.

33) A Modena erano custoditi almeno tre dipinti del Correggio: *Lo sposalizio mistico di santa Caterina* (Paris, Musée du Louvre), già in casa del fondatore dell'Accademia, Giovanni Grillenzoni; *La Madonna col Bambino e angeli adorata dai ss.Sebastiano, Geminiano e Rocco* (Dresda, Gemäldegalerie), in origine sull'altar maggiore della confraternita di S. Sebastiano; *La Madonna col Bambino in trono adorata dai ss.Geminiano, Giovanni Battista, Giorgio, Pietro martire e angeli* (Dresda, Gemäldegalerie), già nell'oratorio della scuola di S. Pietro Martire. Non andrà dimenticata inoltre la *Madonna col Bambino* (*alias Madonna Campori*), un tempo nella cappella del castello di Soliera, poco distante da Modena.

34) Il primo fu francescano, oltre che medico e letterato, mentre il Vermigli fu agostiniano e teologo riformato: cfr. R. H. BAINTON, *Bernardino Ochino, esule riformatore senese del '500*, Firenze 1941; M. W. ANDERSON, *Peter Martyr a reform in exile (1542-1562). A chronology of biblical writings in England and Europe*, Nieunieuwkoop 1975; FIRPO, cit.

35) Cfr. FIRPO, cit., pp. 40-41.

36) La citazione è tratta da *Della tragedia di M. Francesco Negri Bassanese, intitolata libero arbitrio*, Bassano, ed. 1500 [ma 1551], p. b 6 r., ed è già stata utilizzata da Firpo, cit, p. 57, n 54; per il dissenso religioso a Modena si veda anche A. BIONDI, *La cultura a Modena tra Umanesimo e Controriforma*, in 'Storia illustrata di Modena', fasc. 27, Milano 1990.

37) La citazione è riportata da Firpo, cit., p. 48, n 25.

38) Cfr. LANCILLOTTI, *alias* Tommasino de Bianchi, detto Lancillotti, *Cronaca modenese*, voll. XII, in 'Monumenti di storia patria delle provincie modenesi. Serie delle cronache', 1888-1889, vol. VI, p. 197.

39) Cfr. LANCILLOTTI, cit., vol. VII, p. 113.

40) FIRPO, cit., p. 106.

41) Cfr. A. CARO, *Apologia degli Academici di Banchi di Roma contra M. Lodovico Castelvetro da Modena*, Parma 1558, p. 6.

42) Cfr. L. VEDRIANI, *Raccolta dè pittori, scultori et architetti modonesi più celebri*, Modena 1662, pp. 39, 63.

43) Cfr. FIRPO, cit., p. 58, con bibliografia precedente.

44) Cfr. N. BERNABEI, *Vita del card. G. Morone*, Modena 1885.

45) Cfr. A. VENTURI, *L'oratorio dell'Ospedale della Morte*, in 'Atti e Memorie delle RR. Deputazioni di Storia Patria per le Provincie Modenesi e Parmensi', S. III, vol.III, 1885, pp. 270-272.

46) VENTURI, cit., p. 271, n 3.

47) Ibidem.

48) Qualcosa del genere accadde sull'altro fronte - quello della controriforma - quando i monaci modenesi di San Pietro incaricarano Girolamo Romanino e Lattanzio Gambara di eseguire rispettivamente per la loro chiesa una *Vocazione di san Pietro* (1557/58, ancor'oggi esistente) e una *Madonna con san Luigi di Francia* (1571, andata dispersa in epoca imprecisata): cfr. D. BENATI, *Presenze modenesi e forestiere nella seconda metà del Cinquecento*, in *San Pietro di Modena mille anni di storia e di arte*, Milano 1984, p. 111, n. 56, fig. 101, con bibliografia precedente.

49) VEDRIANI, cit., p. 65.

50) Cfr. TIRABOSCHI, p. 229.

51) Ibidem.

52) D'altra parte che l'opinione del Tiraboschi fosse coerente con l'abito religioso da lui indossato risulta evidente, non tanto per i rimproveri indirizzati da questi al letterato Lodovico Castelvetro, quanto piuttosto per il fatto che egli abbia quasi taciuto, minimizzandole, le accuse di eresia mosse contro il medesimo.

53) Cfr. FIRPO, cit., pp. 100-111; PIVA, cit., pp. 13-21, con bibliografia precedente.

54) T. FOLENGO, *Maccheronee*, II, v.107; cfr.Trenti, cit., p. 48, n 84, con bibliografia precedente.

55) Questo era l'espediente suggerito da Celio Secondo Curione che consigliava di seguire l'esempio di Nicodemo (uno dei principali capi dei Giudei e membro del Sinedrio al tempo di Gesù) che per non essere visto dai suoi correligionari andava di notte a trovare Gesù per interrogarlo sul regno di Dio: "io consiglio...che a guisa di Nicodemo vadano di notte al signore...e si tratenghino tra i limiti della fede loro" (cfr. M. TURCHETTI, *Nota sulla religiosità di Celio Secondo Curione (1503 - 1569) in relazione al Nicodemismo*, in *Libri, idee e sentimenti religiosi nel Cinquecento italiano*, atti del convegno 3-5 aprile 1986, Modena 1987, p. 113).

56) Tra i letterati che imboccarono la via dell'esilio basterà ricordare almeno Ludovico Castelvetro; mentre ben poco sappiamo sugli artisti modenesi che, come Nicolò dell'Abate, si recarono fuori dall'Italia in quegli anni tormentati.

1. *Anonimo pittore veneto-lombardo,* Tabula Cebetis, *Parigi, Musée du Louvre.*

2. *Anonimo pittore veneto-lombardo,* Tabula Cebetis *(particolare), Parigi, Musée du Louvre.*

3. *Anonimo pittore veneto-lombardo,* Tabula Cebetis *(particolare), Parigi, Musée du Louvre.*

4. *A. Fontana,* Putti vendemmiatori, *Modena, Galleria Estense.*

5. *Anonimo pittore veneto-lombardo,* Tabula Cebetis *(particolare), Parigi, Musée du Louvre.*

6. *Nicolò dell'Abate,* Autoritratto *(?) (particolare), Modena, Galleria Estense.*

7. *Nicolò dell'Abate,* Caccia col falcone *(particolare), Modena, Galleria Estense.*

8. *Anonimo pittore veneto-lombardo,* Tabula Cebetis *(particolare), Parigi, Musée du Louvre.*
9. Colonne e arco, *Modena, Monastero di San Pietro.*
10. *A. Sansovino,* Sant'Anna, la Madonna e il Bambino, *Roma, chiesa di Sant'Agostino.*

11. *P. Munari,* Natività con angeli, san Giuseppe e due sibille, *Modena, Galleria Estense.*

12. G. Pagani, Sposalizio mistico di santa Caterina e santi, *Modena, Galleria Estense.*

13. *Nicolò dell'Abate,* L'incontro di Decimo Bruto con Ottaviano *(particolare), Modena, Palazzo Comunale.*
14. *Correggio,* Sposalizio mistico di santa Caterina, *Parigi, Musée du Louvre.*

DANIELE SANGUINETI

DISEGNI DI CASA PIOLA E GREGORIO DE FERRARI PER IL "TACCUINO" DI ANTON MARIA MARAGLIANO
Approfondimenti di un percorso "rocaille"*

Le accurate analisi e i molteplici studi dedicati alla cultura figurativa genovese della seconda metà del Seicento hanno permesso di focalizzare assai dettagliatamente un contesto artistico nel quale era venuta ad affermarsi una interpretazione tutta particolare del barocco romano, che, nella proclamazione di una *koinè* delle arti "decisamente genovese"[1] e di una spiccata predilezione per l'elemento decorativo, giungeva ad assumere, per certi aspetti, precorritrici connotazioni settecentesche[2].

Questo itinerario, totalmente percorso da Gregorio de Ferrari[3] in campo pittorico e da una schiera di stuccatori, cesellatori, "fraveghi", ricamatori e intagliatori, fu preparato e favorito, in un gioco complesso di interscambi e relazioni tra le arti, da svariati episodi interagenti[4], tra cui il fecondo soggiorno genovese dello scultore Pierre Puget, la sua eredità raccolta da Filippo Parodi, il ruolo di sintesi svolto dai pittori di Casa Piola[5].

La necessità di insistere sull'inserimento di Anton Maria Maragliano[6] in tale ambito artistico scaturisce non solo da una ancor viva urgenza di riabilitare lo scultore relegato, fino a pochi decenni fa, nella sfera dell'artigianato ligneo e ritenuto esponente di un'espressione artistica qualificata come "popolare", ma soprattutto dal particolare ruolo assunto di unico rinnovatore della tradizione lignea genovese e di aggiornato detentore del monopolio produttivo, in stretto contatto con la poetica di vera e propria avanguardia veicolata dagli amici pittori.

La già delineata formazione del Maragliano ha permesso di individuare la tramatura di un tessuto costituito da complessi elementi: dalle suggestioni derivanti dalla produzione primo seicentesca dei Bissoni e di Marc'Antonio Poggio, tra realismo e primi rinnovamenti in senso barocco[7], all'acquisizione di una particolare sensibilità al decoro ornamentale stimolata dall'apprendistato presso lo zio "bancalaro" e approfondita con l'esperienza collaborativa svolta presso la bottega dei Torre[8]. Un iter insolito quello di Anton Maria, incentrato su una personalissima osservazione dei testi figurativi disponibili da cui carpire informazioni tecniche e compositive e impostato su una capacità di sintesi tale da emergere sul coevo ambiente della produzione lignea, costituito da bancalari, scultori foresti o più spesso artisti dediti solo marginalmente al legno[9]: proprio per l'abilità acquisita nella statuaria e la capacità di trattare l'ornamento, Maragliano riuscì ben presto a proporsi come l'unico scultore ligneo altamente specializzato e in grado di comprendere l'aggiornata cultura artistica propagandata da Casa Piola e da Gregorio de Ferrari.

Nel corso degli anni Ottanta Maragliano, al termine dell'apprendistato, iniziava un periodo collaborativo con i Torre e avviava una primissima attività, per ora ancora poco documentata ma certamente già feconda se compresa da Pierre Puget che, secondo un'annotazione di Carlo Giuseppe Ratti, "fu amico di Filippo Parodi, estimatore del Maraggian, legato in amistà col Piola"[10]. La presenza di Anton Maria Maragliano nella ristretta cerchia di artisti rinnovatori si configura quasi come l'acquisizione di un ruolo egemonico sulla statuaria lignea locale nell'alveo del clima culturale diretto da Domenico Piola: se il più anziano Filippo Parodi, in seguito all'esperienza romana e alla inaspettata evoluzione da intagliatore a scultore in marmo erede di Puget, avviò un fecondissimo dialogo con Piola prima e Gregorio dopo fondato sulla traduzione scultorea di progetti dai pittori spesso eseguiti[11], anche Maragliano, che dovette non poco osservare le scelte e le creazioni artistiche del collega, inoltrò, bisognoso di disegni stesi in bella forma, uno strettissimo rapporto con i pittori, proseguendo nel legno ciò che il Parodi aveva sviluppato soprattutto nel marmo: un aggiornamento della statuaria rispecchiante fedelmente le innovazioni della pittura e scultura marmorea, attuato in quella particolare accezione, più decorativa che grandiosa, del barocco genovese.

Se le forniture progettuali dei pittori di Casa Piola sono documentate per Filippo Parodi e per Bernardo Schiaffino[12], non si possiedono a tutt'oggi disegni preparatori direttamente riferibili a opere di Anton Maria Maragliano: eppure sia per il vastissimo corpus di disegni pioleschi, alcuni dei quali sicuramente destinabili, da un punto di vista tecnico, ad una resa scultorea, sia per l'imprescindibile necessità di Maragliano - in considerazione di un apprendistato da bancalaro impostato esclusivamente sulla pratica dell'intaglio - di ricorrere ai suggerimenti degli amici pittori, la fornitura di idee disegnate dai Piola è assai probabile, soprattutto per la stesura di quei fogli, spesso menzionati nei contratti, da mostrare poi alla committenza[13].

Nel contratto notarile della cassa processionale rappresentante *San Francesco che riceve le stigmate* (Chiavari, Nostra Signora dell'Orto), commissionata dai confratelli dell'omonimo oratorio chiavarese nel 1715, lo scultore s'impegnava "quanto a lavoro nella cassia, statue e figure (di) fare il tutto in soddisfazione del Sig. Gerolamo Piola", ovvero di scolpire sulla base di un progetto, ora disperso, fornitogli dall'amico pittore[14]; un foglio di Lorenzo de Ferrari - a cui "era frequentemente richiesto del suo disegno, non solo per li lavori di plastica ... ma anche per quei di legno"[15] - raffigurante i *Santi Pietro e Paolo, la Vergine col Bambino e il peccato originale*[16] è una inequivocabile progettazione per una cassa processionale, probabilmente per quella maraglianesca della casaccia genovese dei Santi Pietro e Paolo, ora distrutta. Sempre al gruppo scultoreo della casaccia appena menzionata si doveva inoltre certamente riferire l'inedito disegno di Paolo Gerolamo Piola con i *Santi Pietro e Paolo in adorazione della croce*[17] (fig. 1): specifico e raro studio per una macchina da processione - in considerazione della linea orizzontale che delimita, in basso, la zona risparmiata per il basamento, della tipica impaginazione piramidale e del particolare risalto conferito ai volumi e all'incidenza della luce -, il foglio, unitamente a quello di Lorenzo de Ferrari, doveva essere uno dei numerosi progetti forniti ad Anton Maria per l'elaborazione compositiva e iconografica della cassa dell'oratorio dei Santi Pietro e

Paolo[18], realizzata poi in forme del tutto diverse a giudicare dall'unico elemento superstite, ovvero la statua di *San Pietro* ora conservata nella parrocchiale di Cremeno, dissimile per atteggiamento e fattezze alle figure dello stesso santo contenute nei disegni[19].

Un altro foglio di stretto ambito piolesco, rappresentante il *Martirio di san Bartolomeo*[20], con caratteristiche tecniche e compositive tipiche di una progettazione per cassa processionale, è affiancabile ma non riferibile al gruppo, di identico soggetto, ora nell'omonimo oratorio di Varazze; inoltre svariati disegni di Domenico Piola e Gregorio de Ferrari con decorazioni di *Poppe di navi*[21], alcuni assai accurati da un punto di vista tecnico e di realizzazione tridimensionale, potevano certamente essere destinati ad Anton Maria che, come Pierre Puget, Onorato Pellè e Filippo Parodi, aveva eseguito trionfali apparati decorativi per vascelli e galee su richieste di alto rango[22].

In tutta la vasta produzione maraglianesca sono poi così frequenti spunti compositivi e citazioni impaginative dedotte dal vastissimo panorama artistico genovese da ipotizzare anche una completa autonomia dell'artista nel selezionare e rielaborare immagini sul piano della progettazione a lui più congeniale, cioè nel bozzetto in duttili materiali[23]. I disegni dei Piola e le più importanti opere di pittura e scultura presenti a Genova o gli appunti romani mediati in particolare da Filippo Parodi[24], fungono da immenso dizionario iconografico, da cui trarre le più molteplici invenzioni e dal quale ricavare spunti variamente declinabili: ad esempio dalle innumerevoli tele con la *Pietà* eseguite da Valerio Castello, lo scultore pare dedurre quella tipica linea incurvata del corpo di Cristo presente nei *Compianti* di San Filippo Neri e di San Matteo (Genova), nel disegno di Valerio *Comunione di una santa* si scorge un'idea recitativa per la *Santa Teresa* di Tenerife, mentre dal grande dipinto realizzato da Luca Cambiaso per le monache del monastero genovese di Santa Chiara d'Albaro, forse mediato da un disegno piolesco, lo scultore desume l'articolazione schematica e l'intreccio gestuale per la complessa *Deposizione* già in Nostra Signora della Pace (Genova, Nostra Signora della Visitazione)[25].

È innegabile che nel vasto e prezioso repertorio di idee e immagini presente nella bottega maraglianesca fosse preponderante e continuativo l'utilizzo di elementi compositivi e tipologici tratti da dipinti e disegni di Casa Piola, anche in seguito alla morte di Domenico e Paolo Gerolamo: già il Ratti ricordava che a Maragliano "giovolli l'amicizia del Pittore Domenico Piola, da cui bevve ottimi precetti sul modo di comporre le storie, d'aggruppar le figure, di formare i putti, ed altre specialità da quell'egregio Pittore molto ben possedute"[26], mentre Alizeri riteneva a volte di "aver sott'occhio il Maragliano che dipinga, o i Piola che trattino scalpello", tanto "lo stile di costoro s'attagliava per guisa al (...) gusto di Anton Maria"[27].

Il *corpus* piolesco, soprattutto attraverso il vettore costituito dal foglio da disegno, offre infinite suggestioni per posture e configurazioni[28]: ad esempio, gli innumerevoli disegni di Domenico e dei collaboratori con la *Madonna Assunta o Immacolata* - studi per il totale rinnovamento di una tradizionale iconografia diffusi come tramite di mediazione dei fondamentali prototipi pugetiani - venivano dagli artisti utilizzati per libere traduzioni pittoriche o scultoree. L'inedito foglio, attribuibile a

Paolo Gerolamo Piola, raffigurante la *Vergine Immacolata*[29] (fig. 2) poteva adattarsi a una declinazione pittorica, come nel dipinto di identico soggetto (Genova, oratorio della Morte e Orazione, fig. 3) che parrebbe rivelare il pennello di Anton Maria Piola[30], o migrare in forme tridimensionali, come nelle maraglianesche *Immacolate* della chiesa genovese di San Nicolosio o di Santa Fede (fig. 4). Tali tipologie iconografiche furono più volte affrontate da Maragliano proprio sulla base di una preponderante suggestione compositiva piolesca: l'*Immacolata* nella chiesa di San Teodoro a Genova e l'*Assunta* nel santuario genovese di San Francesco da Paola sono certamente ispirate, nella positura movimentatissima della Vergine svettante e nelle ghirlande di angeli sottostanti, da idee disegnate[31] (fig. 5) o dipinte, poi verificate sui testi tridimensionali di Puget e Filippo Parodi. I festosi grappoli di putti in gloria ampiamente utilizzati dai Piola, come nel disegno *Studio di angeli*[32] (fig. 6), potevano servire da utili riferimenti per le pose e gli intrecci tridimensionali degli angioletti presenti abbondantemente nei gruppi maraglianeschi (fig. 7), oltre che da esempi compositivi utilizzati dagli innumerevoli e anonimi esecutori di figure presepiali. Qualità grafiche del tutto finalizzate ad una soluzione scultorea si scorgono nel disegno con la *Vergine e il Bimbo*[33], anch'esso attribuibile a Paolo Gerolamo Piola (fig. 8): l'incidenza della luce sulle forme anatomiche e sui panneggi, la vasta zona d'ombra indicatrice, in prossimità della zona sinistra, delle profondità tridimensionali e l'assenza di segni sul fondo, inducono a ipotizzare tale soluzione e a ritenere che Maragliano componesse opere come la *Madonna del Rosario* di Genova Montesignano (fig. 9) avendo sottomano simili fogli[34]. E ancora, i disegni pioleschi con l'*Angelo custode*[35], il *Battesimo di Cristo* e l'*Orazione di Cristo nell'orto*[36] potrebbero aver suggestionato l'artista nell'esecuzione dei suoi gruppi scultorei, mentre il foglio rappresentante *Angeli in adorazione del Santissimo Sacramento* di Paolo Gerolamo Piola[37] (fig. 10) ricorda, nella corona di testine angeliche, le raggiere di nubi e angioletti che svettano nelle casse del *Battesimo di Cristo* (Pieve di Teco, San Giovanni Battista) e della *Annunciazione* (Spotorno, oratorio della Santissima Annunziata, fig. 11).

Nelle opere maraglianesche non si riscontrano soltanto generici spunti compositivi, ma anche riferimenti ben precisi a opere dell'ambiente piolesco: una vera e propria citazione letterale da un dipinto di Domenico, già più volte rilevata da Fausta Franchini Guelfi, è presente nella cassa con *Sant'Antonio contempla la morte di san Paolo eremita* (Mele, oratorio di Sant'Antonio Abate), nella quale l'episodio centrale dell'anima del santo, rappresentata come un giovane ignudo trasportato in cielo da angeli, è tratta dalla gloria presente nel *Martirio di san Giacomo* dell'oratorio di San Giacomo alla Marina (Genova), in una sorta di spettacolare concretizzazione tridimensionale dell'invenzione pittorica[38]. Identico itinerario di trasformazione scultorea di un'idea disegnata si riscontra nel piccolo gruppo - forse modelletto - con il *Crocifisso tra i santi Pietro e Paolo* (Genova, Nostra Signora delle Vigne, fig. 12), in cui la delineazione gestuale e impaginativa conferita ai due santi venne allo scultore certo suggerita dal disegno di Paolo Gerolamo Piola raffigurante i *Santi Pietro e Paolo in adorazione dello Spirito Santo* (fig. 13), preparatorio per un dipinto non rintracciato[39]. Anche per il grandioso gruppo d'altare raffigurante *San Pasquale in adorazione dell'Eucarestia* (Genova, Santissima Annunziata del Vastato) Anton Maria utilizza, come riferimento compositivo, un disegno di Paolo Gerolamo dal quale riprende poi letteralmente la splendida figura dell'angelo che regge l'ostensorio[40]. Inoltre la presenza progettuale e mediatrice di Paolo Gerolamo è molto probabile nella cassa, esemplata sull'aulica scultura marmorea eseguita da Pierre Puget per i Sauli di Nostra Signora Assunta di Carignano, del *San Sebastiano* (Rapallo, oratorio dei Bianchi), in considerazione della nota attività grafica del giovane Piola su sculture pugetiane, della presenza di un "disegno o sia modello" nominato nel contratto maraglianesco e della affinità tipologica e decorativa tra le armi presenti nel gruppo processionale e di quelle dipinte da Paolo Gerolamo ai piedi del santo nella tela *Vergine con Bimbo e santi Sebastiano, Bernardo e Terenziano* (Rapallo, San Pietro di Novella)[41].

Carlo Giuseppe Ratti pareva elogiare soprattutto quelle opere di Anton Maria nelle quali prevalevano una gestualità e una modalità del panneggiare di fatto strettamente connesse con la maniera pittorica piolesca: scorgendo esclusivamente nella produzione maraglianesca l'espressione scultorea di quella pittura, più corretta e composta, sorta all'interno di Casa Piola in seguito ai contatti romani e maratteschi di Paolo Gerolamo Piola, Domenico Parodi e Lorenzo de Ferrari - fra la fine del Seicento e gli inizi del Settecento - il Ratti, considerando "cose di special distinzione"[42] il *Battesimo di Cristo* in San Francesco d'Albaro (Genova) e la *Madonna del Carmine* in Santa Fede (Genova) - ritenuti veri e propri corrispettivi tridimensionali dello stile piolesco - tace non a caso la rilevante presenza nell'opera dello scultore di quella nuova cultura che aveva in Gregorio de Ferrari il massimo rappresentante[43]. Molto spesso infatti se da un punto di vista compositivo l'artista ricorre a modelli generalmente pioleschi, a livello linguistico, nella levità e nell'aereo movimento delle forme, interpreta "a tutto tondo" suggestioni derivanti dalla poetica di Gregorio: nel *San Michele arcangelo* di Celle Ligure la citazione letterale della tela di identico soggetto eseguita dal pittore per la chiesa di Nostra Signora delle Vigne va oltre il semplice riferimento impaginativo[44], che poteva essere suggerito anche da numerosi disegni pioleschi circolanti[45], per raggiungere, attuando in parte una traslazione scultorea delle modalità pittoriche del de Ferrari, una consonanza fortissima di intenti. Maragliano, pur nella formazione di una esperienza personalissima, mostra già nel 1694, con la cassa per Celle Ligure, una vocazione particolare verso un decorativismo delle forme, estremizzato a tal punto da investire di valenze puramente ornamentali anche i dati somatici: l'origine di un tale innovativo linguaggio scultoreo è estremamente riferibile a quel fermento culturale nato dai contatti di Gregorio con gli stuccatori lombardi e ticinesi, attivi a Genova e nei paesi dell'area tedesca, e dalla già sottolineata predisposizione decorativa presente in terra genovese, ancor più avvertita da quella categoria di bancalari presso cui Maragliano si forma[46]. Come Gregorio si fa portavoce di valenze artistiche pre-settecentesche - scegliendo un segno fluido e un colore velato e l'uso di tecniche operative interferenti nell'illusionistico passaggio dall'affresco allo stucco per una materializzazione della figura dipinta - , e come Filippo Parodi partecipa ad una "identità di sentire e di capire la materia, di plasmare plastica e pittura nel continuo trasmutare di forme"[47] comune al pittore, anche Maragliano riesce a comprendere le innovazioni di vera e propria avanguardia, attuando nella scultura lignea genovese una "metamorfosi del barocco" verso accezioni settecentesche[48]. E proprio il *San Michele arcangelo* si pone come il primo testo figurativo documentato di quelle interessanti anticipazioni culturali settecentesche che costituiscono il filone più spontaneo della produzione maraglianesca, in stretta sintonia con il clima di Gregorio, il quale potrebbe essere certamente intervenuto con uno specifico ausilio disegnato, simile allo studio per la pala delle Vigne[49]: è inoltre sintomatico ricordare, a completamento di quella interferenza di ruoli generatrice nelle arti visive genovesi di una "ambiguità di percezione"[50], che Gregorio era solito "modellare figure, che poi gettava in gesso e in cartapesta, e coloritele ne facea dono agli Amici"[51]; si trattava forse degli amici scultori Filippo e Anton Maria partecipi di quello stesso clima di totale decorativismo pre-settecentesco nel quale, consegnati i "presupposti del Barocco a una sensibilità più alleggerita", si stavano a Genova superando i già liberissimi schemi del francese Bèrain[52]?

Il nuovo linguaggio, germinato quasi spontaneamente in un humus fecondo di fantasiose possibilità di rinnovamento decorativo, trasmigra nell'opera maraglianesca filtrato dal preponderante ruolo di Gregorio de Ferrari, dall'attività di una serie di artigiani altamente specializzati, dalla indifferenziata circolazione tra le diverse botteghe di repertori di decori e dai probabili contatti con le novità scultoree delle regioni alpine e lombarde, mediate ad esempio da Giacomo Bertesi a Genova e da Filippo Parodi a Venezia e a Padova, tramite conoscitivo e propulsivo, quest'ultimo, dei Fantoni e di Andrea Brustolon[53]: i fogli di Gregorio *Progetti per fregi*[54] (fig. 14), conservati a Palazzo Rosso e raffiguranti l'uno cartelle alternate a conchiglie con motivi floreali finali e una nicchia centrale con busto, l'altro una raffinatissima decorazione a fogliami, esemplificano l'utilizzo di elementi riscontrabili anche negli intagli di numerosi mobili e tavoli da muro e presenti poi nei seggi delle maraglianesche *Madonne del Rosario* di Voltaggio e San Desiderio[55].

Maragliano, percorrendo una griglia evolutiva impostata sullo studio di un realismo derivante dalle opere dei Bissoni e di Marc'Antonio Poggio (assai vicine alla plastica dei Sacri Monti piemontesi-lombardi)[56] e sull'acquisizione, attraverso Puget, Piola e Filippo Parodi, di stimoli barocchi, giunge a stemperare la spettacolare lezione berniniana in vaporosità settecentesche: suggestivo tramite per la cultura romana di tardo Seicento fu senz'altro anche quel Giovanni Palmieri - argentiere e intagliatore di recente focalizzato da Piero Boccardo - attivo a Genova per i Brignole-Sale ed esecutore, qualche anno prima dello scoccare del nuovo secolo, dello spettacolare "letto Brignole" progettato dallo stesso Gregorio, in seguito smontato e aggregato a costituire la *Specchiera* di Palazzo Rosso, da sempre ritenuta opera di Filippo Parodi[57].

Accanto all'innegabile iter linguistico emerge l'abilità nel variare le intonazioni in base alle richieste di un'articolata ed esigente committenza desiderosa di tradizionali iconografie: il carattere penitenziale delle *Deposizioni* e di alcuni *Crocifissi*, dalle valenze teatrali e dal rilievo fortemente contrastato, convive con l'aulica connotazione di oggetti scultorei, come le *Allegorie*

Spinola[58] (Genova, collezione privata), finalizzati all'arredo di ricche dimore e con la liberissima interpretazione arcadica di gioiosi eventi, sacri o profani. È questo, si diceva, quel filone innovativo che avvicina Anton Maria a Gregorio: la raffinatissima grazia della *Vergine Annunziata*, dalla leziosa postura e dai panneggi vitalizzati, presente nella cassa savonese sembra formalmente derivare dalla leggiadra *Figura allegorica*[59] nel disegno di Palazzo Rosso (fig. 15) o dalla figura mitologica assisa sopra il cornicione della galleria del *Trionfo d'Amore* nel Palazzo di Francesco Maria Balbi, i cui panneggi si mutano in svolazzi di stucco; gli ignudi presenti alla scena sacra del *Battesimo di Cristo* di Pieve di Teco corrispondono alle personificazioni dei segni zodiacali, ed in particolare *Sagittario e Pesci*, affrescati dal pittore nei sovrapporta del Palazzo di Francesco Maria Balbi; gli angeli recitanti nelle *Tentazioni di sant'Antonio Abate* (Chiavari, Nostra Signora dell'Orto) ricordano, nei guizzi delle pose e nei panneggi dalle ampie e movimentate pieghe, le figure dipinte nella sala dell'Estate in Palazzo Rosso o l'angelo dall'ardita curvatura nella tela *Visione di San Nicola da Tolentino* (Genova Sturla, Santissima Annunziata), mentre l'angioletto che fa capolino dal manto della Vergine nella cassa con l'*Apparizione della Madonna a San Martino* (già a Sampierdarena, oratorio di San Martino) trova un felice corrispettivo nei putti che sorreggono Aurora nel disegno *Aurora con il carro del Sole*[60]. Lo spirito scopertamente rocaille apre, laddove l'iconografia lo permette, spiragli ad una visione figurativa scenografica, luminosa ed elegantissima: palpitanti drappi che circondano a spirale le aggraziate *Vergini*, come quelle nelle chiese genovesi di Santa Maria di Castello e delle Figlie di san Giuseppe (fig. 16), figurette di santi dal modellato morbidissmo, come il *San Giuseppe col Bimbo*[61] (Genova, convento del Santissimo Sacramento), dinamiche sculture proiettate obliquamente nello spazio, come la Vergine nella cassa *Visione in Patmos* (Ponzone d'Acqui, oratorio di San Giovanni Evangelista, fig. 17) o le allegorie collocate sul monumentale *Orologio Spinola*[62] (ubicazione sconosciuta), raggiungono esiti di estrema raffinatezza formale, accentuati dalla smagliante policromia scintillante di ori e di argenti, di fiorami e cartousches. I volti levigati ed estremamente rifiniti nelle morbide bocche schiuse, negli affilati nasi, nelle sopracciglia arcuate, i capelli capricciosamente stilizzati, le carni rese con virtuosistica morbidezza, i panneggi che confluiscono in rivoli fratti per raggiungere forme quasi astratte e decorative concorrono alla creazione di un altissimo linguaggio che, nella tecnica esecutiva e nell'abilità realizzativa, approda ad una freschezza unica nel panorama contemporaneo genovese e precorritrice del più splendente rococò francese, austriaco e tedesco di pieno Settecento. L'anticipo sulla corrente settecentesca attuato a Genova alla fine del Seicento, se ha in Gregorio de Ferrari il maggior esponente in campo pittorico, certamente trova in Anton Maria Maragliano, che con Gregorio doveva comunque intrattenere probabili relazioni e utilizzare idee compositive, il più interessante precursore nel campo della scultura lignea: è assai suggestivo considerare che, allorquando Maragliano realizzava le sue più libere composizioni, a partire dal secondo decennio, contemporaneamente Aegid Quirn Asam[63] eseguiva, a conoscenza del versante più sensibile della scuola berniniana, la grandiosa *Assunzione di Maria* nell'Augustinerkirche di Rohr, e Balthasar Permoser[64], che aveva transitato da Genova in epoca posteriore al 1670, percorreva un iter linguistico totalmente rococò. Dal più volte citato *San Michele di Celle* (1694), il cui generale andamento delle forme crea un unico fantasioso arabesco, il filone rococò permane in Anton Maria fino alla tarda attività: il *San Pasquale in adorazione dell'Eucarestia*, realizzato nel 1735 nella chiesa della Santissima Annunziata del Vastato (Genova), è risolto come un "quadro di scultura" che, nell'estrema bellezza delle figure efebiche e nella scenografica e vertiginosa apparizione delle ghirlande angeliche, diviene incantata apparizione nello spazio della cappella. Potrebbero scorgersi "*in nuce*" tutti gli elementi che verranno estremizzati, approdando al più sfarzoso e maturo Settecento, nei monumentali apparati di decorazione scultorea eseguiti nelle chiese della Baviera *rocaille* da Ignaz Gunter[65]: pur nell'assenza, per ora, di documenti che attestino contatti vicendevoli con la Baviera, piace proporre una comparazione linguistica di più ampio respiro quale interessante indirizzo di ricerca tutto da indagare.

* *Mi è gradito ringraziare per la premura dimostratami* Anna De Floriani, Fausta Franchini Guelfi *e* Gianluca Zanelli. *A* Piero Boccardo *un ringraziamento particolare per la costante disponibilità.*

Note

1) E. GAVAZZA, *Nota su Andrea Carlone. Il fregio della Sala Verde di Palazzo Altieri a Roma*, in 'Arte Lombarda', 1963, 2, p. 246. In tale studio viene per la prima volta introdotto il concetto di *koinè* artistica, applicato alla storia delle arti genovese, poi approfondito nel saggio: EAD., *Apporti lombardi alla decorazione a stucco tra 600 e 700 a Genova*, in *Arte e artisti dei laghi lombardi*, Atti del convegno (1961), Como 1964, II, pp. 49-70. Già il Grosso, ma ancora all'interno di una rigorosa settorialità di studi e gerarchia delle arti, aveva sottolineato la coerenza di stucchi, mobili, stoffe, inseriti con omogeneità in un ambiente, e l'invenzione spesso dovuta ai pittori: O. GROSSO, *La decorazione degli ambienti genovesi*, in 'Gazzetta di Genova', ottobre-novembre 1915; ID., *Decoratori genovesi*, Roma 1921.

2) I principali studi su tale aspetto della cultura figurativa genovese tra 600 e 700 sono: E. GAVAZZA, *Nota*... cit.; EAD., *Contributo a Gregorio de Ferrari*, in 'Arte Antica e Moderna', 1963, 24, pp. 326-327; EAD., *Apporti* ... cit; E. ARSLAN, *Premessa*, in *Arte e artisti* ...cit., 1964, II, pp. IX-XVI; A. GRISERI, *Le metamorfosi del barocco*, Torino 1967; F. FRANCHINI GUELFI, *Appunti su alcuni problemi della cultura figurativa a Genova alla fine del Seicento*, in 'Pantheon', 1975, 4, pp. 318-327; E. GAVAZZA, *Problemi relativi alla cultura di decorazione del primo Settecento a Genova*, in 'Studi di Storia delle Arti', 1977, pp. 121-129; F. FRANCHINI GUELFI, *Theatrum sacrum: materiali e funzioni dell'apparato liturgico*, in *Apparato liturgico e arredo ecclesiastico nella Riviera Spezzina*, 'Quaderni del Catalogo dei Beni Culturali n. 5', Genova 1986, pp. 9-19; E. GAVAZZA, *La scultura di immagine. Marmo e stucco per la scena di celebrazione e il decoro degli interni*, in *La scultura a Genova e in Liguria. Dal Seicento al primo Novecento*, Genova 1988, pp. 176-197; F. FRANCHINI GUELFI, *Il Settecento. Theatrum sacrum e magnifico apparato*, in *La scultura* ..., 1988, pp. 215-276; E. GAVAZZA, *Cultura pittorica a Genova nella prima metà del Settecento*, in *Pittura toscana e pittura europea nel secolo dei lumi*, Atti del Convegno (1990), a cura di R. P. CIARDI - A. PINELLI - C. M. SICCA, Pisa 1993, pp. 18-24; EAD., *Quadraturismo e quadratura: dallo spazio illusivo alla struttura di decorazione*, in *Metodologia della ricerca: orientamenti attuali - Parte seconda*, Atti del Congresso Internazionale in onore di E. Battisti, in 'Arte Lombarda', 1994, 110-111, pp. 17-21; EAD., *Stucco e decorazione fra Sei e Settecento a Genova. Le connessioni di Lombardia*, in *Artisti lombardi e centri di produzione italiani nel Settecento. Interscambi, modelli, tecniche, committenti, cantieri. Studio in onore di Rossana Bossaglia* a cura di G. C. SCIOLLA - V. TERRAROLI, Bergamo 1996, pp. 18-23; EAD., *Disegni di progetto per la decorazione settecentesca a Genova. Un contributo per Lorenzo de Ferrari*, in c.d.s.

3) Per il protorococò di Gregorio de Ferrari: A. GRISERI, *Per un profilo di Gregorio de Ferrari*, in 'Paragone', 1955, 67, pp. 22-46; E. GAVAZZA, *Contributo*... cit.; A. GRISERI, *Gregorio de Ferrari*,

Milano 1966; A. GRISERI, *Le metamorfosi...* cit., pp. 210, 217, 255; R. WITTKOWER, *Art and Architecture in Italy: 1600 to 1750*, Harmondsworth 1958, ed. ital. Torino 1972, p. 295; E. WATERHOUSE, *Italian Baroque Painting*, London 1962, p. 223; E. GAVAZZA, *Problemi* ... cit.; G. BRIGANTI, *Premessa*, in *La Pittura in Italia. Il Settecento*, Milano 1990, I, p. 11; E. GAVAZZA - F. LAMERA - L. MAGNANI, *La Pittura in Liguria. Il secondo Seicento*, Genova 1990; L. GHIO - M. BARTOLETTI, *La Pittura del Settecento in Liguria*, in *La Pittura in Italia*... cit., I, pp. 15-32; E. GAVAZZA, *Pittori e committenti per una nuova immagine*, in *Genova nell'età barocca*, catalogo della mostra (Genova) a cura di E. GAVAZZA - G. ROTONDI TERMINIELLO, Bologna 1992, pp. 55-73; EAD., *Cultura pittorica...* cit.; EAD., *Quadraturismo*... cit.; EAD., *Stucco*... cit. Per Gregorio de Ferrari: M. NEWCOME, *Gregorio de Ferrari*, Torino 1998.

4) E. GAVAZZA, *Puget e gli artisti genovesi: l'incontro tra due culture*, in *Pierre Puget (Marsiglia 1620-1694). Un artista francese e la cultura barocca a Genova*, catalogo della mostra (Genova), Milano 1995, pp. 74-81.

5) Per Pierre Puget: K. HERDING, *Pierre Puget. Das Bildnerische Werk*, Berlin 1970; L. MAGNANI, *Pierre Puget a Genova per una committenza aggiornata*, in *La scultura* ...cit, pp. 135-142; ID., *La scultura dalle forme della tradizione alla libertà dello spazio barocco*, in *Genova nell'età* ... cit., pp. 291-302; *Pierre Puget. Peintre, sculpteur, architecte 1620-1694*, catalogo della mostra, Marsiglia 1994; *Pierre Puget* ... cit.
Per Filippo Parodi: P. ROTONDI BRIASCO, *Filippo Parodi*, Genova 1962; L. MAGNANI, *Filippo Parodi*, in *Genova nell'età* ...cit., pp. 311-325 (con bibl. precedente); P. BOCCARDO, *Novità su Gregorio de Ferrari e Filippo Parodi. I progetti per la tomba del doge Francesco Morosini e alcuni inediti*, in 'Bollettino dei Musei Civici Genovesi', 1993, 43-45, pp. 39-52; ID., *Gregorio de Ferrari, Giovanni Palmieri, Bartolomeo Steccone and the furnishings of the Palazzo Rosso, Genoa*, in 'The Burlington Magazine', 1996,1119, pp. 364-375. Per una sintesi bibliografica riguardante Domenico Piola e la sua bottega: F. LAMERA, *Domenico Piola*, in E. GAVAZZA - F. LAMERA - L. MAGNANI, *La Pittura* ... cit., pp. 429-432; R. DUGONI, *Domenico Piola*, in *Genova nell'età* ... cit., pp. 230-242.

6) Per Anton Maria Maragliano: G. COLMUTO, *L'arte del legno in Liguria: A. M. Maragliano (1664-1739)*, Genova 1963; F. FRANCHINI GUELFI, *Anton Maria Maragliano*, in *Genova nell'età* ... cit., pp. 310-311 (con bibl. precedente); D. SANGUINETI, *Progettazione ed esecuzione nella bottega di Anton Maria Maragliano. Aggiunte al catalogo*, in 'Studi di Storia delle Arti', 1995-1996, 8, pp. 153-168; ID., *Anton Maria Maragliano e la committenza francescana genovese*, in 'La Casana', 1996, 3, pp. 22-31; ID., *La formazione di Anton Maria Maragliano: dalla tradizione della scultura lignea genovese alla cultura figurativa rocaille*, in 'Arte Cristiana', 1996, 774, pp. 197-213; ID., *Anton Maria Maragliano. Legni, scalpelli e foglia d'oro*, in c.d.s.

7) Per una storia della scultura lignea genovese antecedente al Maragliano: F. FRANCHINI GUELFI, *Le Casacce. Arte e tradizione*, Genova 1973, pp. 29-81.

8) D. SANGUINETI, *La formazione* ... cit., pp. 198, 204 n 23.

9) Per i Bancalari: F. FRANCHINI GUELFI, *La scultura lignea*, in *La scultura* ... cit., scheda n. 8, p. 286; R. PONTE, *L'arte del legno a Genova nei documenti dell'Archivio Storico del Comune*, in *Museo di Sant'Agostino. Sculture lignee e dipinti su tavola*, a cura di I. M. BOTTO, Bologna 1994, pp. 35-38. Sono assai scarse le documentazioni relative alle personalità dedite all'arte dell'intaglio ligneo della seconda metà del Seicento: oltre ai Torre (F. FRANCHINI GUELFI, *Le Casacce* ... cit., pp. 71-76), all'iniziale attività di Filippo Parodi (P. ROTONDI BRIASCO, *Filippo Parodi maestro nell'intaglio*, in 'Bollettino d'Arte', 1959, gennaio-febbraio, pp. 45-56; L. MAGNANI, *L'intaglio tra apparato e statuaria: l'idea di scultura di Filippo Parodi*, in *La scultura* ... cit., pp. 127-134) e alla sfuggente personalità di Pier Maria Ciurlo (D. SANGUINETI, *Ciurlo Pier Maria*, in *Allgemeines Künstler-Lexikon*, in c.d.s.), si ignorano i nomi di altri artisti esclusivamente specializzati nella scultura lignea; tra i foresti Onorato Pellè (D. SANGUINETI, *Honorè Pellè: Cristo appare ai santi Giacomo e Leonardo*, in *San Giacomo della Marina. Un oratorio di casaccia a Genova nel cammino verso Compostella*, a cura di G. ROTONDI TERMINIELLO, Genova 1996, pp. 114-116) e Francesco La Croix (V. BELLONI, *La grande scultura in marmo a Genova (secoli XVII e XVIII)*, Genova 1988, pp. 152-153) restano ancora scarsamente focalizzati.

10) C. G. RATTI, *Storia dè pittori, scultori et architetti liguri e dè forestieri che in Genova operarono scritte da Giuseppe Ratti savonese in Genova MDCCLXII*, Genova, Archivio Storico del Comune, ms. 44, c. 199v.; D. SANGUINETI, *Vita di Pietro Puget*, in *Carlo Giuseppe Ratti. Storia de' pittori scultori et architetti liguri e de' forestieri che in Genova operarono secondo il manoscritto del 1762* a cura di M. MIGLIORINI, Genova 1997,pp. 228-229.

11) P. BOCCARDO, *Novità*... cit., p. 44.

12) F. FRANCHINI GUELFI, *Dal disegno alla scultura: progetti di Paolo Gerolamo Piola e di Domenico Parodi per Bernardo Schiaffino e Francesco Biggi*, in 'Quaderni Franzoniani', 1988, 2, pp. 47-56.

13) D. SANGUINETI, *La formazione*... cit., p. 207 n47.

14) A. FERRETTO, *Un'opera del Maragliano a N.S. dell'Orto*, in 'La Madonna dell'Orto', novembre 1915, pp. 243-244.

15) C. G. RATTI, *Delle Vite dè Pittori, Scultori, ed Architetti genovesi tomo secondo scritte da Carlo Giuseppe Ratti Pittore, e Socio delle Accademie Ligustica e Parmense in continuazione dell'opera di Raffaello Soprani*, Genova 1769, p. 269.

16) Il disegno, di collezione privata, è stato pubblicato in F. FRANCHINI GUELFI, *Un disegno di Lorenzo de Ferrari per una "cassa" processionale*, in 'Studi di Storia delle Arti', 1977, pp. 131-135. M. NEWCOME, *Lorenzo de Ferrari revisited*, in 'Paragone', 1978, 335, p. 71 presenta poi un accuratissimo rifacimento di autore ignoto del disegno del de Ferrari (collezione privata). Entrambi i fogli sono poi riproposti in F. FRANCHINI GUELFI, *Scultura*, in *La Liguria delle Casacce. Devozione, arte, storia delle confraternite liguri*, catalogo della mostra a cura di F. FRANCHINI GUELFI, Genova 1982, II, p. 13 n12.

17) Genova, Gabinetto Disegni e Stampe di Palazzo Rosso (d'ora in poi: GDSPR), inv. 4359, Paolo Gerolamo Piola: matita, penna e inchiostro, pennello e inchiostro acquerellato, biacca, carta azzurrina controfondata, mm 280 x 222. La quadrettatura della parte superiore, in corrispondenza della gloria angelica, suggerisce un successivo impiego decorativo di piccolo formato, forse per un ricamo o più probabilmente per una ceramica.

18) La cassa viene sommariamente descritta dal Ratti secondo una iconografia che richiama il disegno di Paolo Gerolamo e non quello di Lorenzo de Ferrari: "vi si veggono i due Apostoli, e una bellissima Gloria d'Angioli" (C. G. RATTI, *Delle Vite*...cit., p. 167).

19) G. COLMUTO, *L'arte*... cit., p. 252; FRANCHINI GUELFI, *Scultura*... cit., II, p. 13 n 12. (Per tutte le opere di Maragliano citate nel testo si rimanda, salvo altre precisazioni segnalate in singole note, alla monografia sull'artista: D. SANGUINETI, *Anton Maria Maragliano*... cit., in c.d.s.). La scultura citata trova poi un ulteriore sia pur non puntuale riferimento in una delle figure presenti nel disegno di Paolo Gerolamo *Cinque studi per sculture di santi*, nel quale le restanti figure, che per i basamenti e l'impetuosa resa tridimensionale denunciano la finalità scultorea, ricordano opere maraglianesche, come il *San Domenico* e la *Santa Rosa da Lima* della chiesa di San Desiderio (Genova). New York, The Pierpont Morgan Library, 1993-373, Paolo Gerolamo Piola: *Genoa. Drawings and Prints 1530-1800*, catalogo della mostra a cura di C. BAMBACH - W. M. GRISWOLD - N. M. ORENSTEIN - A. PESENTI, New York 1996, p. 82, n. 96. Il santo vescovo del disegno ricorda anche, nella postura, il *Sant'Alberto* di San Siro di Struppa. Un particolare del disegno, relativo a Santa Rosa da Lima, è stato giustamente posto in relazione con la figura della stessa santa - raffigurata a monocromo a simulare una statua - nell'affresco, ora distrutto, nella chiesa dei Santi Giacomo e Filippo (I. M. BOTTO, *Proposta per un catalogo del Museo di Sant'Agostino*, in 'Bollettino dei Musei Civici Genovesi', 1979, 1, pp. 51-74; A. TONCINI CABELLA, *Tracce per opere perdute di Paolo Gerolamo Piola*, in 'Studi di Storia delle Arti', 1995-1996, 8, 117-134).

20) Genova, GDSPR, inv. 4712, Bottega di Domenico Piola: F. FRANCHINI GUELFI, *Martirio di San Bartolomeo*, in *La Liguria* ... cit., II, scheda 47, p. 59.

21) Per un elenco dettagliato dei disegni relativi a progetti per *Poppe di galea*: P. CAMPODONICO, *Tra Seicento e Settecento. Le "nuove navi", le nuove immagini delle navi*, in *Dal Mediterraneo all'Atlantico. La Marineria ligure nei mari del mondo*, catalogo della mostra, Genova 1993, pp. 145-157, 178-179; P. BOCCARDO, *Novità* ... cit., pp. 42, 46 n 24, 47 n 43.

22) Il disegno di Domenico Piola *Progetto per la decorazione di una poppa di galea* (Parigi, Musèe des Arts Dècoratifs, inv. 10.509) è stato riconosciuto come preparatorio alla realizzazione della nave *Paradiso* realizzata da Filippo Parodi nel 1677 (L. MAGNANI, *L'intaglio* ... cit., p. 128). Un ulteriore studio preparatorio si trova a Genova al GDSPR, inv. 4246 (P. BOCCARDO, *Novità* ... cit., p. 47 n44). C. G. RATTI, *Storia* ... cit., c. 152r.; ID., *Delle Vite* ... cit., p. 167.

23) D. SANGUINETI, *Progettazione* ... cit., p. 154.

24) Ad esempio la maschera ghignante del demonio nella cassa raffigurante *San Michele arcangelo* di Celle Ligure, realizzata da Maragliano nel 1694, potrebbe essere derivata da un appunto romano di Filippo relativo all'*Anima dannata* del Bernini ora a Palazzo di Spagna (F. FRANCHINI GUELFI, *Le Casacce* ... cit., p. 87).

25) Parigi. Louvre inv. 9442, Valerio Castello: M. NEWCOME SCHLEIER, *Le dessin à Gênes du XVIe au XVIIIe siècle*, catalogo della mostra, Paris 1985, p. 67 n 54; B. CILIENTO, *Un contratto del Maragliano*, in 'Bollettino Ligustico', 1989, 1, pp. 67-68; J. J.

HERNANDEZ GARCIA, *Importaciones artisticas en Tenerife: una escultura de Santa Teresa por A.M. Maragliano*, in 'El Diaz', 1991, 3 novembre, pp. 56-57. Stoccarda, Staatsgalerie inv. 6385, Domenico Piola: C. THIEM, *Italienische Zeichnungen 1500-1800. Bestandskatalog der Graphischen Sammlung der Staatsgalerie Stuttgart*, Stuttgart 1977, p. 55 n 97.

26) C. G. RATTI, *Delle Vite* ... cit., p. 166.

27) F. ALIZERI, *Guida artistica per la città di Genova*, Genova 1847, p. 843.

28) Per l'attività disegnativa dei Piola: E. MALAGOLI, *The Drawings of Casa Piola*, in 'The Burlington Magazine', 1966, 763, pp. 503-508; E. GAVAZZA, *Una traccia per il disegno genovese tra il Cinquecento e la prima metà del Settecento*, in *Disegni genovesi dal XVI al XVIII secolo dalle collezioni del Gabinetto Nazionale delle Stampe*, catalogo della mostra a cura di G. FUSCONI, Roma 1980, pp. 111-122; M. NEWCOME SCHLEIER, *Disegni genovesi dal XVI al XVIII secolo, catalogo della mostra,* Firenze 1989, pp. 141-167.

29) Genova, GDSPR, inv. 4612, Paolo Gerolamo Piola: matita, penna e inchiostro, pennello e inchiostro acquerellato, carta bianca controfondata, mm 405 x 295.

30) Il dipinto è in ottimo stato conservativo. Esemplato sulla grande tela dell'*Immacolata* nella chiesa di San Francesco a Genova Bolzaneto e su progetti grafici di simile iconografia, come quelli qui proposti (figg. 2, 4), presenta una squisita fattura nella tavolozza cromatica, nella conduzione dei panneggi e delle tipologie fisionomiche. In particolare l'utilizzo di un linguaggio piolesco stemperato ricorda il fare di Anton Maria Piola, a cui si propone di assegnare l'opera: il generale appiattimento dei volumi, l'incupimento della tavolozza cromatica e, soprattutto, le pieghe scorrevoli e il volto della Vergine si ritrovano identici nella *Madonna Addolorata e Santi* in Santa Maria di Bogliasco, eseguita da Anton Maria nel 1697 (A. CABELLA, *La pittura su tela*, in *Santa Maria di Bogliasco. Documenti, Storia, Arte*, a cura di C. PAOLOCCI, Genova 1994, pp. 28-30). Il dipinto è attribuito a Domenico Piola in C. G. RATTI, *Istruzione di quanto può vedersi di più bello in Genova in Pittura, Scultura ed Architettura*, Genova 1766, p. 161; F. ALIZERI, Guida... cit., p. 598.

31) Genova, GDSPR, inv. 4319, Bottega di Domenico Piola: matita, penna e inchiostro, pennello e inchiostro acquerellato, carta bianca controfondata, mm 319 x 206.

32) Genova, GDSPR, inv. 4274, Bottega di Domenico Piola: matita, penna e inchiostro, pennello e inchiostro acquerellato, carta bianca controfondata, mm 321 x 212. Un secondo foglio con *Studi di angeli* è il n. inv. 4273.

33) Genova, GDSPR, inv. 4275, Paolo Gerolamo Piola: matita, penna e inchiostro, pennello e inchiostro acquerellato, carta bianca controfondata, mm 420 x 288.

34) V. BELLONI, *Lo scultore Maragliano (1666-1739) e la quadriglia dei santi*, in 'La Squilla dei Francescani di Recco', 1987, 5, pp. 28-30; F. FRANCHINI GUELFI, *La scultura* ... cit., p. 287.

35) Mosca, Museo Puskin, inv. 1126, Domenico Piola: M. MAISKAYA, *Uomini, Santi e Draghi. Capolavori del Museo Puskin di Mosca. Disegni italiani dal XV al XVIII secolo*, Milano 1992, pp. 150-151.

36) Stoccarda, Staatsgalerie, inv. 6378, Bottega di Domenico Piola; inv. 6350, Paolo Gerolamo Piola (in realtà Domenico Piola): C. THIEM, *Italienische* ... cit., n. 135, p. 67; n. 151, p. 73.

37) Genova, GDSPR, inv. 4269, Paolo Gerolamo Piola: matita, penna e inchiostro, pennello e inchiostro acquerellato, biacca, carta azzurrina scolorita controfondata, mm 219 x 159.

38) F. FRANCHINI GUELFI, *Le Casacce* ... cit., p. 95. Anche l'impaginazione della cassa dell'*Annunciazione* (Savona, oratorio del Cristo Risorto) venne allo scultore certo suggerita dai due dipinti l'uno nella chiesa della Santissima Annunziata del Vastato, l'altro nella chiesa dei Santi Nicolò ed Erasmo di Voltri e da un disegno (Genova, GDSPR, inv. 4499), opere di Domenico (IBIDEM, pp. 109-110).

39) Genova, GDSPR, inv. 4377, Paolo Gerolamo Piola: matita, penna e inchiostro, pennello e inchiostro acquerellato, carta bianca controfondata, mm 258 x 163. Il disegno è citato in: E. GAVAZZA, *Lorenzo de Ferrari*, Genova 1965, pp. 14, 63 n 39; M. NEWCOME, *Paolo Gerolamo Piola*, in 'Antologia di Belle Arti', 1977, 1, pp. 37-56 (in particolare: p. 54).

40) D. SANGUINETI, *La formazione*... cit., p. 207 n 47.

41) Per il San Sebastiano: D. SANGUINETI, *La cassa processionale di San Sebastiano*, in *Restauri nell'oratorio dei Bianchi a Rapallo*, a cura di G. ALGERI, Rapallo 1996, pp. 18-24. Per il dipinto di Paolo Gerolamo Piola: D. SANGUINETI, *Le tele di Domenico e Paolo Gerolamo Piola*, in *Domenico e Paolo Gerolamo Piola nella chiesa di San Pietro a Rapallo*, Rapallo 1997, pp. 4-10.

42) C. G. RATTI, *Delle Vite* ... cit., p. 169.

43) F. FRANCHINI GUELFI, *Le Casacce*... cit., pp. 109-112.

44) EAD., *San Michele arcangelo*, in *Genova nell'età*

... cit., p. 311.

45) Per questi disegni: D. SANGUINETI, *La formazione* ... cit., pp. 200, 208 n 50.

46) È di estremo interesse richiamare qui le origini lombarde dei Torre.

47) E. GAVAZZA, *Quadraturismo*... cit., p. 17.

48) A. GRISERI, *Le metamorfosi* ... cit.

49) Collezione privata, Gregorio de Ferrari: *Disegni dei Maestri dal XVI al XX secolo*, a cura di S. BAREGGI, Milano 1994, pp. 28-29; M. NEWCOME, *Gregorio de Ferrari and the influence of Domenico Fiasella on his work*, in 'Antichità Viva', 1994, 4, pp. 23-31.

50) E. GAVAZZA, *Quadraturismo*...cit., p. 18.

51) C. G. RATTI, *Delle Vite* ... cit., p. 117.

52) A. GRISERI, *Le metamorfosi* ...cit., p. 256.

53) Per Giacomo Bertesi: L. BANDERA GREGORI, *Giacomo Bertesi scultore in legno*, in 'Quaderni di cultura padana', Cassa di Risparmio di Parma e Piacenza, 1995, 5, pp. 45-62. Per i Fantoni: *I Fantoni. Quattro secoli di bottega di scultura in Europa*, catalogo della mostra (Bergamo), Vicenza 1978; *I Fantoni e il loro tempo*, Atti del congresso di studi (Bergamo 1978), Bergamo 1980; M. LOMANDI, *Addenda Fantoniana*, in 'Osservatore delle Arti', 1989, 3, pp. 64-71. Per Brustolon: M. G. BUTTIGNON - G. BIASUZ, *Andrea Brustolon*, Padova 1969; J. D. DRAFER, *Notes on the Brustolon figural Style*, in 'Antologia di Belle Arti', 1984, 23-24, pp. 84-89; A. M. SPAIZZI, *Le sculture restaurate di A. Brustolon nella chiesa dei SS. Fermo e Rustico*, Belluno 1993; D. GARSTANG, *Andrea Brustolon*, in *La gloria di Venezia. L'arte nel diciottesimo secolo*, catalogo della mostra (Londra, Waschington) a cura di J. MARTINEAU - A. ROBINSON, Milano 1994, pp. 434-433.

54) Genova, GDSPR, inv. 2128, Gregorio de Ferrari: matita, penna e inchiostro, pennello e inchiostro acquerellato, biacca, carta azzurra scolorita controfondata, mm 580 x 131. Lo stesso linguaggio liberissimo si trova nel foglio di Lorenzo de Ferrari *Progetto per la decorazione di un soffitto*, ulteriore esempio della progettazione per traduzioni scultoree: New York, The Metropolitan Museum of Art, 1971.50: *Genoa*... cit., scheda n. 78, p. 68.
Genova, GDSPR, inv. 3404, Gregorio de Ferrari: matita, penna e inchiostro, pennello e inchiostro acquerellato, carta bianca, mm 537 x 122. M. NEWCOME, *Gregorio*... cit., D.53. D.54, pp. 163-164.

55) F. FRANCHINI GUELFI, *La Liguria* ... cit., II, scheda n. 10, pp. 27-28. E. GHEZZI, *La Madonna del Rosario di Anton Maria Maragliano a Voltaggio*, in 'La Casana', 1993, 4, pp. 52-56.

56) Un aggiornato e utile corredo biografico relativo agli scultori attivi nei Sacri Monti è contenuto in: S. LANGE' - M. PACCIAROTTI, *Barocco Alpino. Arte e architettura religiosa del Seicento: spazio e figuratività*, Milano 1994. Per una ricognizione bibliografica sulla scultura lombarda del Seicento e del Settecento: M. C. TERZAGHI, *L'intaglio in Lombardia nella seconda metà del XVII secolo: il caso della bottega Pino*, in 'Arte Lombarda', 1995, 1, pp. 12-24. Sono ancora tutte da verificare le reciproche suggestioni, già avvertire dalla Griseri (*Le metamorfosi* ... cit., p. 234 n20), fra Maragliano e gli scultori piemontesi coevi, come Carlo Giuseppe Plura e Stefano Maria Clemente (L. MALLE', *Scultura*, in *Mostra del Barocco piemontese*, catalogo della mostra, Torino 1963, II, pp. 1-23, 38, 50).

57) Per Giovanni Palmieri: P. BOCCARDO, *Gregorio de Ferrari*... cit., pp. 364-375.

58) D. SANGUINETI, *La formazione*..., cit., pp. 208-210 n 62.

59) Genova, GDSPR, inv. 2685, Gregorio de Ferrari: M. NEWCOME, *Gregorio*... cit., D56, pp. 164-165.

60) E. GAVAZZA - F. LAMERA - L. MAGNANI, *La pittura*... cit., pp. 132, 136, 233, 374, 417, figg. 168, 287, 454; E. GAVAZZA, *Lo spazio dipinto. Il grande affresco genovese del '600*, Genova 1989, p. 111, figg. 127, 129.

61) D. SANGUINETI, *Progettazione*... cit., p. 160.

62) ID., *La formazione* ... cit., pp. 201, 208 n 61. Anche A. GONZALES PALACIOS (con la collaborazione di E. BACCHESCHI), *Il mobile in Liguria*, Genova 1996, p. 110, osserva come la straordinaria libertà compositiva dell'*Orologio* richiamasse progetti di Gregorio e in particolare quelli per il *Monumento funebre Morosini*, realizzato da Filippo Parodi.

63) Per Aegid Quirin Asam: E. HANFSTAENGL, *Die Brüder Cosmas Damian und Egid Quirin Asam*, München 1955; *Rococo Art from Bavaria*, London 1956; F. COCCOPIERI MARUFFI, *Aspetti romani del Barocco tedesco: l'arte dei fratelli Asam*, in 'Strenna dei Romanisti', 1973, 34, pp. 113-117.

64) Per Balthasar Permoser: S. ASCHE, *Balthasar Permoser und die Barockskulptur des Dresdner Zwinggers*, Franckfurt am Main 1966; ID., *Balthasar Permoser. Ein Hauptmeister der Barok*, in 'Pantheon', 1982, 40, pp. 309-316.

65) Per Ignaz Günther: *Austellungs Katalog*, München 1951; A. SCHONBERGER, *Ignaz Günther*, München 1954; *Bilwercke der Barockzeit*, Frankfurt am Main 1963.

1. *Paolo Gerolamo Piola,* Santi Pietro e Paolo in adorazione della croce, *Genova, Gabinetto Disegni e Stampe di Palazzo Rosso, inv. 4359.*

2. *Paolo Gerolamo Piola,* Vergine Immacolata, *Genova, Gabinetto Disegni e Stampe di Palazzo Rosso, inv. 4612.*
3. *Anton Maria Piola,* Vergine Immacolata, *Genova, oratorio della Morte e Orazione.*

4. Bottega di Anton Maria Maragliano, Vergine Immacolata, *Genova, chiesa di Santa Fede.*
5. Casa Piola, Vergine Assunta, *Genova, Gabinetto Disegni e Stampe di Palazzo Rosso, inv. 4319.*

6. *Casa Piola,* Studio di Angeli, *Genova, Gabinetto Disegni e Stampe di Palazzo Rosso, inv. 4274.*

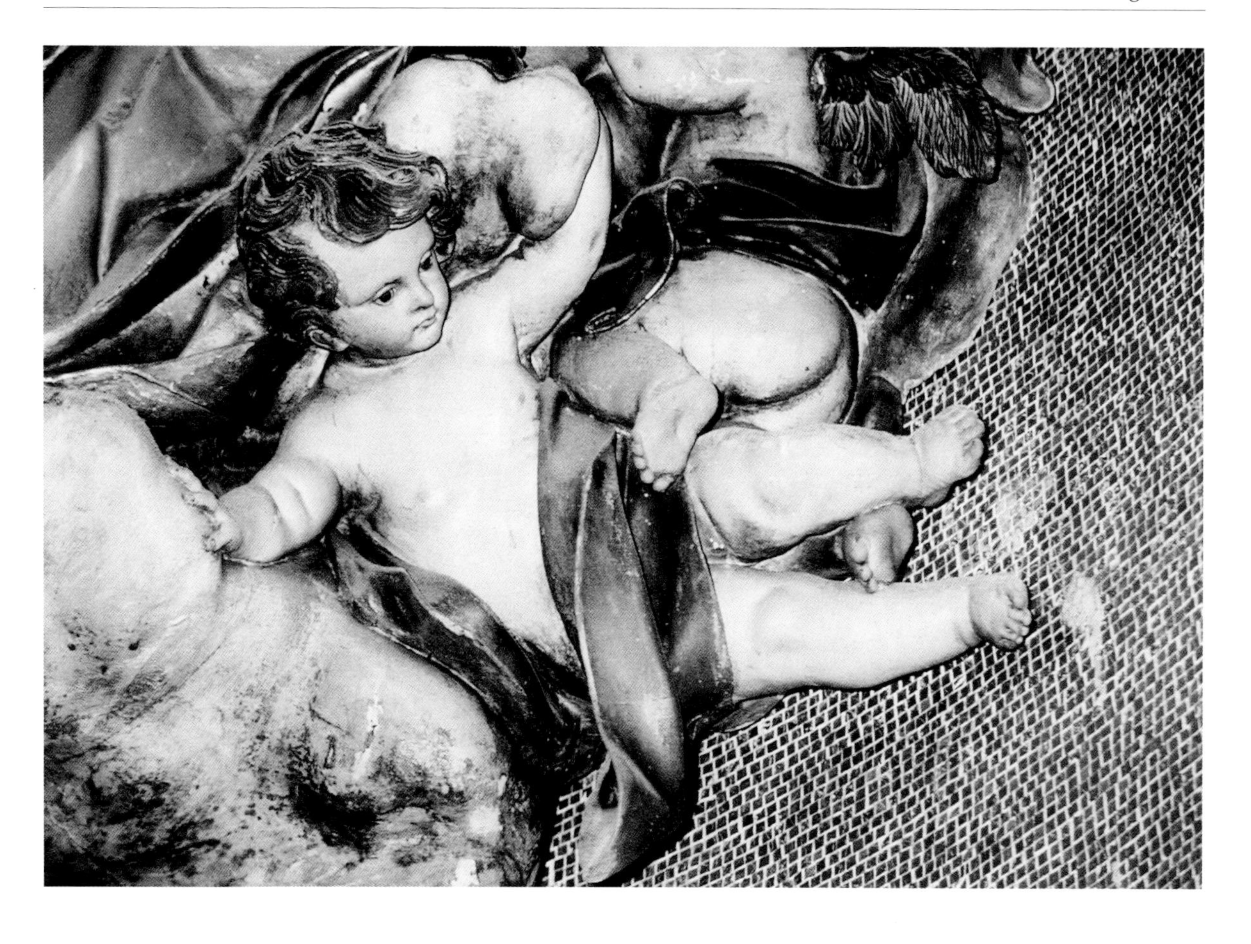

7. *Anton Maria Maragliano,* Vergine del Carmine *(particolare), Genova, chiesa di Santa Fede.*

8. *Paolo Gerolamo Piola,* Vergine e il Bambino, *Genova, Gabinetto Disegni e Stampe di Palazzo Rosso, inv. 4275.*

(alla pagina seguente)
9. *Anton Maria Maragliano,* Madonna del Rosario, *Genova-Montesignano, chiesa dei Santi Maria e Giustino.*

10. *Paolo Gerolamo Piola,* Angeli in adorazione del Santissimo Sacramento, *Genova, Gabinetto Disegni e Stampe di Palazzo Rosso, inv. 4269.*

11. *Anton Maria Maragliano,* Annunciazione *(particolare), Spotorno, oratorio della Santissima Annunciata.*

12. Anton Maria Maragliano, Crocifisso tra i santi Pietro e Paolo, *Genova, chiesa di Santa Maria delle Vigne*

13. Paolo Gerolamo Piola, Santi Pietro e Paolo in adorazione dello Spirito Santo, *Genova, Gabinetto Disegni e Stampe di Palazzo Rosso, inv. 4377.*
14. Gregorio de Ferrari, Progetti per fregi, *Genova, Gabinetto Disegni e Stampe di Palazzo Rosso, inv. 3404, 2128.*

15. *Gregorio de Ferrari,* Figura allegorica, *Genova, Gabinetto Disegni e Stampe di Palazzo Rosso, inv. 2685.*

16. *Anton Maria Maragliano,* Vergine Immacolata, *Genova, convento delle Figlie di San Giuseppe.*
17. *Anton Maria Maragliano e bottega,* Visione in Patmos *(particolare), Ponzone d'Acqui, oratorio di San Giovanni Evangelista.*

RICCARDO SPINELLI

GIOVAN BATTISTA FOGGINI E IL RESTAURO DELLA CHIESA DI SANTA MARIA DEGLI ANGELI 'DI SALA' DI PISTOIA

Il complesso benedettino di Santa Maria degli Angeli di Pistoia, ubicato sul corso Gramsci (fig. 1), non distante da piazza San Francesco, si qualifica oggi come il più importante edificio tardo-barocco della città, anche se il meno conosciuto.

La chiesa, infatti, dopo la soppressione post-unitaria avvenuta nel 1866[1] e il successivo passaggio della proprietà al Comune, ha avuto destinazioni diverse: in questo secolo è stata sede dell'Università popolare e, da alcuni decenni, è usata come sala di prova di una banda musicale, con le conseguenti difficoltà per quanto concerne la visita e il libero accesso, possibili solo dietro l'autorizzazione dell'amministrazione comunale.

Questa circostanza, sommata al disinteresse, generalizzato fino a poco tempo fa, per l'arte del Settecento, ha fatto sì che la chiesa, capolavoro della maturità dell'architetto granducale Giovan Battista Foggini, giunta fino a noi pressoché intatta nel decoro artistico (figg. 2-4, 8) - fatto salvo l'altare maggiore, dissennatamente smantellato prima del 1927 (fig. 2), - sia sfuggita a un'indagine storico-artistica approfondita, nonostante conservi al proprio interno prove notevoli del pittore Alessandro Gherardini, degli stuccatori Giuseppe Broccetti e Giovan Battista Ciceri, dello scultore Andrea Vaccà e, un tempo, tele di Pier Dandini, Jacopo del Po, dello stesso Gherardini, di Benedetto Luti e Anton Domenico Gabbiani oggi visibili invece in altre sedi.

Sul complesso delle monache di Sala si sono infatti registrati solo interventi critici sporadici, finalizzati alla pubblicazione di un'opera specifica o all'analisi di qualche documento. Prescindendo dalla guidistica locale, all'interno della quale si evidenziano le trattazioni puntuali e ben documentate di Francesco Tolomei e Giuseppe Tigri[2], il merito di una prima segnalazione 'moderna' del patrimonio artistico di Santa Maria degli Angeli va al Marangoni che in un pionieristico articolo del 1912 si entusiasmava per gli affreschi del Gherardini (fig. 3), definendoli "bellissime pitture", notevoli "per la ricchezza e vivacità di tavolozza veramente degna di un veneziano"[3], seguito in questo dalla Pieracci[4] e dall'Ewald che nel 1963 pubblicava i documenti per due delle pale già sugli altari della chiesa, la *Presentazione di Gesù al tempio* di Anton Domenico Gabbiani (fig. 40), oggi presso il Museo Civico di Pistoia, e l'*Annunciazione* di Benedetto Luti (fig. 43), uscita dalla notifica governativa e trasferita dalle benedettine nella loro nuova sede monastica, in piazza Civinini[5]. Sempre allo studioso tedesco spettava commentare e riprodurre adeguatamente, poco dopo, gli stupendi affreschi dipinti dal Gherardini nei tre scomparti in cui è divisa la volta della chiesa[6], mentre nel 1982 Giovanna Curcio, nel redarre le schede di catalogo relative alle tele con il *Riposo durante la fuga in Egitto* di Jacopo del Po (fig. 13) e con la *Presentazione di Gesù al tempio* del Gabbiani conservate nel Museo Civico ma provenienti dalla Sala, rendeva noti alcuni pagamenti ai due artisti e altri ricordi inerenti il restauro della chiesa[7].

In tempi più recenti si devono segnalare dello scrivente la tesi di laurea sul complesso benedettino, ancora inedita[8], la pubblicazione di parte degli stucchi di Giuseppe Broccetti e Giovan Battista Ciceri[9] e la tesi di dottorato di ricerca sul Foggini nella quale, in un capitolo su Santa Maria degli Angeli, si è analizzata la decorazione della chiesa in rapporto ad altre fabbriche dell'architetto[10]. Infine, Silvia Meloni Trkulja[11] e Marco Chiarini[12] sono tornati sugli affreschi del Gherardini, pubblicandone particolari inediti.

Il carattere unitario delle decorazioni interne della chiesa, magistralmente distribuite dal disegno fogginiano che orchestra con finezza le parti dipinte e quelle stuccate (fig. 4), le dorature con i marmi scolpiti e i ferri battuti (fig. 6), rende improcrastinabile una presentazione circostanziata dell'intero edificio, restaurato tra l'agosto del 1709 e il settembre del 1712[13].

Per quanto le vicende storico-artistiche concernenti il monastero di Santa Maria degli Angeli dalla fondazione, avvenuta nel XII secolo, alla metà del Seicento saranno trattate in altra occasione - e per queste si rimanda alla citata tesi di laurea e al circostanziato studio di R. Feri[14] -, nondimeno si può anticipare che la planimetria della chiesa che le monache si accingevano a restaurare agli inizi del Settecento era quella definita nel 1583 dall'architetto Leonardo Marcacci[15].

Nel corso degli ultimi due decenni del XVI secolo e nei primi del successivo la chiesa non aveva subito sostanziali modifiche nè nella struttura, nè nell'arredo artistico, degradandosi progressivamente per la miseria e l'incuria delle monache, nonostante quest'ultime, all'inizio del Seicento, avessero visto aggregare al monastero, per iniziativa di Adola Rospigliosi, vedova ed esecutrice testamentaria delle volontà del suocero Sebastiano e del marito Paolo, un'ingente eredità Fioravanti[16].

Il Breve papale del 23 giugno[17] e il successivo parere favorevole del Consiglio di Pratica segreta dell'ottobre del 1608[18] a favore delle religiose di Sala non avevano cambiato questo stato di cose, tanto che la Rospigliosi, pochi anni dopo, decideva di beneficiare le benedettine - una volta deceduta - anche di tutti i propri beni che sommati a quelli dei Fioravanti avrebbero portato a 65.000 scudi il valore complessivo del lascito[19]. Con le rendite relative si sarebbe dovuto ampliare il monastero e ripristinare la chiesa - descritta ancora negli anni trenta del Seicento come una "spelonca"[20] -, e quanto altro fosse stimato necessario per il comodo delle monache.

In realtà, i primi frutti dell'eredità Fioravanti vennero impiegati soltanto nella fabbrica del monastero, avviata nel 1604 sempre su disegno di Leonardo Marcacci, portata comunque avanti stancamente a causa dei continui contrasti insorti tra la benefattrice, gli Operai incaricati di seguire i lavori e alcuni esponenti della famiglia Fioravanti poco favorevoli all'aggregazione dell'eredità al monastero di Sala[21]. La situazione non mutò alla morte della Rospigliosi, sopraggiunta il 3 marzo 1628[22], tanto che la fabbrica venne ulteriormente rallentata.

Solo alla metà del quarto decennio del Seicento si cominciò a percepire una tiepida rinascita dell'interesse delle monache per il complesso, in special modo per la chiesa, stimolato dal confessore Giovanni Visconti, su iniziativa del quale vennero realizzati un nuovo ciborio, le argenterie liturgiche, i parati sacri, il dipinto per l'altare maggiore con l'*Annunciazione*[23] e stuccata la volta della chiesa, eseguita tra il 1634 e il 1635[24] ma poi crollata nella notte di Pasqua del 1649[25].

A prescindere da questi interventi sporadici e frammentari, e di scarsa rilevanza artistica, bisognerà arrivare al 1679 per avere notizia certa di un'opera d'arte destinata alla chiesa, la tela con il *Riposo durante la fuga in Egitto* (fig. 13) eseguita da Jacopo del Po, commissionata qualche anno avanti a Roma, probabilmente tramite un procuratore, dalla conversa Laura Menchini.

Il dipinto, oggi al Museo Civico di Pistoia, è stato pubblicato da Giovanna Curcio che ne ha precisata la derivazione dalla tela di Federico Barocci un tempo nella collezione Aldobrandini, oggi nota attraverso due incisioni, e l'ha collocata al 1670-1675[26].

L'opera, destinata in un primo momento al coro delle religiose, sistemata nel 1712 su uno degli altari di chiesa, dovette essere richiesta non tanto per la notorietà del suo autore, poco più che ventenne all'epoca della commissione - essendo nato nel 1652 -, quanto piuttosto per la gradevolezza del soggetto, i cui rimandi iconografici alla veneratissima immagine pistoiese della *Madonna dell'Umiltà* nella figura seduta della Vergine sono ben evidenti.

In merito alla datazione della tela, i tempi della sua esecuzione possono essere oggi meglio precisati in rapporto alla ripresa dell'interesse delle benedettine per la chiesa e per i suoi arredi, che data al triennio 1673-1675, segnato da una buona progressione dei lavori alla struttura dell'edificio sacro e dal rialzamento del coro dove l'opera doveva collocarsi[27]; un periodo, questo, non così lontano dalla data di arrivo della tela a Pistoia nel novembre del 1679, tanto che la commissione del *Riposo* a subito dopo la fine di questi interventi sembra la più ragionevole.

Al restauro del coro seguì, nel giro di qualche anno, il rinnovamento dell'altare maggiore della chiesa, già ristrutturato attorno al 1635 e dedicato all'Annunciazione[28], che venne provvisto di una nuova tela con questo soggetto, richiesta al fiorentino Pier Dandini, consegnata il 1 settembre del 1684 e provvisoriamente collocata su un altare laterale, in attesa che quello maggiore venisse eretto[29]. La bella tela (fig. 14), commissionata da Maria Anna Lazzari, ricordata da alcune fonti locali che descrivono la chiesa[30], ma sconosciuta ai biografi del pittore, è stata pubblicata dal Bellesi e datata alla metà del nono decennio del Seicento[31].

Eseguita da un Dandini trentottenne, prima importante commissione pistoiese per l'artista[32], l'*Annunciazione* seguiva nel tempo la pubblicazione di altre pale d'altare con le quali Piero si era imposto all'attenzione degli intenditori d'arte fiorentini e non. Tra queste, si segnalano *Lo svenimento del beato Giovacchino Piccolomini mentre ascolta la messa* visibile nella seconda cappella di destra della basilica della Santissima Annunziata a Firenze, pagata nell'ottobre del 1676[33]; il *Matrimonio mistico di santa Caterina da Siena* nel duomo di quella città, databile al 1678-1679[34]; le anime dannate nella porzione inferiore - che spetta a Piero - del dipinto già nella Congregazione di Nostra Signora del Carmine e oggi in San Bartolomeo a Prato, del 1679[35], e, probabilmente dopo un breve soggiorno a

Roma e un secondo viaggio nel Nord Italia, la *Vergine in gloria e santi* in Santa Verdiana a Firenze, firmata e datata 1680[36].

Con tutte queste opere, e con altre da cavalletto licenziate nel decennio 1680-1690, l'*Annunciazione* ha molte parentele stilistiche e compositive, che vanno dalla riproposizione pressoché esatta di alcune teste - si veda quella della santa Caterina nella tela senese, 'imprestata' in controparte alla Vergine nel dipinto di Sala; l'altra del Padre Eterno canuto, passata nel vecchio visibile alla destra di Alessandro Magno nel *Ricevimento della famiglia di Dario*, datato convincentemente in questo periodo[37] -, all'analogia delle stesure pittoriche, al panneggiare fluente e ben chiaroscurato dalla luce che si insinua, modellandole, nelle superfici.

Nell'ambientazione ariosa e atmosferica, accentuata dallo sfondato paesaggistico sulla destra del dipinto e dalla calda luce che dall'empireo irradia la scena, l'*Annunciazione* denuncia le conseguenze dell'avvenuto soggiorno romano sulla pittura del Dandini, qui debitrice non solo del cortonismo, divenuto a queste date un linguaggio universale - giustamente sono stati notati, nelle opere di questo periodo, marcati influssi da Ciro Ferri e, soprattutto, da Lazzaro Baldi[38] - , quanto dalla statuaria coeva nel frangersi scultoreo delle vesti, avvicinabile alle soluzioni formali adottate da Ercole Ferrata e da Domenico Guidi, cui sembra ispirato il 'grappolo' di angeli volanti, e da Gian Lorenzo Bernini per quanto attiene alla posa aperta, ben scorciata nello spazio, dell'angelo annunciante. Con il bel brano di natura morta di fiori entro un vaso, dipinto alle spalle della Vergine, il Dandini ribadisce inoltre il proprio interesse per tale genere artistico, documentato in questo periodo da altre opere realizzate in concerto con Andrea Scacciati, quali le *Allegorie delle Stagioni* oggi a Montecitorio, studiate dal Bellesi[39], e altre rese note dallo studioso[40].

Ottenuta la nuova pala dal Dandini, le monache procedettero con la costruzione dell'altare maggiore, commissionandone il disegno al carrarese Alessandro Bergamini, architetto dei duchi di Massa. I primi contatti tra le benedettine e l'artista datano agli inizi del 1687, tanto che nel febbraio di quell'anno ad Alessandro venivano anticipati 130 scudi "a conto della cappella di marmi lavorati che io li fatio nella chiesa"[41]. Nel mese di luglio, con l'arrivo dei primi materiali da Carrara, l'architetto riceveva altri due acconti per l'altare[42] che veniva saldato il 22 agosto[43], terminato di montare il primo settembre e inaugurato con una messa il giorno 8, dedicato alla Natività di Maria[44]. La spesa, circa 800 scudi, venne coperta in varia misura dalle monache; sistemata l'*Annunciazione* del Dandini, il complesso, così rinnovato, fu solennemente consacrato dal vescovo Gherardi il 31 ottobre del 1688[45].

La 'laicizzazione' della chiesa, avvenuta a seguito della destinazione dell'aula sacra a sala di lettura dell'Università popolare, ha portato, avanti il 1927[46], alla distruzione completa di questo importante manufatto (fig. 2) - del quale non si conservano neppure memorie fotografiche - , con grave danno per la leggibilità dell'insieme, mantenutosi quasi intatto negli anni.

La scarsità di notizie e di studi sull'architetto, esponente di spicco di una famiglia di artisti già attivi nel carrarese dalla seconda metà del XVI secolo[47], aiuta inoltre ben poco a capire quale dovette essere la tipologia del distrutto altare. Qualche indicazione in merito può forse venire dall'osservazione di quello maggiore - realizzato da Alessandro insieme al parente Giovan Francesco - della chiesa della Certosa di Calci, presso Pisa, eretto a partire dal 1677 e consacrato il 28 maggio 1681[48], precedente di poco, quindi, quello per le monache di Sala, che probabilmente ne riecheggiava la forma generale con quattro colonne di sostegno del frontone voltato e spezzato, all'interno del quale Giuseppe Broccetti, qualche anno più tardi, avrebbe collocato il suo *Padre Eterno e angeli* in stucco.

La nuova struttura, quale ne fosse la forma, doveva comunque campeggiare con imponenza all'interno della chiesa - peraltro piuttosto disadorna nel restante arredo artistico - , tanto che quasi vent'anni dopo le benedettine deliberavano di completare la parete di fondo della cappella, decidendo di far eseguire ai lati dell'altare del Bergamini due nicchie destinate a contenere le statue raffiguranti *San Benedetto* (fig. 15) e *Santa Scolastica* (fig. 16) oggi non più visibili in chiesa perché conservate presso le benedettine nel nuovo monastero in piazza Civinini.

La commissione delle due figure, venuta dalla badessa Angela Caterina Marchetti, andava a un altro versiliese, lo scultore Andrea Vaccà che nel luglio del 1704 firmava il contratto impegnandosi a completare l'opera entro il 25 marzo del 1705[49]. Per il disegno delle nicchie e delle stesse statue, invece, le monache si rivolgevano al fiorentino Giovan Battista Foggini[50], inaugurando così il proficuo rapporto con l'architetto e scultore granducale, documentato fino a oggi solo a partire dal 1709, in occasione della seconda fase dei lavori di decorazione della chiesa.

Il Vaccà, per suo conto, conveniva di eseguire sia le nicchie, sia le statue secondo il progetto fogginiano, elaborato in due grandi disegni giunti da Firenze, per un compenso complessivo di 460 piastre[51]. Alla firma dell'accordo l'artista percepiva un acconto di 160 piastre, del quale rilasciava quietanza il 27 luglio, e due pagamenti nel giugno dell'anno seguente, a saldo[52].

Da una nota riassuntiva di spese, veniamo a sapere che questi lavori assommarono a un totale di 4.300 scudi, la maggior parte dei quali, circa 3.200, andarono al Vaccà; allo scultore, le monache, in fase di saldo, soddisfatte del lavoro e del rispetto dei tempi stabiliti per la consegna, regalarono alcuni indumenti e gli abbuonarono le spese per pranzi e colazioni che l'artista avrebbe dovuto rimborsare[53].

Personalità poco conosciuta, nonostante i tanti lavori che le fonti e i documenti gli assegnano in Toscana e fuori dal granducato[54], il Vaccà era nato a Carrara nel 1654[55] ed era al culmine della carriera - documentata dal nono decennio del XVII secolo -, quando ricevette la commissione dalle benedettine. Attivo nel cantiere della chiesa dei Santi Michele e Gaetano, alle sculture della facciata realizzate assieme a Balthasar Permoser tra il 1685 e il 1689[56], e in quello della cappella Feroni alla Santissima Annunziata, entrambe a Firenze, dove scolpiva tra il 1691 e il 1693 una coppia di angeli volanti in uno dei peducci della cupola e due putti posti in parete, sopra la nicchia con la statua di San Domenico[57], agli inizi del Settecento lo scultore rientrava nella natia Carrara, dove si stabiliva, pur continuando a lavorare di scalpello e a procacciare materiali lapidei e marmi destinati alle principali fabbriche in costruzione in quel periodo nel granducato. Non è escluso che la collaborazione con Giovan Battista Foggini, risalente agli anni fiorentini e continuata in seguito[58], sia stata determinante per ottenere l'incarico dalle benedettine e per inserirsi così nel giro delle commissioni artistiche pistoiesi del primo decennio del Settecento, all'interno delle quali le figure dei santi Benedetto e Scolastica si segnalano per la certezza dell'autografia e per la finezza dell'esecuzione.

Delle due sculture, quella qualitativamente più alta sembra essere la *Santa Scolastica* (fig. 16), risultando il *San Benedetto* (fig. 15) troppo statico nella posa e duro in certi particolari, quali la testa, molto poco ispirata, anche se nella conduzione ricca e frastagliata della parte superiore dell'abito la figura trova un buon momento di riscatto.

La *Santa Scolastica*, realizzata con un modellato più ricco, sensibile all'incidenza della luce - oggi penalizzata dalla collocazione della scultura nella chiesa del nuovo monastero benedettino - , è invece come pervasa da un *pathos* febbrile, amplificato dalla gestualità della mano appoggiata al petto e dall'espressione trasognata del volto, scorciato di sottoinsù.

In questo tono estatico, la figura si imparenta bene con le altre sculture che il Foggini e il Vaccà dovettero tenere bene a mente nell'elaborare la 'forma' della santa, nella fattispecie, per restare a Firenze, le statue di *San Gaetano di Thiene* del Permoser e di *Sant'Andrea Avellino* di Anton Francesco Andreozzi, finite nel 1690, visibili sulla facciata di San Gaetano, quelle di *San Francesco* e di *San Domenico* nella cappella Feroni alla Santissima Annunziata, del 1692 circa e, a Siena, la *Santa Caterina* di Ercole Ferrata (1663) nella cappella Chigi in duomo, forse il precedente più significativo per la santa Scolastica che mutua da questa figura, in controparte, tutti gli elementi compositivi salienti, dal movimento leggermente serpentinato del corpo, allo scorcio della testa, alla mano accostata con leggerezza al torace.

Più semplificata nel gioco dei panneggi e, al pari del *San Benedetto*, di esecuzione piuttosto sommaria nella parte inferiore del vestito e nelle scarpe rispetto alla *Santa Caterina* senese - brulicante di bagliori sul saio leggero, lavorato dal Ferrata con consumata maestria e perizia -, la *Santa Scolastica* rappresenta tuttavia uno dei vertici del Vaccà, impegnato poco dopo a scolpire un'altra opera monumentale, il *Mosè* nel cortile del palazzo arcivescovile di Pisa, documentata al 1707[59], segnata anch'essa dal moto serpentiforme del corpo, amplificato dal gigantismo dei panneggi. Voluta dal vescovo Francesco Frosini, pistoiese di nascita, la figura, per quanto 'moderna' nell'eloquio formale, non incontrò il favore degli eruditi pisani che lamentarono la mancanza d'eleganza e di proporzioni[60] - la testa risulta in effetti sottodimensionata alla mole massiccia del corpo -, meglio dosate invece dallo scultore nella successiva *Annunciazione* in San Domenico a Pistoia, databile attorno al 1710[61], e nel finissimo *Angelo* nella Certosa di Calci, del 1711[62].

Nell'*Annunciazione* Cellesi il Vaccà riuscì ad applicarsi con particolare finezza alla figura della Vergine, delicata e tenera nell'espressione, mentre nell'*Angelo* di Calci, morbido e polito quasi fosse d'avorio, vestito di una leggera tunica svolazzante ed aerea, ben chiaroscurata dal frangersi energico delle pieghe del mantello, come scheggiato, e nella testa dai tratti minuti e appuntiti, lo scultore tributò un significativo *hommage* al pisano Ranieri del Pace, impegnato in questi anni, in pittura, in ricerche analogamente orientate[63].

Con la fine dei lavori di sistemazione della parete dell'altare maggiore, che avevano impegnato le benedettine per oltre un ventennio, dovette tornare d'attualità nelle monache il desiderio del restauro completo della chiesa che si presentava quanto mai disomogenea sia nella struttura, sia nell'arredo, essenziale e non più confacente al decoro dell'edificio e della famiglia religiosa.

Di questo stato di cose le religiose dovettero rendere partecipe nel giugno del 1708 la Gran Principessa di Toscana Violante Beatrice di Baviera, in visita al monastero. Proveniente dal Poggio a Cajano, l'infelice moglie dell'erede al trono granducale Ferdinando di Cosimo III de'Medici si era fermata a Pistoia, a pregare la Madonna dell'Umiltà per la salute del marito, e il primo giugno, accompagnata dalla badessa, era entrata nella clausura benedettina.

Ispezionato il complesso tra il plauso delle monache che rimasero tutte colpite dai "gentilissimi tratti" e dall'affabilità della principessa[64], a Violante venne mostrata dal coro la chiesa da ultimare e, con l'occasione, non è escluso che la superiora possa aver chiesto dei consigli alla principessa in merito al risanamento e al restauro della struttura e alla possibilità di potersi avvalere di un artista gradito alla corte medicea.

Rientrata a Firenze, Violante dovette parlare di ciò con il marito e coinvolgerlo, tanto che il 24 luglio del 1709 si registrava la venuta alla Sala di Anton Domenico Gabbiani per "ordine del S.re Principe Ferdinando, il quale aveva presentito" che le benedettine avevano "pensieri di farla dipingere"[65] .

L'artista, pittore preferito, tra i fiorentini, dal principe, il 26 luglio varcava la soglia del monastero per rilevare le misure della chiesa da affrescare. La pianta dell'edificio, presa dal prete Filippo Baldi, veniva consegnata al Gabbiani per essere trasmessa, una volta tornato a Firenze, al Foggini, "architetto stimatissimo", incaricato nel frattempo dalle monache del disegno "dell'adornato della volta, come delle pareti laterali della chiesa, e cantoria per i musici in fondo dove era il nostro coro da sentire la messa, dovendosi ora fare dalle parti laterali di detta chiesa"[66].

Visionate le piante, il 24 agosto successivo anche il Foggini si recava a Pistoia portando con se alcuni elaborati della chiesa, "degni di un tale architetto", che ebbero l'approvazione del vescovo Michele Carlo Cortigiani, dei canonici Scarfantoni, confessore delle monache, e Marchetti, degli Operai del monastero, tutti convenuti in forze alla Sala per visionare il progetto; con l'occasione venne anche deciso che i lavori sarebbero stati sovrintesi sul posto da Filippo Baldi[67].

Accettato il progetto dell'architetto fiorentino, il 27 agosto le benedettine iniziarono lo smantellamento dei pochissimi arredi sacri della chiesa, temporaneamente sistemati nella 'sala delle udienze' dove trovarono posto l'altare, le reliquie, il tabernacolo degli olii santi[68]. Il 2 settembre del 1709 venne dato inizio alla fabbrica, nel giorno di Santa Massimina il cui cranio, conservato in un ricco reliquiario, era stato donato alle religiose nel 1661 dal cardinale Giulio Rospigliosi[69], l'illustre concittadino salito poi sul soglio di Pietro con il nome di Clemente IX. In questa fase iniziale i lavori procedettero con grande celerità, tanto che tre mesi dopo, il 12 dicembre 1709, il Foggini tornava a Pistoia per supervisionare la messa in opera delle catene della volta, subito stuoiata e predisposta per gli stucchi e per gli affreschi[70]. Dal mese di settembre, inoltre, si erano cominciati a pagare gli operai che scolpivano le basi per le colonne e i pilastri e, nell'ottobre, la polvere di marmo necessaria alla fabbrica e i laterizi per il tetto[71].

Con l'aprirsi del nuovo anno e l'avanzamento del restauro, le benedettine iniziarono a pensare anche ai dipinti che avrebbero dovuto decorare gli altari della chiesa: come abbiamo visto, Anton Domenico Gabbiani si era impegnato, su comando del Gran Principe Ferdinando, per gli affreschi; al pittore, con l'occasione, le religiose dovettero richiedere anche un dipinto (fig. 40) che il 14 febbraio del 1710 cominciava a essergli pagato[72], per quanto la consegna dell'opera sarebbe avvenuta molti anni più tardi.

In quel mese anche Andrea Vaccà riceveva acconti per gli "scalini di marmo da farsi" in chiesa[73], mentre in aprile risultavano già all'opera gli stuccatori, stante l'ingombro dell'aula causato dai ponteggi registrato dalla 'diarista' del monastero[74]. A maggio, a lavori molto avanzati, il Foggini tornava per la terza volta alla Sala "per riconoscere il suo disegno messo in pratica dell'ornato della volta della chiesa", apportando piccole modifiche al progetto, aggiungendo "qualche rabesco, et ornato di festoncini e puttini alle finestre" e approvando il 'modellino' del *Padre Eterno in gloria e angeli* che lo stuccatore Giuseppe Broccetti aveva in animo di modellare nel fastigio dell'altare maggiore. Il bozzetto del Broccetti, portato a Firenze dal Foggini, ebbe l'approvazione del Gran Principe, cui l'architetto lo aveva mostrato, che lodò "il pensiero, si come del ornato di tutta la chiesa"[75]. Messa in opera tra il giugno e il novembre del 1710[76], la *Gloria* , come abbiamo già anticipato, non è sopravvissuta che parzialmente alla demolizione dell'altare in un lacerto di raggera dorata e in alcune teste di cherubini ancora visibili (fig. 2).

Nato nel 1684, documentato fino al 1723 - morirà dieci anni più tardi, nel 1733 - il Broccetti licenzia alla Sala, con questi stucchi e con le successive grandi 'medaglie' a bassorilievo nella volta della chiesa, una delle sue opere più significative, già valorizzata in altra occasione[77].

Con l'inizio della stuccatura della chiesa, completato con la *Gloria dell'Eterno* l'altare maggiore eretto più di vent'anni prima su disegno del Bergamini e prima di procedere con la decorazione plastica e dipinta della grande volta, le benedettine, giudicando ormai obsoleta, in rapporto al *décor* tardo-barocco dell'edificio, l'*Annunciazione* di Pier Dandini, decisero la sostituzione di questo dipinto, commissionandone uno di ugual soggetto a Benedetto Luti, per il quale Gerhard Ewald ha reperito un primo acconto in data 25 ottobre 1710[78].

La tela (fig. 43), al pari di quella affidata al pennello di Anton Domenico Gabbiani, verrà consegnata soltanto molti anni più tardi, una volta terminata la decorazione della chiesa, portata avanti con celerità nel corso del 1711 che vide un' imponente progressione dei lavori, specialmente di stuccatura della volta e degli altari e di doratura delle pareti.

Secondo il progetto del Foggini, approvato sia a Pistoia, sia a Firenze dal Gran Principe Ferdinando, la "soffitta" dell'aula sacra si sarebbe dovuta dividere in tre campate a padiglione (fig. 3), ognuna delle quali decorata al centro da uno scomparto affrescato, contornato da lussuose stuccature.

Per le pareti, invece, il Foggini aveva previsto una divisione, mediante pilastri e colonne, in specchiature rettangolari da dorare con fantasiosi racemi vegetali, simili a quelli modellati nella volta (fig. 4).

Risalgono infatti a quest'anno le massicce uscite di cassa per l'acquisto di oro in foglia, che Gaspero Pecorini forniva alle benedettine in più riprese a partire dal mese di gennaio[79], mentre nel marzo si registrano nuovi pagamenti a Giuseppe Broccetti per le due 'medaglie' con la *Presentazione di Maria al Tempio* e con l'*Assunzione della Vergine,* destinate all'arcone nella porzione della volta della chiesa prossima all'ingresso[80].

I bassorilievi, improntati a un ricco classicismo di matrice tardo-cortonesca, dichiarano un'evidente derivazione da idee fogginiane nella composizione ariosa delle scene, in particolare quella dell'*Assunzione,* spazialmente ben organizzata nello scalare prospettico delle figure in un fondale di paesaggio segnato da imponenti architetture mediante lo stemperarsi fino allo 'stiacciato' del rilievo.

Più complessa e compositivamente meno riuscita, invece, la medaglia con la *Presentazione di Maria al Tempio* nella quale la traballante scalinata, la figura minuscola di Maria rapportata al gigantismo erculeo dei nudi virili in primo piano, troppo vicini e sovradimensionati, e il panneggiare eccessivo di alcuni mantelli denotano un'interpretazione non perfetta da parte dello stuccatore - in fase di realizzazione -, del progetto del Foggini, solitamente corretto nel disegno e attento, specialmente nei rilievi, ai rapporti proporzionali tra le varie componenti di una 'storia'.

Assieme al Broccetti, anche il secondo stuccatore attivo in chiesa, Giovan Battista Ciceri, veniva pagato per le sue fatiche, consistite nell'esecuzione di tutti i restanti decori plastici della volta (figg. 3-5) e degli altari (fig. 12). Dal suo saldo, 565 scudi rispetto ai 70 percepiti dal Broccetti per il proprio lavoro, si percepisce bene la vastità dell'impegno cui venne chiamato Giovan Battista[81], stuccatore di fiducia del Foggini che lo impiegò in quasi tutte le fabbriche realizzate su suo disegno tra il 1690 e la morte, avvenuta il 28 ottobre del 1715[82].

Per quanto su questa interessante figura, centrale per abilità professionale e originalità nel panorama della scultura fiorentina tra Sei e Settecento ho intenzione di tornare in altra sede, mi preme tuttavia evidenziare già adesso l'altissimo livello artistico raggiunto dal Ciceri con i lavori per le monache di Sala, venuti alla fine di una venticinquennale carriera svolta a stretto contatto con il Foggini.

Nei sorprendenti angeli che sorreggono lo scomparto centrale della volta delle monache di Sala (figg. 17-19), il Ciceri che aveva iniziato la propria attività nella Galleria affrescata da Luca Giordano in palazzo Medici Riccardi[83]e che era reduce dalla stuccatura del prospetto dell'alcova in palazzo Gondi, sempre a Firenze, realizzata nel 1710-1711 in occasione delle nozze di Angiolo con Elisabetta Cerretani[84], palesa l'adesione a uno stile classicista elegante e raffinato, che trova un parallelo in pittura, in quegli anni, con l'*oeuvre* di Matteo Bonechi.

A Pistoia lo stuccatore non limitò il proprio intervento alle sole parti figurate, modellando anche le rigogliose girali vegetali (fig. 5), le eleganti *cartouches* (fig. 8), le testine, i festoni di fiori e nastri che con un'abbondanza e una felicità d'invenzione senza pari occupano le parti della volta ancora disponibili.

Tali motivi decorativi non erano certo nuovi nell'opera del Foggini, tanto che li troviamo applicati - a partire dagli anni novanta del Seicento - in numerose altre fabbriche, a esempio in Santa Maria di

Candeli a Firenze dove ornavano le pareti oggi scialbate e ornano la controfacciata sulla quale è addossata la cantoria, realizzata tra il giugno del 1702 e l'estate del 1704[85].

Anche in San Francesco de' Macci, nella grande volta a padiglione, si rintracciano decori vegetali analoghi a quelli di Santa Maria degli Angeli, distribuiti negli scomparti stuccati dal Ciceri sempre tra il 1702 e il 1704[86], così come nel soffitto del sottocoro di San Giorgio alla Costa, databile al 1704-1705[87]. Successivamente il Foggini, li impiega con grande finezza di disegno, messo in opera sempre dal Ciceri, in un piccolo ambiente al piano nobile di palazzo Pitti, recentemente pubblicato, realizzato per la Gran Principessa di Toscana Violante Beatrice di Baviera attorno al 1707-1709[88], cioè in forte prossimità cronologica con i progetti elaborati dall'architetto per la ristrutturazione della chiesa delle monache pistoiesi.

In questa, completate la stuccatura e la doratura della volta e delle pareti, restavano da affrescare i tre scomparti previsti dal Foggini: come sappiamo dai documenti, l'incarico per le pitture era andato ad Anton Domenico Gabbiani il quale, nonostante due anni prima avesse accettato la commissione delle monache, con una lettera inviata alla badessa l'8 giugno del 1711 rinunciava al lavoro, non potendo "avere a dipingere prontamente come richiedeva il nostro bisogno per aver altri impegni di pittura, dalli quali non aveva potuto disimpegnarsi"[89], probabilmente dal compimento dell'affrescatura della cupola di San Frediano in Cestello a Firenze, condotta da anni e stancamente dal pittore[90].

Questa rinuncia segnò una brusca interruzione dei lavori più importanti, dal momento che la ricerca di un frescante alternativo al fiorentino impegnò le monache per diversi mesi. Il Gabbiani, per suo conto, non prevedendo questa evoluzione dei fatti, nei due anni intercorsi dal primo contatto con le benedettine non era rimasto inoperoso: oltre a dare probabilmente inizio alla *Presentazione di Gesù al Tempio* per la quale, come abbiamo visto, il pittore aveva ricevuto un primo acconto nel febbraio del 1710[91], Anton Domenico dovette cominciare anche a pensare all'organizzazione degli affreschi della volta, come documenta uno studio conservato nel fondo del Gabinetto Disegni e Stampe degli Uffizi (fig. 20), tradizionalmente attribuito all'artista ma non messo in relazione con Pistoia.

Il foglio, n. 9937F[92], è invece da collegare con sicurezza allo scomparto centrale della "soffitta" della chiesa di Sala sia per la forma particolare dell'incorniciatura, sia per l'iconografia che mostra la *Vergine accoglie San Benedetto e lo presenta alla Trinità,* cioè un soggetto molto simile a quello poi dipinto da Alessandro Gherardini nello spazio corrispondente (fig. 22).

Il raffronto tra il disegno e l'affresco stimola anche alcune osservazioni in merito alla composizione dell'episodio, nel quale il Gabbiani aveva convogliato parte delle figure poi affrescate dal Gherardini nei due scomparti minori. La differenza maggiore, tuttavia, riguarda l'iconografia della scena; nel foglio è rappresentata, come momento significante della narrazione, la presentazione che Maria fa di Benedetto orante a Gesù Cristo, pronto a incoronare il santo sotto l'occhio vigile di Dio Padre; nell'affresco, invece, il santo viene accolto a braccia aperte da Maria *Immacolata Concezione* prima di essere introdotto alla Trinità.

Del progetto del Gabbiani, che il Gherardini potè probabilmente conoscere, sono sopravvissute nell'affresco, anche se posizionate in modo diverso, oltre le figure principali (san Benedetto, la Vergine, il Cristo e Dio Padre), quelle di san Sebastiano, di sant'Andrea Corsini, di sant'Orsola (fig. 23), di san Jacopo, di san Rocco (fig. 24); spostate con certezza nei riquadri minori risultano invece la santa Maria Maddalena, la santa Cecilia (fig. 28), la santa Barbara e altre figure poco definite negli attributi per essere riconosciute con precisione.

Nonostante queste differenze - non sappiamo, allo stato attuale delle nostre conoscenze, quali scelte iconografiche intendesse adottare il Gabbiani negli altri sfondi -, le due composizioni sono organizzate in modo sostanzialmente analogo, per gruppi contrapposti, risultando la versione dipinta (fig. 22) più piena e fitta rispetto al progetto gabbianesco (fig. 20), reso maggiormente arioso dalla diversa grandezza delle figure rispetto allo spazio disponibile che il Gherardini invece invade totalmente, tanto da essere costretto a 'rifilare'alcuni dei panneggi e qualche ala d'angelo.

La rinuncia del Gabbiani, per quanto improvvisa, non bloccò comunque i lavori in chiesa che procedettero con la doratura della volta stuccata e delle pareti[93]; finalmente, nell'agosto del 1711, le monache risolsero di incaricare degli affreschi il bolognese Domenico Maria Viani, "angelo dei pittori"[94], il quale, cagionevole di salute, sembra che avesse accettato la proposta delle benedettine pistoiesi per aver modo di cambiare aria, assecondando così il consiglio degli amici e del medico. In realtà, il clima di Pistoia, per quanto tonificato dal vicino Appennino, gli fu fatale, dal momento che il 1 ottobre il Viani moriva - avendo appena cominciato l'affrescatura della volta e dipinto tre figure - tra il "dolore di tutti, a misura dell'aspettazione che si era concepita d'avere dal suo virtuoso pennello"[95].

Con il decesso del bolognese si era quindi al punto di partenza, e il problema della decorazione ad affresco della volta tornava ad angustiare le monache che soltanto il 18 ottobre del 1711 potevano stipulare con Alessandro Gherardini un nuovo, e definitivo, contratto per la "soffitta" e per una pala d'altare con la *Nascita della Vergine* (fig. 36) destinata alla chiesa[96].

L'intervento del Gherardini, che ebbe come prima conseguenza la cancellazione delle figure già realizzate dal Viani, scatenò in seguito un'ondata di roventi polemiche tra gli storici di area bolognese, a esempio lo Zanotti e il Crespi, che criticarono aspramente questa scelta del fiorentino, accusato di non volersi confrontare con l'opera di Domenico Maria, "non sperando ... di poter pareggiare"[97], "vedendo che troppo grande era la differenza, che passava tra la sua, e la pittura del Viani"[98]; una scelta, quest'ultima, difesa invece senza incertezze dal Gabburri[99].

Gli affreschi del Gherardini, celebrati dalla critica come un capolavoro, si presentano oggi parzialmente alterati nei valori cromatici originali a causa dello strato di sporco che assorda la superfice pittorica. Condotti con una pennellata sbrigliata ed energica, modulata da una luce che sfrangia la materia rendendola dinamica, pulsante, i tre sfondi, per quanto chiusi nella 'gabbia' decorativa a stucco inventata dal Foggini e realizzata dal Ciceri (fig. 3), si evidenziano per il ritmo compositivo ben calibrato che conferisce alle figure dei santi, suntuosamente panneggiati, una monumentalità poche altre volte raggiunta dall'artista. Ne sono prova la figura di David nell'ovale posto in corrispondenza dell'altare maggiore (figg. 27, 29), il san Giovanni evangelista audacemente scorciato e il contiguo san Francesco di Paola (fig.28) che ha un gemello nella coeva pala in San Francesco a Volterra, pubblicata dalla Meloni Trkulja[100], la Maddalena assopita e la leggiadra santa Cecilia studiata anche in un foglio dell'artista conservato al Gabinetto Disegni e Stampe degli Uffizi, il n. 2869S (fig. 21), che per la presenza di altri santi poi affrescati dal Gherardini nei due restanti scomparti della volta (figg. 22, 31) - segnatamente san Jacopo, san Rocco, sant'Antonio da Padova, san Sebastiano e santa Barbara - sarà forse da collegare alle pitture di Sala.

Ulteriori prove grafiche riferibili in qualche misura agli affreschi si rintracciano anche in un magnifico foglio conservato nel Musée Wicar a Lille[101], sul quale è disegnato un personaggio maschile vestito di un grande piviale, molto simile al vescovo Zeno affrescato da Alessandro nel secondo ovato della volta (fig. 30) - quello verso l'ingresso della chiesa -, mentre ai due angeli contrapposti che sostengono la mitria del san Benedetto nella parte inferiore dello sfondato centrale (fig. 26), sembra da avvicinare uno studio nella collezione von Fachsenfeld (fig. 25)[102].

L'eccellente qualità di pennello dispiegata nella volta viene riproposta dal Gherardini sulle pareti della chiesa, dove il pittore, lavorando sopra alla ricca decorazione a tralci vegetali realizzati a foglia d'oro, analoga, nei viluppi, a quella stuccata dal Ciceri, esegue a tempera e con grande spigliatezza di tocco delle coppie di angeli volanti, putti e teste di cherubini eleganti e sensuali (figg. 32-35), vibranti nella tavolozza e nei passaggi chiaroscurali.

Anche la pala che il pittore licenzia in quei mesi per uno degli altari laterali, la *Nascita della Vergine* (fig. 36)[103], è in linea con questi raggiungimenti, risultando, a un esame della foto disponibile - l'opera è oggi conservata nella clausura benedettina -, condotta con una pennellata ancora più sgranata dalla luce, che conferisce ad alcune parti, specialmente le figure di sfondo, una consistenza pulviscolare, memore di certa pittura fiorentina della metà del Seicento.

La composizione, specialmente per quanto attiene al gruppo delle due donne che si danno la mano nella parte destra della tela, sembrerebbe derivata da un' incisione di Carlo Maratta[104], mentre la vecchia nutrice in primo piano, indagata dal Gherardini nella grossolanità impietosa dei tratti - le mani e le braccia possenti e mascoline, il volto segnato di rughe, la bocca sdentata -, è probabile risenta di certi modelli crespiani, ben conosciuti a Firenze in quegli anni.

La permanenza del Gherardini a Pistoia si protrasse per alcuni mesi, considerata la vastità dell'impegno preso; per prima cosa, l'artista dovette affrescare la volta che nella primavera del 1712 risultava ancora in lavorazione, stante l'ingombro dei ponteggi lamentato dalle monache che per questo motivo non poterono celebrare in chiesa la festa della Santissima Annunziata[105]. Nel mese di luglio i lavori dovevano comunque essere a buon punto, tanto che il vescovo di Fiesole, Orazio Panciatichi, poteva consacrare il giorno 30 gli altari del Crocifisso e della Natività, sul quale trovava posto la tela del Gherardini[106]; il 20 settembre il lavoro di affrescatura della volta era finalmente terminato, così come quello alla cantoria, decorata con "ornati", e alle pareti[107], arricchite dagli affreschi del Gherardini (figg. 32-35) e da nuovi stucchi che il Ciceri, in giugno, aveva modellato attorno ai quattro altari laterali (fig. 12) e sulle nicchie ai lati di quello maggiore [108]. Il 25 settembre la chiesa veniva aperta e la festività solennizzata dalla presenza del Capitolo della Cattedrale, del Magistrato supremo e da un *Te Deum* al quale partecipava, numerosissimo, il popolo[109].

Secondo una 'nota di spese', parzialmente pubblicata[110], il costo complessivo del restauro ammontò a 5.264 scudi, compreso il resto delle spettanze al Luti e al Gabbiani per le due pale non ancora terminate; la somma fu coperta in parte prelevando dal deposito del monastero e vendendo diverse robe di chiesa ormai inutili, in parte con le rendite delle benedettine.

Appena aperta, la chiesa iniziò a ricevere subito doni da privati, quali un calice d'argento decorato con strumenti della Passione di Cristo, regalato nell'estate del 1712[111], e importanti reliquie, come quella di San Giovanni Gualberto che il 2 luglio del 1713 il vescovo Visdomini Cortigiani - discendente del servita - lasciava al monastero entro un prezioso reliquiario d'argento sostenuto da un angelo [112].

Finalmente, il 18 luglio anche le monache, ottenuta l'autorizzazione dalla congregazione dei vescovi a uscire dalla clausura, poterono visitare la nuova chiesa. Attraverso un'apertura, nel pomeriggio, le religiose sciamarono nell'aula sacra, accompagnate dal confessore; a coppie, cantando salmi, assistettero al trasferimento del Santissimo dalla sagrestia all'altare maggiore, trattenendosi due ore, abbacinate dalla bellezza della decorazione e dallo splendore delle dorature, illuminate da torce. Verso le diciotto, benedette dal canonico, rientrarono in clausura pienamente soddisfatte del restauro[113].

Qualche mese più tardi anche il principe Gian Gastone visitava la chiesa, rimanendo "assai soddisfatto dell'ornato della medesima"[114], benché questa non fosse completamente arredata, mancando ancora due delle tele per gli altari, una delle quali sarà consegnata nel 1716, anno, quest'ultimo, particolarmente importante per la città di Pistoia in quanto il 20 settembre venne solennemente incoronata l'immagine della *Madonna dell'Umiltà*, venerato simulacro della religiosità cittadina.

La cerimonia portò a Pistoia oltre 40.000 pellegrini venuti da ogni parte della Toscana, che assistettero alle feste grandiose e alle corse dei berberi, recandosi con l'occasione alla rinnovata chiesa di Santa Maria degli Angeli. Anche la famiglia granducale, giunta a Pistoia per le celebrazioni, visitò la nuova Sala; il principe ereditario Gian Gastone, assieme alle principesse vedove Violante Beatrice di Baviera, sua cognata, ed Eleonora Gonzaga di Guastalla, sua zia, ascoltò un *Te Deum*, trattenendosi poi con le benedettine in parlatorio mentre le auguste congiunte visitarono la clausura[115]. Otto anni dopo la prima visita, Violante di Baviera vedeva finalmente realizzato il desiderio espressole dalle monache nel 1708, del quale la principessa si era fatta interprete presso il Gran Principe, favorendo così il restauro del complesso monastico.

Appena un mese dopo queste solenni celebrazioni giungeva alla Sala anche l'*Annunciazione* di Benedetto Luti (fig. 43) che le monache provvedevano a saldare prontamente[116]. Il dipinto, prima di lasciare Roma, dove era stato eseguito, fu esposto nella chiesa di San Niccolò dei Prefetti all'ammirazione degli intenditori. Qui, il 17 ottobre 1716, venne benedetto e consegnato a un corriere che lo trasferì a Pistoia, dove giunse pochi giorni dopo[117].

Opera di uno dei più celebrati pittori attivi a Roma in quegli anni, Accademico di San Luca, Virtuoso del Pantheon e, dal 1720, Principe dell'Accademia[118], l'*Annunciazione*, di poco successiva alla *Vestizione di San Ranieri* nella Primaziale pisana[119], è un dipinto 'arcaico' nell'uso dei contrasti luministici neo-secenteschi.

Derivata da Guido Reni per quanto attiene alla composizione generale e al volto della Vergine[120], e dal Sirani per il panneggiare ampio del mantello di Maria, la tela palesa elementi quasi da Seicento francese nella sedia impagliata visibile sulla sinistra, mentre la bianca tunica dell'angelo, modulata in gradazioni di bianco, sembra ricordare da un lato Orazio Gentileschi, dall'altro i fiorentini di primo Seicento da questi influenzati. La levigatezza delle superfici del volto dell'angelo, compunto e sentimentalmente 'depurato', conferisce alla testa un sapore quasi nazareno, nel solco del purismo tracciato dal Sassoferrato.

L'originalità dell'opera, capolavoro sacro dell'artista, risiede proprio in questo tono austero, opposto al carattere 'mondano' ed elegante, prettamente settecentesco, consueto nelle opere da cavalletto del Luti dipinte per le quadrerie, quali le coeve tele per l'Elettore Palatino, oggi a Pommersfelden[121].

Il diffuso interesse per i bolognesi, documentato anche dai biografi[122], derivava al pittore dalle esperienze di studio fatte in gioventù e a Roma, città nella quale il Luti si era trasferito nel 1691[123]. A contatto con la pittura capitolina, Benedetto elabora un modo di dipingere originale, ispirato da un lato da Carlo Maratta, dall'altro mitigato da una rigorosa serietà interpretativa e da un perfezionismo formale che spingono l'artista, nei quadri sacri, verso una pittura tendente a stemperare il fervore religioso tardo-barocco in un patetismo serenamente contenuto. Questa disposizione spirituale fa del Luti una figura originale nel panorama della pittura romana degli inizi del XVIII secolo, una sorta di precursore della rivoluzione anti-rococò che sarà operata dal Balestra e dal Mengs[124]; in questo senso, l'*Annunciazione* per le monache di Pistoia, nel recupero dei grandi modelli della tradizione secentesca classicista, si qualifica come un vero e proprio 'manifesto' artistico, indicativo del fermento culturale che caratterizza la pittura del centro Italia in quegli anni.

L'arrivo della tela a Pistoia, dopo i fasti romani, rappresentò per la città un evento di tutto rispetto, salutato con entusiasmo dalla 'diarista' del monastero che non mancò di annotare "l'universale soddisfattione" dei pistoiesi e delle religiose di Sala, orgogliose di dotare l'altare maggiore di chiesa di un'opera dipinta "dal celebre e famoso pennello del Signore Cavaliere Benedetto Luti, Professore insignie"[125]; il dipinto che con la sua pacata compostezza formale si contrapponeva con forza al fasto e alla rutilanza decorativa dell'edificio dov'era destinato, ricchissimo di stucchi dorati e di affreschi, si qualificava all'interno della chiesa benedettina come un 'momento' di intima e partecipata riflessione del fedele sul mistero religioso, una volta abbacinato dallo splendore del luogo sacro.

A questa tela faceva da ideale *pendant* 'emotivo' la *Presentazione di Gesù al Tempio* di Anton Domenico Gabbiani (fig. 40), ordinata al fiorentino nel 1709 ma consegnata dal pittore ben dieci anni più tardi, il 24 agosto del 1719[126].

L'opera, una delle più famose dell'artista[127], cade quindi nel periodo maturo di attività del Gabbiani, segnato da capolavori quali la *Comunione di san Pietro d'Alcantara* oggi nella Bayerische Staatsgemäldesammlung di Schleissheim, eseguita nel 1714[128], e risente, nell'accentuato marattismo della composizione, del viaggio compiuto a Roma attorno al 1715, durante il quale Anton Domenico ebbe modo di incontrare il Luti, suo vecchio allievo[129].

Il Gabbiani che veniva elaborando, in sintonia con la propria indole e in conformità con le direttive in campo artistico di Cosimo III de' Medici, una pittura addolcita ed emotivamente 'domestica'[130], dovette trovare nel contatto con Benedetto e nella conoscenza delle opere della fase finale di Maratta, morto nel 1713, dei validi stimoli a proseguire in questa direzione. La *Presentazione* pistoiese denuncia infatti un chiaro debito verso il marchigiano, che si sostanzia nel ritmo compositivo generale della scena e nella citazione, per quanto attiene alla figura di Gesù Bambino, da due incisioni di Carlo che il Gabbiani dovette conoscere[131].

La bellissima figura del giovane che regge il cero alla sinistra del sacerdote, dalla testa elegantemente profilata, richiama Sebastiano Ricci[132], mentre nelle due figure femminili dipinte nella parte bassa, a destra, è ancora percepibile un ricordo di Ciro Ferri, antico maestro di pittura del Gabbiani al tempo del giovanile soggiorno a Roma presso l'Accademia medicea.

Segnata da un grande rigore formale, espressione compiuta di "quell'incanto dolcissimo" che lo Hugford riconosceva quale essenza del linguaggio figurativo dell'artista[133], e perfettamente in linea con la devozionalità tardo-medicea, la *Presentazione* venne studiata dal Gabbiani in uno schizzo già di proprietà dello Hugford (fig. 37), poi inciso da Francesco Bartolozzi (fig. 42)[134] - conservato al Gabinetto degli Uffizi[135] -, che mostra una composizione più concitata e dinamica rispetto a quella dipinta sulla tela (fig. 40)[136], tanto da pensarlo tracciato dal pittore per essere presentato alle monache al momento della commissione dell'opera, poi 'depurata' di ogni enfasi formale nei dieci anni intercorsi tra il conferimento dell'incarico e la consegna[137].

Con l'arrivo della pala del Gabbiani nell'agosto del 1719 il restauro interno della chiesa potè dirsi veramente concluso; rimaneva da realizzare la facciata, alla quale si diede seguito il 10 ottobre del 1726 seguendo il disegno fornito qualche anno prima dal Foggini[138], nel frattempo deceduto. Il progetto, messo in opera da Filippo Baldi[139], si evidenzia per la semplicità del prospetto (fig. 1), con portale coronato da un frontone spezzato e due finestre di disegno neo-cinquecentesco, analoghe a quella progettata dal Foggini sulla facciata della chiesa di San Bartolomeo al Buonsollazzo, presso Vaglia, in Mugello[140].

A Pistoia, un massiccio cornicione in pietra, molto aggettante, divide il registro inferiore della facciata da quello intermedio, caratterizzato da una superfice liscia, rifinita da due ampie volute introflesse; un secondo cornicione, più alto del precedente, separa lo spazio intermedio dal frontone triangolare, fortemente plastico. In sincronia con la facciata fu realizzato anche il campanile nel quale, nel novembre del 1726, si sistemarono le due campane[141].

Il complesso monastico benedettino, con la sua imponente mole sul corso Gramsci, rimasta pressoché inalterata fino a oggi - con l'eccezione dell'ultimo piano del monastero, aggiunto nell'Ottocento-, risultò essere, per comodità e vastità di spazi interni, il più importante edificio sacro realizzato a Pistoia nel primo quarto del XVIII secolo[142] e il capolavoro del suo progettista che operò con un fasto e una magnificenza ineguagliabili.

La decorazione della chiesa, distribuita con *horror vacui* su tutta la superfice disponibile, ha il pregio di camuffare una struttura piuttosto ibrida, tardo-cinquecentesca, qualificandosi, inoltre, come una vera e propria *summa* dell'inesauribile bagaglio di soluzioni formali proprie del Foggini, rintracciabili in molte altre delle sue fabbriche. Per procedere con qualche esempio, il ricchissimo tendaggio retto da angiolini volanti, stuccato al disopra delle finestre sulla controfacciata (fig. 8), trova precisi elementi di confronto tipologico con quelli che decorano il salone al piano nobile in palazzo Viviani della Robbia in via Tornabuoni e l'arcone della navata centrale in San Jacopo sopr'Arno a Firenze, mentre l'incorniciatura dell'organo, dall'alto frontone sagomato, arricchita da volute 'a orecchio', ricorda molto da vicino quella affrescata su disegno del Foggini nella controfacciata in Santa Maria di Candeli, sempre a Firenze[143]. Da questo edificio sembra derivare anche il coronamento triangolare aggettante delle due porticine laterali (fig. 10), identico, nel disegno, a quello del portale d'ingresso della chiesa fiorentina, mentre ispirate a modelli già messi in opera sia sulla facciata della chiesa della Santissima Annunziata dei Greci a Livorno, sia a completamento degli altari laterali in San Giorgio alla Costa a Firenze, sono le incorniciature dei quattro altari minori di chiesa, sovrastati da un 'cappello' neo-buontalentiano, arricchito da conchiglie e volute (fig. 12), studiato dal Foggini in alcuni disegni del 'Giornale' del Gabinetto degli Uffizi (fig. 11)[144].

Anche nella progettazione della volta della chiesa, scompartita in quattro settori, il Foggini fa confluire molti elementi caratteristici del proprio vocabolario; nelle due porzioni occupate dagli affreschi ovali, a esempio, l'architetto organizza una decorazione molto rigogliosa, assecondando l'andamento del soffitto con specchiature di forma geometrica regolare, separate tra di loro da semplici fasce d'intonaco e decorate all'interno da tralci vegetali bianchi su fondo d'oro (fig. 3) che ricordano quanto adottato nelle volte della 'sala rossa' e in quella 'dei bassorilievi' in palazzo Medici Riccardi e riproposto nel soffitto di San Francesco de' Macci e nella volta del sottocoro in San Giorgio alla Costa, a Firenze.

Nello scomparto centrale, che ha il punto di forza nei quattro angeli volanti che sorreggono la cornice sagomata dell'affresco (fig. 17), l'architetto mette in opera, invece, un modello decorativo opposto al precedente, optando per una tramatura eccezionalmente fantasiosa e libera, nella quale convergono grandi volute, tralci vegetali, conchiglie, festoni di fiori in un tripudio grafico che rimanda al giovanile progetto del cupolino della cappella Feroni alla Santissima Annunziata e agli stucchi che completano la volta di una sala affrescata dal Gabbiani in palazzo Medici Riccardi a Firenze. Nonostante queste riprese e 'autocitazioni', l'architetto non mancò di studiare con cura la decorazione della chiesa di Sala, come documentano alcuni disegni del 'Giornale' del Gabinetto degli Uffizi, a esempio, a carta 34v. (fig. 9), una porta con coronamento morfologicamente vicina alle due laterali in Santa Maria degli Angeli (fig. 10), oppure, a carte 35r. (fig. 7) e 36, un prospetto con balaustra prossimo a quello realizzato sulla controfacciata della chiesa pistoiese (fig. 8).

Punto d'arrivo dell'esuberanza decorativa di Giovan Battista Foggini - in seguito l'architetto adotterà registri espressivi più austeri[145] -, per la chiesa delle monache di Sala sembrano maturati i tempi di un decoroso recupero che ci auguriamo l'amministrazione comunale di Pistoia voglia effettuare con sollecitudine: la città, pur ricca di memorie artistiche settecentesche, potrà così 'riappropriarsi' del suo più segreto - e prezioso - gioiello del XVIII secolo.

Note

1) G. BEANI, *La Chiesa Pistoiese dalla sua origine ai tempi nostri. Appunti storici*, 2ª ed., Pistoia 1912, p. 184.

2) F. TOLOMEI, *Guida di Pistoia per gli amanti delle belle arti con notizie degli architetti, scultori e pittori pistoiesi*, Pistoia 1821, pp. 126-129; G. TIGRI, *Pistoia e il suo territorio. Pescia e i suoi dintorni*, Pistoia 1854, pp. 272-273.

3) M. MARANGONI, *La pittura fiorentina del "Settecento"*, in 'Rivista d'arte', VIII, 1912, p. 76.

4) M. M. PIERACCI, *La difficile poesia di un ribelle all'Accademia: Alessandro Gherardini*, in 'Commentari', IV, 4, 1953, pp. 302-303.

5) G. EWALD, *Documenti per due pale d'altare del Gabbiani e del Luti a Pistoia*, in 'Rivista d'arte', XXXVI, serie terza, XI, 1963 (cit. 1963a), pp. 127-130.

6) Idem, *Il pittore fiorentino Alessandro Gherardini*, in 'Acropoli', III, II, 1963 (cit. 1963b), pp. 119-121, 126-128, 132.

7) *Museo Civico di Pistoia. Catalogo delle collezioni*, a cura di M. C. Mazzi, Firenze 1982, pp. 172-175.

8) R. SPINELLI, *Il monastero e la chiesa di Santa Maria degli Angeli di Sala di Pistoia*, tesi di laurea, Università degli studi di Firenze, Facoltà di Lettere e Filosofia, anno accademico 1981-1982, 2 voll., relatore Mina Gregori.

9) Idem, *Ricognizione su Giuseppe Broccetti (1684-1733)*, in 'Annali della Fondazione di studi di Storia dell'arte Roberto Longhi', II, 1989, pp. 106-109.

10) Idem, *Giovan Battista Foggini e le fabbriche fogginiane a Firenze e in Toscana tra Sei e Settecento*, tesi di dottorato di ricerca in Storia dell'arte, Università degli studi di Roma "La Sapienza", Roma 1992, pp. 187-198.

11) S. MELONI TRKULJA, *L'attività tarda di Alessandro Gherardini sulla costa tirrenica e un nuovo acquisto delle Gallerie fiorentine*, in 'Antichità viva', XXIV, 1985, nn. 1-2-3, p. 76.

12) M. CHIARINI, *La pitttura del Settecento in Toscana*, in *La pittura in Italia. Il Settecento*, 2 voll., Milano 1990, I, p. 314.

13) Cfr. R. SPINELLI, op. cit., 1981-1982, I, pp. 246-287.

14) Ivi, pp. 1-170; R. FERI, *Il monastero da Sala*, in 'Bollettino Storico Pistoiese', XCVII, terza serie, XXX, 1995, pp. 41-56.

15) Cfr. Biblioteca Nazionale Centrale di Firenze (BNCF), Manoscritti Rossi Cassigoli n. 134, F. DONDORI, *Selva Di Varie Cose Antiche e Moderne Della Città di Pistoia*, 1639, c. 50; G. DONDORI, *Della pietà di Pistoia*, Pistoia 1666, p. 148; Monastero benedettino di Santa Maria degli Angeli di Pistoia, archivio, G. BORRELLI, *Descrizione del Venerabile Monastero di Santa Maria degli Angeli alias da Sala di Pistoia*, manoscritto, 1757; F. TOLOMEI, op. cit., p. 126; G. TIGRI, op. cit., p. 272; R. SPINELLI, op. cit., 1981-1982, I, pp. 63-66. Cfr. anche R. FERI, op. cit., p. 62.

16) Cfr. R. FERI, op. cit., p. 53; vedi anche R. SPINELLI, op. cit., 1981-1982, I, pp. 67-70.

17) Una copia integrale del 'breve' è in BNCF, Manoscritti Rossi Cassigoli n. 20, G. FIORAVANTI, *Libro d'Ordine e Capitoli sopra la incorporatione et Aggregatione della heredità di Bastiano Fioravanti, e Pavolo di detto Bastiano Fioravanti, fatta al monastero di Santa Maria dell'Angeli*, 1630, c. 15r.; un ricordo del documento è in Archivio di Stato di Firenze (ASF), Corporazioni Religiose Soppresse da Pietro Leopoldo (CRSPL) 185, filza 9, c. 745r. Il documento, con altra segnatura, è noto anche a R. FERI, op. cit., p. 54, n 90.

18) Si veda l'originale in ASF, Pratica segreta, Pistoia, vol. XIII, 1596-1604, c. 182r.

19) La nota riassuntiva di tutti questi beni è in ASF, CRSPL 185, filza 9, c. 825; se ne veda la trascrizione integrale in R. SPINELLI, op. cit., 1981-1982, II, pp. 502-503, doc. n. 21. Secondo le ricerche di R. FERI, op. cit., p. 55, il valore complessivo dell'eredità Fioravanti e Rospigliosi ammontò a 83.300 scudi.

20) Cfr. BNCF, Manoscritti Rossi Cassigoli n. 134, F. DONDORI, op. cit., c. 50.

21) R. SPINELLI, op. cit., 1981-1982, I, pp. 83-85. Alcuni lavori sono ancora documentati nel 1617 e nel 1620, sempre sotto la sovrintendenza del Marcacci. Cfr. BNCF, Manoscritti Rossi Cassigoli n. 135, *Libro di ricordi del Monastero di Santa Maria degli Angeli di Sala dal 1615 al 1723*, c. 13, 6 agosto 1617; c. 22, 15 novembre 1620. Stando ad alcuni documenti reperiti

da R. FERI, op. cit., pp. 64-65, i lavori di sistemazione delle chiesa, non specificati - nelle carte si parla genericamente di "fabbrica"-, si dovrebbero al disegno di Jacopo Lafri.

22) R. SPINELLI, op. cit., 1981-1982, I, p. 132.

23) Ivi, pp. 135-141; cfr. anche R. FERI, op. cit., p. 66.

24) BNCF, Manoscritti Rossi Cassigoli n. 135, c. 72; G. DONDORI, op. cit., p. 148.

25) BNCF, Manoscritti Rossi Cassigoli n. 135, c. 141.

26) G. CURCIO, in *Museo Civico di Pistoia* cit., pp. 172-173.

27) R. SPINELLI, op. cit., 1981-1982, I, pp. 177-179.

28) Ivi, p. 140; BNCF, Manoscritti Rossi Cassigoli n.

135, c. 71.

29) R. SPINELLI, op. cit., 1981-1982, I, pp. 186-187; BNCF, Manoscritti Rossi Cassigoli n. 135, c. 190 "Adi primo settembre 1684. Fù messo in opera il Quadro della Santissima Nonziata, in Chiesa nostra per l'Altare di Fianco, et è mano del Signor Pier Dandini; quale fù fatto fare da Donna Maria Anna Lazari e la spesa importò scudi centoventi; e di poi la medesima Donna Anna li fece fare l'adornamento, che valse scudi quaranta".

30) Non viene ricordata, forse perchè a quella data la pala si trovava in clausura, sull'altare della cappellina interna, da J. M. FIORAVANTI, *Memorie storiche della Città di Pistoia*, Lucca 1758, p. 272; dal TOLOMEI, op. cit., p. 129, in avanti la tela viene sempre citata. Il MARANGONI, op. cit., p. 97, la elenca tra le opere non viste o non rintracciate.

31) S. BELLESI, *Una vita inedita di Pier Dandini*, in 'Rivista d'arte', XLIII, serie quarta, vol. VII, 1991 (ed. 1992), pp. 97, 178 n 298; idem, *Riflessi cortoneschi in alcune pitture di Pier Dandini*, in 'Antichità viva', XXXVI, nn. 2-3, 1997, p. 101.

32) Per gli altri lavori pistoiesi, cfr. S. BELLESI, op. cit., 1992, p. 178.

33) Ivi, p. 95.

34) Ivi, p. 96.

35) Ivi, p. 97.

36) Ibidem. Sulla tela si veda anche M. SFRAMELI, *Tre pittori e un architetto per l'altare maggiore di Santa Verdiana a Firenze*, in 'Paragone', XLV, nuova serie, nn. 529-531-533, 1994, pp. 174-175.

37) S. BELLESI, op. cit., 1992, p. 98.

38) Ivi, p. 101. A livello compositivo, l'*Annunciazione* sembra ispirata da un'incisione di Carlo Maratta che il Dandini potè conoscere, a esempio, nel corso del soggiorno romano del 1680 circa; la si veda riprodotta in P. BELLINI, *L'opera incisa di Carlo Maratti*, catalogo della mostra, Pavia 1977, p. 58 n. 9.

39) S. BELLESI, *I rapporti di collaborazione tra Pier Dandini e Andrea Scacciati: le tele con l''Allegoria delle Stagioni'*, in 'Paragone', 469, 1989, pp. 86-92; per la nuova cronologia, cfr. R. SPINELLI, *Vittoria della Rovere (1622-1695)*, in *Il giardino del Granduca. Natura morta nelle collezioni medicee*, a cura di M. Chiarini, Roma 1997, pp. 178-182.

40) S. BELLESI, *Postilla a un dipinto di Pier Dandini*, in 'Paragone', 475, 1989, pp. 94-95; idem, op. cit., 1992, p. 102.

41) ASF, CRSPL 185, filza 14, c.n.n., 2 febbraio 1687 "Adi 2 Febraio 1687. Jo Allessandro Bergamini di Carrara ho ricevuto dalla Madre Abbadessa e Monache di Santa Maria degli Angeli in Pistoia detto di Sala scudi cento trenta moneta fiorentina sono à conto della Cappella di marmi lavorati che io li fatio nella chiesa delle dette Madri et in fede gliene fò la presente riceuta scritta e sotto scritta di mia propria mano. Allessandro Bergamini sudeto".

42) Ivi, 4 luglio 1687 "Jo Allessandro Bergamini ho riceuto piastre cento dalle Reverende Monache di Sala à conto della Cappella di marmi lavorati che io li fatio nella chiesa delle dette et in fede mano propria li ho fatto la presente ricevuta"; 29 luglio 1687 "Jo Allessandro Bergamini ho riceuto piastre cento dalle Reverende Monache di Sala a conto della Cappella de marmi lavorati che io li fatio nella chiesa delle dette et in fede mano propria li ho fatto la presente riceuta". Si veda anche BNCF, Manoscritti Rossi Cassigoli n. 135, c. 190 "Ricordo come a di 4 di Luglio 1687 vennero i primi Marmi per metter su la Cappella del Nostro Altare Maggiore fatto dal signore Alessandro bergamini da Massa di Carrara, e fu terminato detto Altare al primo di settembre del medesimo Anno; e vi si disse la Prima Messa il di 8 giorno dedicato alla Natività della Santissima Vergine. La spesa di detto Altare ascende alla somma di scudi 800, quali denari furon sborsati da più Monache, e Converse, però secondo la possibilità, e Devotione di ciascheduna, e il Monasterio somministrò qualcosa ancora Lui, come carreggi, et altro. Si ebbe ancora gratia dal Serenissimo Padrone per mezo del Illustrissimo signore Senatore Panciatici di non pagare la gabbella di Pisa".

43) Ivi, 22 agosto 1687 "Jo Allessandro Bergamini ho riceuto Piastre cinquanta dalle Reverende Monache di Sala à conto della Cappella che io li fatio nella

loro chiesa".

44) Cfr. nota 42.

45) BNCF, Manoscritti Rossi Cassigoli n. 135, c. 190
"Ricordo come il di 31 ottobre 1688 fu consacrata la Nostra Chiesa, et Altare Maggiore, da Monsignor Illustrissimo Gherardo Gherardi Nostro Vescovo la spesa di detta sacra fu fatta dalle sagrestane che erano in quel tempo".

46) Non sono in grado di precisare gli anni esatti dello smantellamento dell'altare; nella guida di MAYA (Iva Gonfiantini), *Pistoia artistica,* Pistoia 1927, pp. 59-60, è detto già demolito.

47) Il profilo più articolato su Alessandro resta quello tracciato da R. SPINELLI, op. cit., 1981-1982, I, pp. 202-212; si veda anche S. PARTSCH, *Bergamini Alessandro,* voce in *SAUR. Allgemeines Künstler-Lexikon,* 9, München - Leipzig 1994, p. 323.

48) R. SPINELLI, op. cit., 1981-1982, I, pp. 209-210. Cfr. anche G. PIOMBANTI, *La Certosa di Pisa e dell'isola di Gorgona,* Livorno 1884, p. 24 ; A. MANGHI, *La Certosa di Pisa. Storia (1366-1866) e Descrizione,* Pisa 1911, pp. 106-107, 269.

49) ASF, CRSPL 185, filza14, c.n.n., alla data "Avendo le molto Reverende Monache del Monastero di Santa Maria degl'Angeli, altri dette da Sala, della città di Pistoia, convenuto, e firmato con il Signor Andrea Vaccà di Massa di Carrara scultore di marmi, di fare e perfezionare nella chiesa di detto loro monastero due statue e nicchie, secondo il disegno che detto Signor Andrea haverà a presso di se, fatto dal Signor Foggini architetto, e ridotto in pianta dal Reverendo Padre Agostino Cocchetti di Pistoia con gli infrascritti patti, condizioni e prezzo. Che perciò il medesimo Signor Andrea promise, e si obligò fare il detto lavoro nel modo, e forma infrascritti, cioè che il lavoro predetto sia per l'apunto circa le misure, colori, e qualità di marmi conforme al suddetto disegno, per il prezzo di piastre quattrocento sessanta moneta fiorentina, e non più. Che la grazia delle gabbelle dei marmi da condursi a detta chiesa e monastero devino procurarla, ed ottenerla dette monache a tutte loro spese. Che ogn'altra spesa che occorrà farsi per incassatura, e conduttura de marmi medesimi fino a Signa, si aspetti, e si appartenga in tutto e per tutto a detto signor Andrea. Che a dette monache si spetti, et appartenga far tutte le spese di lor proprio per condurre li detti marmi incassati da Signa a detta loro chiesa e monasterio. Che tutto il legname, e chiodatura della casse di detti marmi sia (...) si aspetti a detto Signore Andrea. Che ogn'altra spesa che occorrerà farsi per la perfezione di detto lavoro si di muratori, come di ferramenti e materiali, si aspetti e si appartenga a dette monache. Che detto signor Andrea deva come promette aver finito, e terminato di metter in opera il sudetto lavoro per tutto il di 25 marzo 1705. Che ogn'altra spesa che occorra per il vitto, o altro alli huomini scalpellini che condurrà il detto signor Andrea per metter in opera il promesso lavoro si apetti, et appartenga al medesimo signor Andrea. Che dette monache devino come promettono subbito sottoscritta la presente scrittura da ambe le parti, dare e pagare piastre cento sessanta moneta fiorentina a detto signor Andrea Vaccà, et il rimanente quando haverà finito di mettere in opera il suddetto lavoro ramossa qual si sia eccezione. Et per l'osservanza di tutte le predette cose le suddette reverende madri e detto signor Andrea obligano respettivamente loro stessi successori eredi e beni presenti e futuri et in fede Jo Donna Angela Caterina Felice Marchetti abbadessa del monastero da Sala suddetto affermo e mi obligo a quanto sopra mano propria. Jo in fra scritto mi obligo e prometo quanto nel sopra deto foglio si contiene et in fede Andrea Vaccà mano propria".

50) BNCF, Manoscritti Rossi Cassigoli n. 135, c. 210.

51) Ivi, "Al medesimo Signor Rocchetti per ridurre in grande li due disegni mandati dal Signor Foggini. Al legnaiolo per cinque opere in fare li telai à detti due disegni mandati dal Signor Foggini".

52) ASF, CRSPL 185, filza 14, c.n.n., 27 luglio 1704 "Jo in fra scritto o riceuto dale Reverende Moniche da Sala piastre cento sessanta per mano del canonico Francesco Maria Paribeni i quali sono a conto del prezo del sopra detto lavoro et in fede dico pistre (sic) 160. Andrea Vaccà mano propria"; 13 giugno 1705 "Jo in fra scritto o riceuto scudi cento vinti cinque moneta fiorentina dal in fra scritte reverende moniche compresa in deta somma li scudi venti cinque dati di mio ordine più giorni sono a maestro Lorenzo Pasani et in fede dico scudi 125. Jo Andrea Vaccà mano propria"; "Adi 19 giugno 1705 Jo in fra scritto o riceuto dale reverende moniche da Sala piastre cento setanta cinque quali sono per l'intiero saldo e pagamento del resto scrito conto et in fede dicho piastre 175. Jo Andrea Vaccà mano propria".

53) BNCF, Manoscritti Rossi Cassigoli n. 135, cc. 210-211.

54) Su Andrea Vaccà si vedano il profilo biografico redatto da R. SPINELLI, op. cit., 1981-1982, I, pp. 224-245; E. CHINI, *La chiesa e il convento dei Santi*

Michele e Gaetano a Firenze, Firenze 1984, pp. 237-239; R. P. CIARDI, *La prima metà del secolo*, in *Settecento pisano. Pittura e scultura a Pisa nel secolo XVIII*, Ospedaletto (PI) 1990, pp. 59-61; S. BLASIO, in *Repertorio della scultura fiorentina del Seicento e Settecento*, a cura di G. Pratesi, 3 voll., Torino 1993, I, p. 64; S. BELLESI, ivi, p. 108.

55) Ho rintracciato l'atto di morte, finora sconosciuto, dello scultore, dal quale si evince che il Vaccà morì settantacinquenne il 17 gennaio del 1729; si veda il documento in Archivio della Collegiata di Sant'Andrea Apostolo (Duomo) di Carrara, Registro dei morti, III, 1659-1730 (2 voll., segnati A e B), vol. B, anni 1699-1730, c. 91v. "Die 17 Januarii 1729. D. Andreas Vaccà etatis sua annorum 75 civitate obiit morte repentina, et in ecclesia S. Andreas sepultus est, cuius axegii ego P. Angelis M. a Possani cur.s ad fuit".

56) E. CHINI, op. cit., pp. 231-243.

57) Sulla decorazione della cappella si veda M. VISONÀ, *Cappella Feroni nella Santissima Annunziata*, in *Cappelle barocche a Firenze*, a cura di M. Gregori, Cinisello Balsamo (MI) 1990, pp. 220-248 (con bibliografia precedente).

58) Lo scultore risulta in contatto con il Foggini per i lavori livornesi dell'architetto; in particolare, fornisce tra il 1702 e il 1703 i marmi per il campanile della chiesa della Santissima Annunziata dei Greci (cfr. R. SPINELLI, op. cit., 1981-1982, I, pp. 232-233; idem, op. cit., 1992, pp. 114, 257), scolpisce le lapidi in marmo a forma di pelle di fiera sulle porte della caserma del Picchetto, sull'attuale piazza Guerrazzi, costruita su disegno del Foggini tra il 1701 e il 1707 (Idem, op. cit., 1981-1982, I, p. 233), realizza tra il 1701 e il 1709 le due figure allegoriche in marmo della *Carità* e della *Fede* e il busto di *San Gregorio* sulla facciata dell'omonima chiesa dei mercanti armeni (Idem, op. cit. , 1992, p. 120).

59) R. P. CIARDI, op. cit., pp. 59, 96 n 14.

60) Ivi, p. 59.

61) G. TIGRI, op. cit., p. 289.

62) R. P. CIARDI, op. cit., p. 61.

63) Su Ranieri del Pace cfr. R. SPINELLI, *Le decorazioni settecentesche*, in *Palazzo Spini Feroni e il suo museo*, a cura di S. Ricci, Milano 1995, pp. 125-140, 147-155, 167-173, 187-197; idem, *Per il catalogo di Ranieri del Pace e altri inediti fiorentini del Settecento*, in 'Bollettino dell'Accademia degli Euteleti della città di San Miniato', n. 62, 1995, pp. 111-208.

64) Il documento è in R. SPINELLI, op. cit., 1981-1982, I, pp. 246-247; II, pp. 543-544.

65) Il ricordo è stato parzialmente pubblicato da G. CURCIO, op. cit., p. 174. Il documento completo è in BNCF, Manoscritti Rossi Cassigoli n. 135, c. 227v.

66) BNCF, Manoscritti Rossi Cassigoli n. 135, c. 227v.

67) Ivi, c. 227r. "Adi 23 agosto 1709. Il signore Gio. Batista Foggini sopradetto fu qui in clausura il di 24 del corrente mese con prete Filippo Baldi per riconoscere la volta, e muri della chiesa et il palco dove si deve fare il coro per udir la messa, avendo portato seco i disegni fatti per tale effetto li quali erano degni di un tale architetto. Il di 25 ritornò di nuovo in clausura, con monsignor Michel'carlo Cortigiani nostro vescovo e due canonici cioè il signore canonico Scarfantoni nostro confessore, e il signor custode Marchetti, e signori operai, e due preti che servivano monsignore e prete Filippo Baldi e due muratori che detto prete venne ad effetto di restare informato per dovere assistere a detta fabbrica e tutti i sudetti signori riconobbero i sopradetti disegni del signore Foggini il quale stette questi due giorni in casa de sudetti signori Marchetti, come sopra senza spesa del vitto, e abitazione, e gli si mandò libbre cinque di colazione, e un piatto di paste ordinarie".

68) Ibidem.

69) G. CURCIO, op. cit., p. 174; R. SPINELLI, op. cit., 1981-1982, I, pp. 175-176.

70) BNCF, Manoscritti Rossi Cassigoli n. 135, c. 228v. "Adi 12 dicembre 1709. Ricordo come questo di sudetto venne il signore Gio. Batista Foggini per rivedere la fabbrica della nostra chiesa dovendosi cavare le catene della volta, e rimettere le nuove sopra detta volta spronate come ci sono di presente et il tutto per grazia del Signore e della Santissima Vergine riuscì felicemente e gli si dette il solito onerario come è solito darsi a detto architetto quando va fuori che sono due scudi il giorno e levato e' pasto e di casa e vitto lo tennero i signori Marchetti".

71) R. SPINELLI, op. cit., 1981-1982, I, p. 253.

72) Il documento è stato pubblicato da G. EWALD, op. cit., 1963a, p. 127.

73) ASF, CRSPL 185, filza 14, c.n.n., in data 17 febbraio 1710.

74) BNCF, Manoscritti Rossi Cassigoli n. 135, c. 228v.

75) Ivi, c. 228r. "Adi 29 maggio 1710. Questo giorno sopra detto venne il signore Gio. Batista Foggini architetto per la terza volta per riconoscere il suo disegnio messo in pratica del ornato della volta della chiesa e riagiunse qualche rabesco, et ornato di festoncini e puttini alle finestre e sopra

l'altare maggiore. Approvò la Gloria da farvisi dal Signore Giuseppe Broccetti secondo il modellino fatto dal medesimo Broccetti il quale fu dal medesimo portato al signore Principe di Toscana e fu dal medesimo lodato il pensiero, si come del ornato di tutta la chiesa, fu dato all'architetto l'onerario al solito di scudi due il giorno, levato e' pasto e fu servito di casa da signori Marchetti al solito dell'altre volte".

76) R. SPINELLI, op. cit., 1981-1982, I, p. 256; idem, op. cit., 1989, pp. 106-108.

77) Idem, op. cit., 1989, pp. 101-123.

78) G. EWALD, op. cit., 1963a, p. 130.

79) R. SPINELLI , op. cit. ,1981-1982, I, p. 268.

80) Idem, op. cit. , 1989, pp. 107-108; i documenti relativi sono in ASF, CRSPL 185, filza 14, c.n.n. "Adi 2 marzo 1711. Jo Guseppe (sic) Broccetti o riceuto a chonto di dette medallie tolei sette a me detti chontanti atc; in fede mano propria". "Adi 7 marzo 1711. Jo Guseppe Broccetti, o riceuto toleri quatro a detto chonto che in fede mano propria". "Adi 10 marzo 1711. Jo Guseppe Broccetti mi chiamo appieno sadisfatto e saldato d'ogni chonto per i lavori da me fatti nella chiesa delle reverende monache di Sala etc. in fede mano propria". Il saldo definitivo viene corrisposto allo stuccatore il 19 dicembre 1711.

81) Si vedano i pagamenti in ASF, CRSPL 185, filza 14, c.n.n. "Adi 24 maggio 1711 in Pistoia. Jo Gio. Batta Ciceri mi chiamo del intiero satisfatto e saldato di tutto il lavoro di stucchi fatti da me nella chiesa delle reverende Madri di Santa Maria delli Angeli, detta di Sala per il pretio di scudi cinquecentosessantacinque tanti stati d'accordo compresovi tutte le agionte e tutto ciò che nella medesima chiesa o lavorato e per fede della verità o fatto il presente saldo di mia propria mano dicho scudi 565. Jo sopra detto mano propria".

82) R. SPINELLI, op. cit., 1989, pp. 109, 119 n 52.

83) F. BÜTTNER, *"All'usanza moderna ridotto": gli interventi dei Riccardi*, in *Il palazzo Medici Riccardi di Firenze*, a cura di G. Cherubini e G. Fanelli, Firenze 1990, pp. 161-162.

84) L. GINORI LISCI, *I palazzi di Firenze nella storia e nell'arte*, 2 voll., Firenze 1972, II, p. 590.

85) R. SPINELLI, op. cit., 1992, pp. 319-321. Le dorature furono realizzate da Niccolò Cervichi (ivi, pp. 327-328).

86) Ivi, pp. 344-347; idem, *Giovan Battista Foggini e il camerino di Violante di Baviera*, in 'Paragone', XLV, nn. 529-531-533, 1994, pp. 273-274.

87) R. SPINELLI, op. cit., 1992, pp. 384-385. Il Ciceri realizzò tutte le ornamentazioni plastiche della chiesa, comprese le grandi figure poste sugli altari laterali, sopra la grata del coro e attorno alla tela dell'altare maggiore. Lo stuccatore venne pagato una prima volta il 12 marzo del 1706 e saldato il 6 ottobre successivo "per ogni avere e sodisfatione de' lavori di stuchi et altro fatti in occasione di adornare la chiesa", stucchi dorati da Leonardo Ferroni e Niccolò Cervichi.

88) R. SPINELLI, op. cit., 1994, pp. 271-276.

89) G. CURCIO, op. cit., p. 174.

90) G . EWALD, in *Gli ultimi Medici. Il tardo barocco a Firenze, 1670-1743*, catalogo della mostra (Detroit-Firenze), Firenze 1974, pp. 238-239, nn. 140a-b. L'affresco venne eseguito tra il 1702 e il 1718. Su quest'importante commissione si veda R. SPINELLI, *Anton Domenico Gabbiani e la cupola di San Frediano in Cestello: nuovi documenti*, in corso di stampa.

91) G. EWALD, op. cit., 1963a, p. 127.

92) Penna nera, matita nera su carta, mm. 552x405. Annamaria Petrioli Tofani, con una nota manoscritta sul cartone di montaggio, collega il disegno all'affresco nel soffitto della cappella Sansedoni nell'omonimo palazzo di Siena.

93) R. SPINELLI, op. cit., 1981-1982, I, p. 278.

94) G . CURCIO, op. cit. , p. 174. Il documento è in BNCF, Manoscritti Rossi Cassigoli n. 135, c. 232r. "Adi 18 ottobre 1711. Ricordo come si fece scrittura di convenzione col Signore Alessandro Gherardini pittore fiorentino co la quale si è obbligato a dipingere li tre sfondi della volta della nostra chiesa, et una tavolina entrovi la Natività della Beatissima vergine per collocarsi nella medesima chiesa in uno de quadri laterali per la somma di scudi Seicento, con l'obbligo di somministrarli tutto l'azzurro necessario, e di detta convenzione ne appare scrittura privata di questo sudetto giorno sottoscritta di mano del medesimo quale si conserva fra le altre scritture della fabbrica".

97) G. ZANOTTI, *Storia dell'Accademia Clementina di Bologna aggregata all'Istituto delle Scienze e dell'Arti*, 2 voll., Bologna 1739, I, p. 362.

98) L. CRESPI, *Vite de' pittori bolognesi non descritte nella Felsina Pittrice*, Roma 1769, p. 166.

99) BNCF, Manoscritto Palatino E.B.9.5., F. M. N. GABBURRI, *Vite di artisti* (1719-1741), 4 voll., I, c. 161. "Ne era certamente necessario l'attaccare il povero Gherardini per aver gettato a terra quel poco che aveva cominiciato a dipingere il Viani, che se egli avesse seguitato il già fatto sarebbe riuscita una cosa mostruosa. Sicchè fece molto bene a far quel ch'ei fece, e il med.mo si. Zannotti, ed

ogni altro Pittore averebbe fatto l'istesso, molto più quanto ne avessero avuto un ordine preciso, come l'ebbe il Gherardini, che pure era grande estimatore del merito di Domenico Viani".

100) S. MELONI TRKULJA, op. cit., p. 76. La tela venne eseguita nel 1711.

101) Inv. PL. n. 225, pubblicato da M. CHIARINI, *Bellezze di Firenze. Disegni fiorentini del Seicento e del Settecento dal Museo di Belle Arti di Lille*, catalogo della mostra (Firenze), Milano 1991, p. 110, n. 50.

102) Pubblicato, senza specifici collegamenti, in *Unbekannte Handzeichnungen alter Meister*, catalogo della mostra, Stuttgart 1967, p. 117, n. 116. Si veda anche H. GEISSLER, in *Sammlungen Schloss Fachsenfeld*, catalogo della mostra, Stuttgart 1978, p. 172, n. 82.

103) Pubblicata da G. EWALD, op. cit., 1963b, p. 132, n 25. La tela è firmata e datata 1712.

104) La si veda pubblicata da P. BELLINI, op. cit., pp. 48-51.

105) R. SPINELLI, op. cit., 1981-1982, I, pp. 283-284.

106) BNCF, Manoscritti Rossi Cassigoli n. 135, c. 234r. "Adi 30 luglio 1712. Ricordo come dall'Illustrissimo e reverendissimo Monsignore Orazio Panciatichi vescovo di Fiesole con permissione dell'illustrissimo e reverendissimo monsignore Vescovo Cortigiani coll'assistenza delli reverendissimi signori Canonico Jacopo Scarfantoni e Canonico custode Felice Marchetti come canonici e demendari furono consacrati li due altari minori del Santissimo Crocifisso, e Natività della Beatissima Vergine".

107) G. CURCIO, op. cit., p. 174.

108) ASF, CRSPL n. 185, filza 14, c.n.n. "Adi 16 giugno 1712. Jo Gio. Batta Ciceri o riceuti dalle reverende madri di Santa Maria delli Angieli detti da Sala scudi cinquanta moneta fiorentina tanti sono per aver rifatto di novo disegno li altarini laterali e li ornati li altri due quadri pur laterali e me ne chiamo pienamente sodisfato dicho scudi 50. Io sopra detto mano propia".

109) BNCF, Manoscritti Rossi Cassigoli n. 135, c. 235r. "S. M. S. Adi 25 settembre 1712. Ricordo come questa mattina giorno di domenica fu aperta la nostra chiesa e per rendimento di grazie a nostro Signore d'avere fatto ridurre a termine felice la fabrica et ornato della medesima fu solennizzato il medesimo giorno con messa solenne in musica, e vespri della Santissima vergine il tutto coll'intervento del reverendissimo capitolo, et alla messa sudetta del magistrato supremo, essendovi ancora cantato il Te Deum e vi fu gran concorso di popolo, et nel resto furono fatte le solite funzioni, ceremonie e recognizioni che si sogliono praticare quanto si fa la festa titolare solennemente della nostra chiesa".

110) Cfr. G. CURCIO, op. cit., p. 174. Il documento è leggibile in BNCF, Manoscritti Rossi Cassigoli n. 135, c. 237v.

111) BNCF, Manoscritti Rossi Cassigoli n. 135, c. 234r.

112) Ivi, c. 237r.

113) Ivi, c. 238v., 18 luglio 1713.

114) Ivi, c. 239v., 29 marzo 1714.

115) Cfr. R. SPINELLI, op. cit., 1981-1982, I, pp. 288-289.

116) BNCF, Manoscritti Rossi Cassigoli n. 135, c. 244v., ottobre 1716 "Gionse in questo mese la tavola della Santissima Nonziata dell'altare maggiore di nostra chiesa dipinta in Roma dal celebre e famoso pennello del Signore Cavaliere Benedetto Luti, Professore insignie quale riuscì di universale sodisfatione di quelle medesime religiose e di tutta la città, e se li fece l'ultimo pagamento di scudi cento cinquanta".

117) G. EWALD, op. cit., 1963a, pp. 128-130.

118) M. COCCIA, *Luti, Benedetto*, voce in *La pittura in Italia. Il Settecento* cit., II, pp. 773-774.

119) C. SICCA, in *Da Cosimo III a Pietro Leopoldo. La pittura a Pisa nel Settecento*, catalogo della mostra (Pisa), Ospedaletto (PI) 1990, pp. 113-116.

120) Il prototipo sembra essere l'*Annunciazione* del Louvre eseguita nel 1631 per Maria de' Medici. Sul dipinto cfr. D. S. PEPPER, *Guido Reni*, Oxford 1984, pp. 267-268.

121) Cfr. M. COCCIA, op. cit. , p. 773.

122) È ricordato, in gioventù, un viaggio di studio a Volterra per copiare la *Caduta di San Paolo* del Domenichino, pala d'altare della cappella Inghirami nel duomo della città (F. MOÜCKE, *Museo fiorentino*, 4 tomi, Firenze 1752-1762, IV, 1762, p. 201; J. E. HUGFORD, *Vita di Anton Domenico Gabbiani pittore fiorentino*, Firenze 1762, p. 55). Da una lettera spedita dal Luti da Roma il 19 maggio 1691 al Gabbiani si apprende che Benedetto stava studiando dello Zampieri i pennacchi affrescati della cupola di Sant'Andrea della Valle (M. G. BOTTARI - S. TICOZZI, *Raccolta di lettere sulla pittura, scultura ed architettura*, 8 voll., Milano 1822-1825, II, 1822, p. 72).

123) Cfr. L. PASCOLI, *Vite de' pittori, scultori, ed architetti moderni*, 2 voll., Roma 1730-1736, I, 1730, p. 228; F. MOÜCKE, op. cit., IV, 1762, pp. 201-202; J. E. HUGFORD, op. cit., p. 55; G. SESTIERI, *Il punto su Benedetto Luti*, in 'Arte illustrata', VI, n. 54, 1973, p. 201, fissa la data al 1690.

124) R. WITTKOWER, *Arte e architettura in Italia 1600-1750*, ed. Torino 1972, p. 403.

125) Per la trascrizione completa del documento, cfr. nota 116.

126) G. CURCIO, op. cit., p. 174. I pagamenti al pittore del 14 febbraio 1710, 2 marzo 1716 e il saldo del 24 agosto 1719 sono stati pubblicati da G. EWALD, op. cit., 1963a, pp. 127-128.

127) Si veda l'ottima scheda di G. CURCIO, op. cit., pp. 173-174, nella quale è compendiata anche tutta la bibliografia specifica, alla quale vorrei aggiungere la citazione del dipinto in F. MOÜCKE, op. cit., IV, 1762, p. 65, sfuggita alla studiosa. L'ultima voce bibliografica sull'opera è in S. BELLESI, *Gabbiani, Anton Domenico*, voce in *La pittura in Italia. Il Seicento*, 2 voll., Milano 1989, II, p. 749.

128) G. EWALD, in *Gli ultimi Medici* cit., p. 240. La tela, firmata e datata, fu dipinta su comando di Cosimo III de' Medici per la figlia, l'Elettrice Palatina Anna Maria Luisa.

129) Al viaggio, ricordato da F. S. BALDINUCCI, *Vite di artisti dei secoli XVII-XVIII* (1725-1730), ed. a cura di A. Matteoli, Roma 1975, p. 78, si allude anche in una lettera inviata dal Luti al Gabbiani il 29 giugno 1715 (M. G. BOTTARI - S. TICOZZI, op. cit., II, 1822, p. 80).

130) Cfr. M. CHIARINI, *Anton Domenico Gabbiani e i Medici*, in *Kunst des Barock in der Toskana*, München 1976, p. 341. Si vedano in proposito anche le affermazioni di F. S. BALDINUCCI, op. cit., pp. 80-81.

131) Si vedano riprodotte in P. BELLINI, op. cit., pp. 48 n. 6; 86, n. 22.

132) Echi ricciani nell'opera del Gabbiani di questi anni sono già stati evidenziati da M. GREGORI, *70 pitture e sculture del '600 e '700 fiorentino*, catalogo della mostra, Firenze 1965, p. 30. Cfr. anche G. EWALD, in *Gli ultimi Medici* cit., p. 240; M. CHIARINI, op. cit., 1976, p. 340.

133) J. E. HUGFORD, op. cit., p. 27.

134) *Raccolta di cento pensieri diversi di Anton Domenico Gabbiani pittore fiorentino fatti intagliare in rame da Ignazio Enrico Hugford*, Firenze 1762, tav. LVI. In basso, a sinistra, l'iscrizione "Ant. Dom. Gabbiani inv."; a destra "F. Bartolozzi incid.". L'incisione misura mm. 246x168.

135) Firenze, Gabinetto Disegni e Stampe degli Uffizi, n. 3839F, matita nera su carta bianca, mm. 230x172. Quadrettato, controfondato e incorniciato. In basso, a sinistra, la scritta "Gabbiani".

136) L'osservazione è di G. CURCIO, op. cit., p. 175, che rende nota un'analoga *Presentazione di Gesù al Tempio* derivata sempre da un disegno del Gabbiani - Gabinetto Disegni e Stampe degli Uffizi, n. 3817F, penna, tracce di acquerello bruno su carta bianca, mm. 67x87, incorniciato, controfondato e disegnato in controparte (fig. 38) -, inciso da Giovan Battista Galli nella citata *Raccolta di cento pensieri*, tav. XXIII (fig. 39), vedendo correttamente la priorità cronologica di questo studio sul disegno 3839F (fig. 37).

137) Le modifiche più sostanziali intercorse tra il disegno 3839F e la tela riguardano il san Giuseppe sulla sinistra del dipinto, posizionato più in basso rispetto al progetto grafico; l'introduzione in quella zona di una figura di donna con figlioletto in braccio, contrapposta al fondale architettonico; la rimozione del copricapo del sacerdote; la trasformazione del ragazzo alla destra di quest'ultimo in uomo adulto; la sostituzione del gruppo della madre con il figlio, nella parte destra della tela - spostato dal pittore a sinistra - con il giovane di profilo che regge il cero. Nel fondale, inoltre, il Gabbiani ha inserito una seconda colonna e dato un diverso andamento alla grande tenda. L'incisione del Bartolozzi (fig. 42) e il relativo disegno preparatorio (fig. 41) sono invece fedeli al foglio di Anton Domenico (fig. 37).

138) BNCF, Manoscritti Rossi Cassigoli n. 193, G. C. ROSSI MELOCCHI, *Memorie di cose pistoiesi dal 1725 al 1728*, c. 93r.

139) F. TOLOMEI, op. cit., p. 127.

140) Su quest'edificio si veda, R. SPINELLI, *Cosimo III, Giovan Battista Foggini e l'introduzione dei cistercensi riformati della Trappa alla badia del Buonsollazzo*, in *La Toscana nell'età di Cosimo III*, atti del convegno, Pisa - San Domenico di Fiesole (FI) 4-5 giugno 1990, a cura di F. Angiolini, V. Becagli, M. Verga, Firenze 1993, pp. 363-376.

141) BNCF, Manoscritti Rossi Cassigoli n. 193, c. 100v.

142) J. M. FIORAVANTI, op. cit., p. 273.

143) Sul restauro della chiesa di Santa Maria di Candeli a Firenze, cfr. R. SPINELLI, op. cit., 1992, pp. 127-133, 319-337.

144) Firenze, Gabinetto Disegni e Stampe degli Uffizi, n. 8027A, 'Giornale del Foggini', cc. 10, 164r.

145) Cfr. R. SPINELLI, op. cit., 1992, pp. 199-213.

1. Giovan Battista Foggini, facciata della chiesa di Santa Maria degli Angeli, Pistoia.
2. Chiesa di Santa Maria degli Angeli, Pistoia, interno (parete dell'altare maggiore).

(alla pagina seguente)
3. Chiesa di Santa Maria degli Angeli, Pistoia, interno (volta).
4. Chiesa di Santa Maria degli Angeli, Pistoia, interno (parete sinistra).

BANDA COMUNALE
V. BELLINI
PISTOIA

5. Giovan Battista Foggini, Giovan Battista Ciceri, pannello in stucco, Pistoia, Santa Maria degli Angeli (volta).
6. Giovan Battista Foggini (disegno), grata in ferro, Pistoia, Santa Maria degli Angeli (parete sinistra).

7. *Giovan Battista Foggini,* Progetto per una cantoria, *Firenze, Gabinetto Disegni e Stampe degli Uffizi, 'Giornale', c. 35r.*
8. *Chiesa di Santa Maria degli Angeli, Pistoia, interno (controfacciata).*

9. *Giovan Battista Foggini,* Studio per una porta, *Firenze, Gabinetto Disegni e Stampe degli Uffizi, 'Giornale', c. 34v.*
10. *Giovan Battista Foggini, Giovan Battista Ciceri, coronamento di una porta, Pistoia, Santa Maria degli Angeli.*
11. *Giovan Battista Foggini,* Progetto per un altare, *Firenze, Gabinetto Disegni e Stampe degli Uffizi, 'Giornale', c. 10.*
12. *Giovan Battista Foggini, Giovan Battista Ciceri, altare laterale, Pistoia, Santa Maria degli Angeli.*

(alla pagina seguente)
13. *Jacopo del Po,* Riposo durante la fuga in Egitto, *Pistoia, Museo Civico.*

14. *Pier Dandini,* Annunciazione, *Pistoia, monastero di Santa Maria degli Angeli.*

15. *Andrea Vaccà,* San Benedetto, *Pistoia, monastero di Santa Maria degli Angeli (cappella).*
16. *Andrea Vaccà,* Santa Scolastica, *Pistoia, monastero di Santa Maria degli Angeli (cappella).*

17. Giovan Battista Foggini, Giovan Battista Ciceri, Alessandro Gherardini, scomparto centrale della volta, Pistoia, Santa Maria degli Angeli.

18. *Giovan Battista Foggini, Giovan Battista Ciceri,* Angelo volante, *Pistoia, Santa Maria degli Angeli (volta).*

19. *Giovan Battista Foggini, Giovan Battista Ciceri,* Angelo volante, *Pistoia, Santa Maria degli Angeli (volta).*

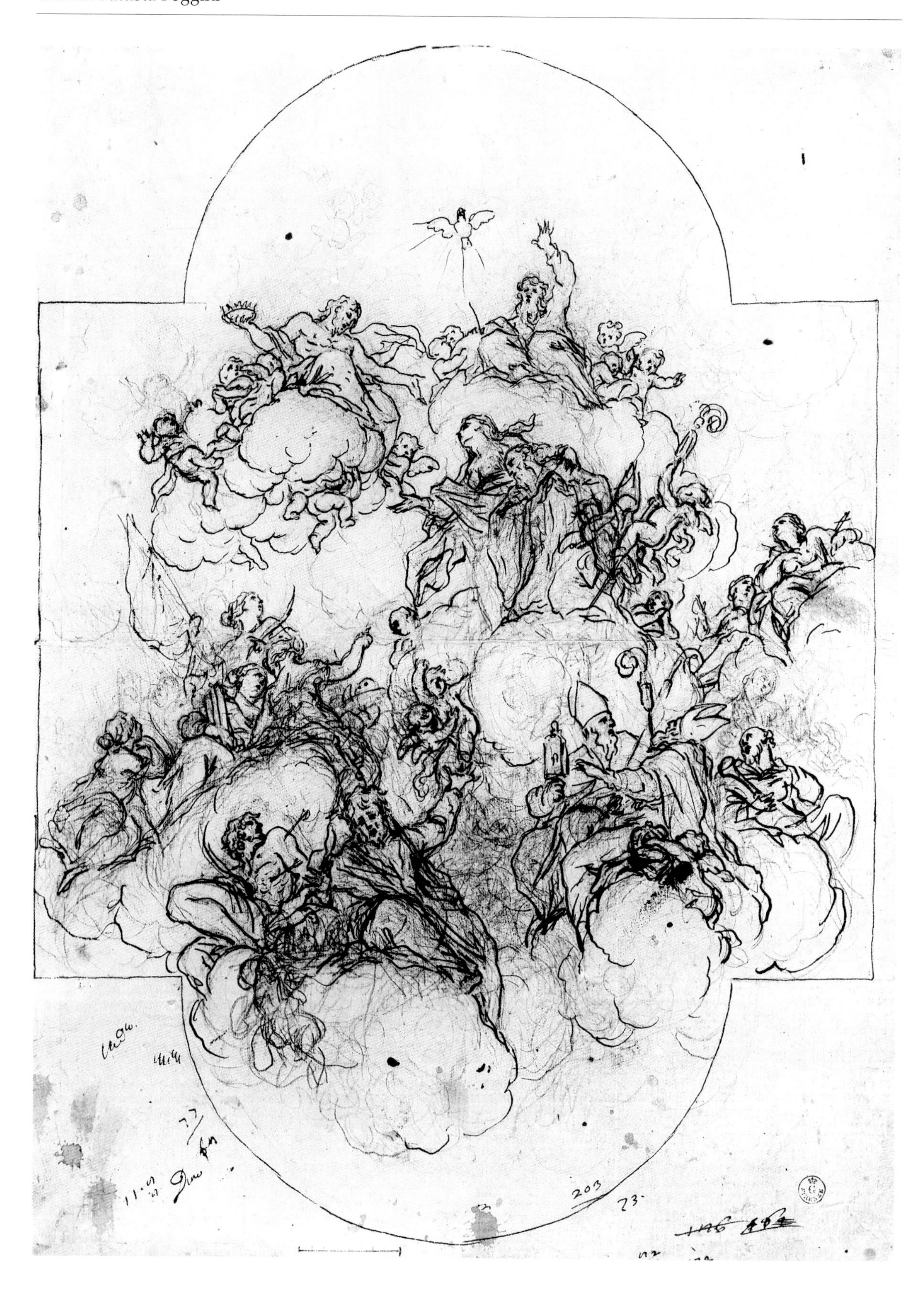

20. *Anton Domenico Gabbiani,* San Benedetto presentato a Cristo dalla Vergine, *Firenze, Gabinetto Disegni e Stampe degli Uffizi.*

21. *Alessandro Gherardini,* Studio con sei santi, *Firenze, Gabinetto Disegni e Stampe degli Uffizi.*

22. *Alessandro Gherardini,* San Benedetto ricevuto dalla Vergine e santi, *Pistoia, Santa Maria degli Angeli, (volta).*

(alla pagina precedente)
23. *Alessandro Gherardini,* La Vergine e santi *(part.), Pistoia, Santa Maria degli Angeli (volta).*

24. *Alessandro Gherardini,* San Benedetto e santi *(part.), Pistoia, Santa Maria degli Angeli (volta).*

25. *Alessandro Gherardini,* Angeli volanti, *Schloss Fachsenfeld, collezione Freiherr von Koenig-Fachsenfeld.*
26. *Alessandro Gherardini,*Angeli volanti *(part.), Pistoia, Santa Maria degli Angeli (volta).*

27. *Alessandro Gherardini,* San Michele arcangelo, santi e patriarchi, *Pistoia, Santa Maria degli Angeli (volta).*
28. *Alessandro Gherardini,* Santa Maria Maddalena, santa Cecilia, san Giovanni Evangelista e santi *(part.), Pistoia, Santa Maria degli Angeli (volta).*
29. *Alessandro Gherardini,* David *(part.), Pistoia, Santa Maria degli Angeli (volta).*

30. Alessandro Gherardini, Sant'Andrea, san Paolo, sant'Agnese e santi, *Pistoia, Santa Maria degli Angeli (volta).*
31. Alessandro Gherardini, San Pietro, Sant'Angese e sante *(part.), Pistoia, Santa Maria degli Angeli (volta).*

32. *Alessandro Gherardini,* Angeli, *Pistoia, Santa Maria degli Angeli (pareti laterali).*
33. *Alessandro Gherardini,* Angeli, *Pistoia, Santa Maria degli Angeli (pareti laterali).*

34. *Alessandro Gherardini,* Angeli, *Pistoia, Santa Maria degli Angeli (pareti laterali).*

35. *Alessandro Gherardini,* Angeli, *Pistoia, Santa Maria degli Angeli (pareti laterali).*

36. *Alessandro Gherardini,* Nascita della Vergine, *Pistoia, Monastero di Santa Maria degli Angeli.*

37. *Anton Domenico Gabbiani,* Presentazione di Gesù al tempio, *Firenze, Gabinetto Disegni e Stampe degli Uffizi.*
38. *Anton Domenico Gabbiani,* Presentazione di Gesù al tempio, *Firenze, Gabinetto Disegni e Stampe degli Uffizi.*
39. *Anton Domenico Gabbiani, Giovan Battista Galli,* Presentazione di Gesù al tempio, *incisione, 1762.*

40. *Anton Domenico Gabbiani,* Presentazione di Gesù al tempio, *Pistoia, Museo Civico.*

41. *Francesco Bartolozzi,* Presentazione di Gesù al tempio, *Firenze, Collezione privata.*
42. *Anton Domenico Gabbiani e Francesco Bartolozzi,* Presentazione di Gesù al tempio, *incisione, 1762.*

43. *Benedetto Luti,* Annunciazione, *Pistoia, Monastero di Santa Maria degli Angeli.*

GIOVANNA DE LORENZI

OJETTI, SEGANTINI, PELLIZZA

a Paola Barocchi,
per i suoi settant'anni

Nel profilo che dedicava nel 1908 a Pellizza da Volpedo, all'interno di una serie di *Ritratti d'artisti italiani*, Ugo Ojetti definiva per la prima volta "classica" un'opera di pittura contemporanea. Ricordando la profonda impressione che gli aveva fatto al suo apparire il dipinto di Pellizza *Sul Fienile*, scriveva: "Quel contadino morente lassù tra i mucchi del fieno secco accanto al rifiorire dei campi arati e seminati dalle sue mani, e il prete in ginocchio che gli porge la particola consacrata, e la piena luce del cielo primaverile che protegge quell'ombra come una benedizione, formavano una scena d'un'umanità tanto profonda e per così semplici mezzi commovente che l'opera parve súbito, ed era, un'opera classica nel senso più puro e più sicuro della parola"[1].

Era, questa, un'idea delle qualità essenziali dell'opera d'arte che si radicava nelle precedenti esperienze critiche di Ojetti - in cui proprio l'incontro con l'opera di Pellizza e di Giovanni Segantini aveva giocato un ruolo fondamentale - e che veniva ora, sullo scorcio del primo decennio del secolo, a riconoscersi nel concetto di 'classicità' elaborato dal pensiero neotradizionalista francese contemporaneo.

La convinzione del valore morale dell'opera d'arte, e della necessità che questa riuscisse a coinvolgere e a commuovere lo spettatore, tramite l'efficacia del linguaggio figurativo (dei 'mezzi'), erano stati i motivi di fondo di quel movimento di idee e di aspirazioni in pittura che aveva trovato, a partire dalla fine degli anni Ottanta, il suo teorico e sostenitore in Vittore Grubicy, i suoi maggiori rappresentanti in Segantini, Morbelli, Pellizza, e la sua manifestazione più evidente nell'adozione della tecnica divisionista. Lo stesso Segantini aveva chiarito, in un testo del 1891, *Così penso e sento la pittura* [2], fuor d'ogni equivoco, gli intenti del movimento: il fine dell'opera d'arte, egli affermava, è farsi tramite di contenuti e sentimenti che commuovano e innalzino l'animo di chi la contempla. Essa può nascere quindi solo da una emozione individuale profondamente sentita che l'artista si sforza di rendere nell'opera con tutta la sua intensità e forza comunicativa: egli elabora la natura alla luce della propria prospettiva interiore, e ne restituisce così una visione che supera la caducità della percezione e assurge a un significato ideale. Un ideale, tuttavia, radicato nella stessa amorosa osservazione della natura, che nasce anzi da questa stessa osservazione: poiché, precisava Segantini "un ideale fuori del naturale non può avere vita duratura [...] un vero senza ideale è una realtà senza vita". Queste idee, che Segantini mutuava, per il tramite di Vittore Grubicy, dal contemporaneo pensiero idealista francese, e in particolare dall'estetica di Jean-Marie Guyau, sono le stesse che animano i primi scritti critici del giovane Ojetti, dapprima in ambito letterario, poi in quello figurativo[3].

Ojetti era rimasto profondamente colpito dal dipinto di Pellizza *Sul Fienile* sin dal '95, quando era stato esposto alla Promotrice fiorentina: un'opera che si poneva in perfetta consonanza con gli intenti contemporanei di Segantini[4].

Qui l'artista mostrava infatti come ciò che a prima vista poteva sembrare un semplice aneddoto di cronaca (l'agonia di un bracciante che riceve il viatico, steso all'ombra di un fienile) potesse acquistare, attraverso la complessa e meditata elaborazione degli elementi compositivi, l'utilizzazione significativa degli effetti di luce e il rimando a modelli illustri del passato una intensa risonanza emotiva e simbolica, elevandosi a immagine universale del destino dell'uomo e della pietà degli umili. L'opera attuava quei principi che Ojetti poneva contemporaneamente alla base della creazione letteraria, e che egli stesso avrebbe di lì a poco sperimentato con il proprio romanzo *Il Vecchio*[5]. Ma il confronto lo costringeva a fare un passo ulteriore: cioè a rendersi conto che l'arte figurativa si esprimeva attraverso un linguaggio specifico, e che il problema del linguaggio rivestiva un ruolo centrale nell'affermazione delle nuove aspirazioni.

Si comprende allora come Ojetti cercasse con Pellizza un colloquio ideale proprio su questi temi[6]. Il confronto fra i due[7] culminava nel '98 intorno alle ragioni del dipinto *Lo specchio della vita*, inviato allora da Pellizza all' Esposizione Nazionale di Torino: Ojetti lo riteneva un capolavoro[8], ma avanzava delle obiezioni sulla complicazione simbolica del titolo, nella convinzione che il pittore, come aveva affermato Poussin, artista-filosofo per eccellenza, "pensa per colori e forme"[9], e che se l'opera necessitava di spiegazioni letterarie, era fallita[10]. Pellizza rispondeva con una lettera che è nello stesso tempo una delle sue più limpide dichiarazioni di poetica, e che contiene i motivi salienti della convergenza con Ojetti: "Prima di ogni altra cosa io ho voluto che essa [la mia opera] fosse una rappresentazione oggettiva della natura avente come tale un valore a sé indipendentemente da ogni significato che essa potesse racchiudere. Per modo che anche senza il titolo avrebbe dovuto essere un quadro suggestivo per l'armonia delle forme e dei colori. Certo quelle forme e quei colori io ho rapportato ad un mio concetto ideale. Il valore della mia opera, in linea d'arte, resterebbe però sempre tale anche se io non avessi esplicato il concetto che la informa, tutt'al più esso serve a far conoscere che se vi è espressione nella mia opera non è dovuta al caso ma è stata raggiunta cosciente l'autore"[11]. Con questo dipinto egli aveva voluto, proseguiva, trarre dalla natura "quei caratteri che la rendono rappresentativa della grande idea della vita", componendo "l'animo di chi la capisce ad una grande serenità (e questo è lo scopo essenziale della mia opera) [...]"[12].

Anche la grandezza dell'opera di Segantini, affermava Ojetti l'anno successivo, sta nel fatto che essa "parla e commuove"[13]. Già nel '97, davanti ai *Pascoli alpini*, inviati alla Seconda Biennale di Venezia, egli aveva riconosciuto nel dipinto un caposaldo delle nuove tendenze: qui l'artista era riuscito a superare la caducità della sensazione, a rendere "durevole" e a trasmettere allo spettatore l'emozione provata davanti al paesaggio: "quel quadro è il ritratto d'un paese che tu conosci; nel quadro lo intenderai così profondamente come non lo hai inteso mai, perché nel quadro troverai un paese noto, più l'anima dell'artista che te lo ha approfondito e intensificato facendolo indimenticabile"[14].

Approfondire e intensificare: poiché "il bello in natura non esiste che come idea nostra", aveva ammonito Segantini, ed era solo tramite la capacità spirituale dell'artista, tramite il "pensiero" che la materia si elevava a forma d'arte durevole[15]. Di qui derivavano, e Ojetti si sforzava di comprenderne il significato, le innovazioni formali di Segantini rispetto al naturalismo della sua formazione: la ricerca dell'intensità della luce come "fatto visibile dell'unità che lo spirito impone armonicamente su la varietà degli aspetti. Un unico sole su tutte le perenni fluttuanti volanti forme di vita"[16], e lo studio assiduo delle leggi della composizione, che in Segantini raggiungeva una "sicurezza" definitiva, "quale nessun paesista forse oggi ha [...] e quale tutti i grandi ritrattisti della natura ebbero per primo segno della loro regalità, - da Ruysdael a Corot, da Claudio a Constable, dal Poussin a Turner. E nei suoi paesi non un sasso, non un cespuglio, non una ruga di roccia possono essere spostati senza danno"[17]. La stessa tecnica divisionista di Segantini era letta da Ojetti come un tentativo di "costruzione", in un'ottica che anticipa quel concetto di "sintesi spaziale di forma e colore" che avrà tanta importanza nell'arte e nella critica dei decenni successivi. Nel periodo che andava dagli anni di Savognino al *Trittico della natura*, Segantini, secondo Ojetti "risolve felicemente il problema accordando quella ricerca di illuminazione a questa ricerca, che dirò, di costruzione della pittura. Ai punti e alle virgole dei divisionisti francesi che in Italia Vittore Grubicy e Angelo Morbelli hanno ripetuto con chiarezza d'effetto, egli sostituisce la disposizione dei colori semplici a filo a filo. E siccome questi fili non sono nemmeno nei cieli esattamente paralleli ma ondeggiano, molleggiano, si incurvano e si rialzano a disegnare e a formare nuvole, monti, scogli, declivii di prati e rotondità di groppe bovine e di tronchi arborei, così l'occhio percepisce insieme, per lo stesso mezzo, il volume e il colore degli stessi oggetti; e non si ha la eccessiva vaporosità di alcuni quadri del Monet che appaiono come squisite evanescenti fate morgane, né la opacità dei soli dei vecchi paesaggi nei quali i meriggi eran più indicati che resi"[18].

Ma, subito dopo aver evidenziato i 'significati' delle scelte 'tecniche' di Segantini, Ojetti precisava che "la tecnica per un poeta come Giovanni Segantini era quel che doveva essere", nient'altro che "un mezzo per veder più profondamente e per parlar più limpidamente"[19].

Il linguaggio, la "tecnica" non può infatti rivestire per Ojetti un valore espressivo autonomo: come la natura - lo affermava nel libro del '97 sulla Seconda Biennale di Venezia - è solo il punto di partenza per l'elaborazione tutta mentale dell'artista, così gli elementi del linguaggio - disegno, colore, forma - devono essere subordinati dalla mente ordinatrice all'espressione del pensiero: ma non possono avere di per sé un valore espressivo autonomo[20]. In tal senso, egli rimproverava ai Preraffaelliti (ammirati per altri versi) di aver affidato all'intensificazione dei colori puri un significato che essi di per sé non potevano avere; e avanzava delle riserve proprio nei confronti della tecnica divisionista che, in quanto tale, gli appariva più che altro un faticoso impedimento all'espressione[21].

Di Pellizza egli doveva ammirare quindi proprio l'aspirazione a un controllo rigorosamente razionale dei mezzi espressivi. Il pittore arrivava a parlare di "artificio " necessario, e sosteneva che la stessa tecnica divisionista, nei suoi risvolti più specificatamente scientifici, lo interessava soprattutto perché "per essa posso avere coscienza di quel che faccio"[22], ma che si trattava solo di uno strumento, e come tale superabile, per il raggiungimento dei significati. Pellizza accompagnava quindi lo studio sulle potenzialità della luce e della separazione dei colori a quello sulla forma e sulla composizione[23]: guardando ai modelli del passato, e in particolare a Raffaello, il maestro in cui tutto appariva finalizzato alla dimostrazione dell'idea.

Su temi analoghi Segantini si era scontrato fin dal '91 con Grubicy. Difendendo la libertà 'tecnica' adottata da Previati nella sua *Maternità* Grubicy aveva infatti sostenuto sulla scia delle rivendicazioni dell'autonomia del linguaggio figurativo del "simbolismo" del gruppo di Pont-Aven, di Aurier e di Fénéon - la possibilità che la trasmissione dell'"emozione" potesse venir affidata unicamente ai mezzi espressivi, al linguaggio, lasciando completa libertà all'artista nel rapporto con la natura. Di qui era discesa - in Grubicy come in Previati- l'importanza attribuita agli aspetti inconsci della suggestione di luci e colori, la preferenza per l'impreciso e l'indefinito, la ricerca di analogia tra espressione pittorica e suggestione musicale.

Segantini rivendicava invece la specificità dei diversi linguaggi artistici e la necessità della chiarezza comunicativa dell'opera: "più le linee sono decise e precise" affermava nel '93 in *Sentimento e natura* "più riesce evidente e forte e duratura la espressione del sentimento che animò l'artista, e che egli ha trasfuso nell'opera. Questo sentimento voluto, preciso, non alterabile, comprensibile a tutti, deve sorgere dall'insieme al dettaglio, e deve essere la somma di tutte le armonie di forma e di colore"[24].

Ojetti sottoscrive in questi anni, con tutta la sua critica, questi princìpi: la sua lettura dell'opera di Segantini e di Pellizza viene così a porsi su un versante opposto a quello rappresentato invece da critici di provenienza ideologica diversa, Domenico Tumiati in primo luogo, che con Ojetti fu uno dei più sinceri e appassionati sostenitori dei divisionisti. La differenza emerge chiara proprio sul punto fondamentale - e così carico di conseguenze future - del ruolo della 'tecnica'.

Tumiati, seguace nella seconda metà degli anni Novanta dell'estetica spritualista di Gabriel Séailles, diffusa nell'ambiente fiorentino del "Marzocco" da Angelo Conti e da D'Annunzio, considera il rapporto fra arte e natura secondo una prospettiva opposta a quella di Ojetti e degli idealisti[25]. Per lui infatti la natura non è 'materia' che deve venire elaborata dal pensiero, ma manifestazione di una essenza spirituale, ad essa immanente, di cui l'artista si fa, attraverso l'opera, rivelatore. Compito dell'artista non è comunicare con chiarezza un pensiero, ma suggerire, attraverso le possibilità espressive della 'tecnica', la natura misteriosamente spirituale della realtà. In tal modo egli si fa - e Tumiati lo dichiara a proposito di Segantini - "strumento della Natura, che vuole nell'arte rivelare, ciò che nella materia è sopito"[26]. La 'tecnica' assume quindi, ai suoi occhi, un ruolo fondamentale: "Giacché" egli sostiene "la potenza ideografica di un artista, più che nel delineare un simbolo, consiste nell'esprimerlo con l'intensità dei segni"[27].

Tumiati arrivava quindi a svalutare l'importanza stessa del soggetto ("L'anatomia di una mano in pittura [...] può essere più tremenda della descrizione di una strage, o più dolce di un intero ninfale allegorico")[28]; leggeva nel divisionismo una sorta di esaltazione simbolica dei valori espressivi autonomi dei colori[29], mentre negava la grandezza di Raffaello, artista incapace di ascendere dal "finito" all' "infinito" e di penetrare "nelle oscurità dello spirito"[30]; ed esaltava infine di Previati proprio l'innovazione linguistica che, insieme al rifiuto della "forma", lo aveva portato a utilizzare materia e colore come "dinamismo spirituale", e a risolvere i valori pittorici in valori musicali[31].

L'assoluta autonomia dell'arte (del "linguaggio artistico", della "forma") era stata la grande rivendicazione di Maurice Denis nel 1890: con il suo manifesto sul Neotradizionalismo egli aveva promosso allora un movimento di idee che avrebbe avuto eco, tramite Grubicy, anche in ambito italiano. Denis stesso però si rendeva conto dei pericoli a cui quelle premesse potevano portare: eccesso di individualismo, prevalere di espressioni immediate, intuitive, fino all'improvvisazione; perdita di contatto con la natura, da un lato, con lo spettatore dall'altro. Convinto, sin dall'inizio, in nome di una fede cattolica profondamente e sinceramente vissuta, del fine 'spirituale' - e in senso lato morale e sociale - dell'opera d'arte, Denis proponeva quindi ben presto di reintegrare nell'opera i princìpi della volontà, dell'intelligenza, della razionalità - mantenendo però fermo il rifiuto delle convenzioni accademiche e salvando sempre la libera espressione dell' emozione individuale. Erano i princìpi che, come si è detto, formavano la sostanza dell'estetica di Guyau e degli idealisti (il manifesto del movimento, il pamphlet di Brunetière *La renaissance de l'idéalisme*, usciva nel 1896). Denis li specifica ora nella definizione dello "stile" inteso come "ordine attraverso la sintesi", come armonia, cioè, che lo spirito dell'artista porta nel mondo caotico delle percezioni, ridando della realtà, della natura una visione decantata ed essenzializzata alla luce della sua elaborazione interiore. Questa visione, che si appella all'insegnamento della pittura di Raffaello, che rivaluta l'idealismo di Puvis de Chavannes (il cui "simbolismo" viene ora ritenuto l'unico valido) e che recupera la chiarezza comunicativa e l'importanza dei contenuti, viene definita da Denis per la prima volta "classica" nel '98; e troverà poi ampia illustrazione in una serie di saggi successivi, fra cui quelli, esemplari, su Maillol del 1904, e su Cézanne del 1907[32].

Ojetti, sempre aggiornato sulla cultura francese contemporanea, viene a riconoscersi, nel corso del primo decennio del secolo, in quegli svolgimenti, fondati, del resto, sulle stesse premesse da cui anche lui era partito. La sua comprensione dell'opera di Pellizza si chiarisce quindi e si approfondisce in questa direzione. Nel 1909 egli organizza per l'Ottava Biennale di Venezia una retrospettiva dell'artista[33] che, nell'ultimo decennio del secolo, aveva risposto pienamente a quei princìpi, posti come fondamento di una rinnovata 'classicità'; e già nel 1908 aveva definito "classica" un'opera come *Sul fienile* concepita fra il 1892 e il '93. Una definizione tanto più significativa in quanto avveniva all'interno di un contesto - la prima serie dei *Ritratti d'artisti italiani* - che segna in Ojetti la definitiva acquisizione dei concetti di "tradizione" e di "stile" nel senso che questi avevano assunto nell'ambito del neotradizionalismo francese contemporaneo. Concetti che anche Ojetti iniziava a contrapporre a quegli sviluppi che, dalle stesse premesse dell'89, stavano invece traendo le avanguardie.

A proposito del *Fienile* egli pubblicava così una lettera di Pellizza a Giovanni Cena, dove l'artista insisteva sul ruolo che l'"invenzione" e la "composizione" avevano avuto nel suo dipinto: rilevando che "soltanto oggi" la "verità" di quelle massime iniziava ad apparire "ai migliori dei nostri artisti"[34]. Ojetti sottolineava inoltre il fatto che, contro la "moda dei bozzetti e improvvisazioni" Pellizza non aveva mai voluto esporre "un quadro che non fosse meditato, preparato con cento studii sul vero, per mesi, composto con un equilibrio e una semplicità ricercati attraverso a cento schizzi"[35]. Lodava poi le sue ultime opere, che, abbandonati i simboli, si ispiravano più direttamente alla natura, "quadri più piccoli [...] più ingenui e immediati", e ridimensionava ancora una volta il significato della tecnica divisionista: era stata soprattutto l'"inesauribile energia sentimentale" di Pellizza che gli aveva permesso di mantenere intatta sino alla fine nei suoi quadri "attraverso a quel trito pennelleggiare a virgole minuscole" tutta la sua "profonda e triste poesia"[36].

Ribadire l'importanza del confronto diretto con la natura, e il ruolo subordinato della "tecnica", significava prendere posizione rispetto a chi, in nome dell'idea di "arte pura", sosteneva ora che l'opera dovesse risolversi interamente nel linguaggio, facendo astrazione da qualsiasi riferimento alla natura e alla verosimiglianza. Era la posizione di Soffici, che di lì a poco si sarebbe schierato, sulle pagine della "Voce", a favore dell'arte pura, predicando l'indifferenza del soggetto (Soffici dichiarerà nel '12 di non vedere "differenza di potenza suggestiva poetica o musicale fra un mazzo di tulipani e tutta una civilizzazione")[37] e il ruolo fondamentale della "tecnica", in cui risiedeva interamente il valore dell'arte[38]. Non a caso, nel 1909, Soffici rimproverava alla pittura di Pellizza, in occasione della mostra di Venezia organizzata da Ojetti, un eccesso di "raziocinio che non ha nulla a che fare col getto immediato del genio"[39].

Le preferenze di Ojetti nel campo della pittura contemporanea si orientano in questi anni secondo una prospettiva analoga: egli incoraggia e sostiene quei "giovani" che cercano un linguaggio nuovo (nella convinzione che l'opera d'arte non è 'copia' ma 'trasposizione'), ma senza perdere il contatto con la natura, che ritorna nell'opera semplificata, essenzializzata, resa "duratura" attraverso l'elaborazione mentale dell'artista. È il caso di Oscar Ghiglia, in primo luogo, che attraverso il contatto con i princìpi denisiani, mutuati nell'ambiente fiorentino per il tramite, fra gli altri possibili, proprio di due discepoli di Gauguin e di Denis, i pittori Jan Verkade e Henri des Pruraux[40], opta per un linguaggio semplificato e sintetico, con i colori stesi a pasta in larghe superfici giustapposte; ma anche di tutti quegli altri allievi di Fattori, o a lui legati -Llewellyn Lloyd, Amedeo Lori, Antonio Discovolo, Gino Romiti, Giuseppe Viner, Mario Puccini, Benvenuto Benvenuti, (per fare solo alcuni nomi)[41]-, che, variamente influenzati dall'esempio di Segantini e Pellizza e dal pensiero di Grubicy[42] sperimentano nelle loro opere le possibilità espressive del divisionismo, giungendo a risultati diversi, ma analoghi nei significati.

Così quando nel 1920 Ojetti inaugura con la sua rivista "Dedalo" un programma fondato sul sostegno e la diffusione dell'idea di 'classico' maturata, come si è visto, nel corso del primo decennio del secolo, egli affida proprio all'opera di Ghiglia[43] il ruolo esemplare di una via italiana al 'classicismo', presentandola fra un articolo su Cézanne letto attraverso Denis e una illustrazione dei princìpi di fondo del neotradizionalismo[44]. E mentre fa conoscere sulla sua rivista i pittori neoclassici francesi, diffonde - su "Dedalo" o altrove - l'opera di Lloyd, Puccini, Viner, Merello e così via[45].

Nello stesso 1920 Ojetti organizza presso la Galleria Pesaro di Milano una seconda, grande retrospettiva di Pellizza[46], che presenta come il protagonista del divisionismo italiano[47] (letto ora esplicitamente come una forma di sintetismo)[48] e come "il più cosciente e deliberato precursore della rinascita dell'intelligenza e della fantasia su dal piatto realismo e dal vaporoso impressionismo degli ultimi sessanta o settant'anni"[49]. Volontà costruttrice, amore della figura umana, importanza dei contenuti avevano caratterizzato la sua opera: ed era quanto, contro "i maestri di tecnica o di calligrafia pittorica che da tanti anni vuotano i pittori italiani d'ogni anima"[50] anche i pittori contemporanei avrebbero dovuto adesso cercar di recuperare[51].

Note

Ringrazio Rossella Campana, Renzo Dotti *e* Giovanni Martellucci *per l'aiuto e i consigli.*

1) U. OIETTI, *Pellizza da Volpedo*, in 'Corriere della Sera', 23 ottobre 1908, poi ID., *Ritratti d'artisti italiani*, Milano 1911, pp. 207-222, con minime varianti. *Sul Fienile* fu esposto la prima volta a Milano nel 1894, quindi a Firenze nel '95 e a Torino nel '96: cfr. A. SCOTTI, *Pellizza da Volpedo. Catalogo generale*, Milano 1986, n. 799.

2) G. SEGANTINI, *Così penso e sento la pittura* (1891) ora in *Archivi del Divisionismo*, a cura di T. FIORI, Roma 1968, I, pp. 327-333. Cfr. A. M. DAMIGELLA, *La pittura simbolista in Italia, 1885-1900*, Torino 1981, p. 90ss., testo di riferimento essenziale per i temi qui considerati, accanto a A. - P. QUINSAC, *La peinture divisionniste italienne. Origines et premiers développements, 1880-1895*, Paris 1972; M. M. LAMBERTI, *1870 - 1915: i mutamenti del mercato e le ricerche degli artisti*, in *Storia dell'arte italiana, Il Novecento*, Torino 1982, pp. 5-172, in particolare pp. 62-100; A. P. QUINSAC, *Segantini. Catalogo generale*, Milano 1982; SCOTTI, *Pellizza da Volpedo* cit.; *Divisionismo italiano*, catalogo della mostra, Trento 1990, Milano 1990; L'*età del Divisionismo*, a cura di G. BELLI e F. RELLA, Milano 1990.

3) G. DE LORENZI, *Ugo Ojetti e " Il Marzocco"*, in 'Annali della Scuola Normale Superiore di Pisa', s. III, XXII, 1992, 4, pp. 1073-1109.

4) Ojetti aveva letto con entusiasmo poco prima proprio lo scritto di Segantini *Così penso e sento la pittura*, ristampato come presentazione al catalogo della mostra dell'artista alle Esposizioni Riunite di Milano del 1894 (cfr. U. OJETTI, *L'arte moderna a Venezia. Esposizione mondiale del 1897*, Roma 1897, p. 160).

5) Su cui, significativamente, Ojetti chiederà il parere di Pellizza (lettera di Pellizza a Ojetti, 23 maggio 1898, in *Archivi del Divisionismo* cit., pp. 212-213). Cfr. inoltre *Catalogo dei manoscritti di Giuseppe Pellizza da Volpedo*, a cura di A. SCOTTI, Tortona 1974, p. 59.

6) Come testimoniano le lettere di Pellizza a Ojetti pubblicate in *Archivi del Divisionismo* cit., e il *Catalogo dei manoscritti* cit.

7) Pellizza scriveva a Ojetti che egli aveva "cuore e mente" per comprendere a fondo le sue concezioni (lettera di Pellizza a Ojetti, 8 novembre 1898, in *Archivi del Divisionismo* cit., p. 217). L'artista aveva letto con entusiasmo il libro di Ojetti sulla Seconda Biennale di Venezia: i giudizi di Ojetti, scriveva a Domenico Tumiati " se pur qualche volta discordano dai miei nel complesso [vi] si avvicinano moltissimo" (cfr. *Catalogo dei manoscritti* cit., p. 54).

8) Ojetti, usando concetti e termini derivati da Guyau, definiva lo *Specchio della vita* "l'unica bellezza veramente intensa, moderna, significativa e suggestiva" esposta a Torino, e dichiarava di vedervi "fissati con sobrietà magistrale tutti quei caratteri con che da anni [...] io ho cercato di definire il paesaggio che doveva essere dipinto dall'ideale pittore moderno" (U. OJETTI, *All'Esposizione di Torino. La pittura moderna. Paesi e marine*, I, in 'Il Resto del Carlino', 22 luglio 1898). Ojetti recensiva positivamente anche il ritratto virile esposto da Pellizza (ID., *All'Esposizione di Torino. La pittura moderna. Gli psicologi, IV*, ibidem, 5 novembre 1898). Nella stessa occasione egli rimproverava invece ai quadri di Nomellini, pur ammirati per la bravura, la sincerità e la forza di suggestione, di essere confusi, di mancare di disegno e di composizione (ID., *All'Esposizione di Torino. La pittura moderna. Gli psicologi, III*, ibidem, 3 novembre 1898).

9) U. OJETTI, *Il Pensiero nella pittura*, in 'Il Marzocco', 14 febbraio 1897.

10) Obiezioni analoghe Ojetti rivolgeva nel '97 ai dipinti esposti da Segantini a Firenze, *Il dolore confortato dalla fede* e *L'amore alla fonte della vita*, ritenuti peraltro dei capolavori (cfr. U. OJETTI, *L'Esposizione di Firenze. Gli idealisti*, in 'La Tribuna', 23 gennaio 1897).

11) Minuta di una lettera di Pellizza a Ojetti del 1898, citata in SCOTTI, *Pellizza* cit., p. 27 e, in trascrizione leggermente diversa, a p. 384.

12) Ibidem. Cfr. anche la lettera di Pellizza a Ojetti del 12 giugno 1896, in *Archivi del Divisionismo*

cit., pp. 214-215, dove Pellizza sottolinea che se la sua opera fosse rimasta incomprensibile, essa sarebbe stata privata del suo valore morale ("Piuttosto di parlare al deserto preferirei ammutolire"). Ojetti continuerà a seguire l'opera di Pellizza anche negli anni successivi, dopo un breve dissapore causato dalla sua critica negativa all'*Autoritratto*, esposto a Venezia nel 1899, e ritenuto da Ojetti un'opera mancata, perché priva di spontaneità (cfr. U. OJETTI, *Gli psicologi italiani alla Mostra di Belle Arti a Venezia*, in 'Corriere della Sera', 24-25 agosto 1899; e inoltre, tutti del medesimo, *La pittura mondiale a Parigi. Gli idealisti*, ibidem, 12-13 settembre 1900; *L'Esposizione di Venezia. III. Pittura italiana*, ibidem, 26 giugno 1903; *All'Esposizione di Venezia. I pittori italiani*, ibidem, 14 maggio 1905; *Attraverso l'Esposizione. Pittori e pitture*, ibidem, 23 maggio 1906, poi in *L'arte nell'Esposizione di Milano*, Milano 1906, p. 52).

13) U. OJETTI, *In memoria di Giovanni Segantini e di Filippo Palizzi*, in 'Nuova Antologia', CXLVII, 16 ottobre 1899, pp. 700-713, p. 705. Cfr. anche ID., *Elogio di Giovanni Segantini*, Trento 1900.

14) U. OJETTI, *L'arte moderna a Venezia*, cit., p. 148.

15) SEGANTINI, *Così penso e sento la pittura* cit., p. 328.

16) U. OJETTI, *In memoria di Giovanni Segantini*, cit., p. 705.

17) Ibidem, p. 706. L'osservazione veniva lodata da Pellizza in una lettera a Ojetti del 23 novembre 1899 (in *Archivi del Divisionismo* cit., p. 222).

18) Ibidem, p. 704.

19) Ibidem, p. 705.

20) Così aveva sostenuto anche Brunetière a proposito di Puvis de Chavannes, riconoscendo all'artista come un merito il fatto di non aver attribuito alla forma e al colore un valore simbolico: "voi non avete cercato di far parlare loro un linguaggio di cui non sono che l'alfabeto, voi non avete visto l'enigma nel blù né cercato il mistero nel rosso" (F. BRUNETIERE, *La renaissance de l'idéalisme* (1896), cons. in ID., *Discours de combat*, Paris 1900, p. 37).

21) U. OJETTI, *L'arte moderna a Venezia* cit., pp. 26-27, p. 123.

22) Lettera di Pellizza a A. M. Mucchi, 18 maggio 1898, in *Archivi del Divisionismo* cit., I, p. 211.

23) Significativamente, Pellizza scriveva a Ojetti nel '98 che il dipinto di Previati allora esposto a Torino mancava di "compostezza di composizione" (lettera del 12 giugno 1898, in *Archivi del Divisionismo* cit., p. 214).

24) G. SEGANTINI, *Sentimento e natura* (1893), ora in *Archivi del Divisionismo* cit., p. 342.

25) Cfr. DE LORENZI, *Ojetti e "Il Marzocco"* cit., p. 1096 ss.

26) D. TUMIATI, *Giovanni Segantini, I*, in 'Il Marzocco', 21 novembre 1897.

27) ID., *Giovanni Segantini, II*, ibidem, 5 dicembre 1897.

28) Ibidem.

29) ID., *Divisionismo*, in 'Il Marzocco', 9 febbraio 1896; *Il Girasole*, ibidem, 1 marzo 1896.

30) ID., *Raffaello*, ibidem, 5 settembre 1897.

31) ID., *Artisti contemporanei: Gaetano Previati*, in 'Emporium', XIII, gennaio 1901, pp. 3-25. Nel *Ritratto* del 1908 Ojetti dirà che Pellizza aveva "creduto" di trovare nell'"estetismo mistico e prerafaellita" di Domenico Tumiati una corrispondenza di ideali (OJETTI, *Pellizza da Volpedo* cit.,). Ojetti rimproverava a Previati, che pur stimava e ammirava molto, la perdita di contatto con la natura e la concentrazione sull' "espressione" e non sulla comunicazione (cfr. ID., *Gaetano Previati*, in *Ritratti d'artisti italiani*, seconda serie, Milano 1923, pp. 25-39).

32) M. DENIS, *Théories 1890-1910. Du Symbolisme et de Gauguin vers un nouvel ordre classique*, Paris 1912 (ed. cons. Paris 1913). Per la diffusione di queste idee in ambito italiano cfr. R. CAMPANA, *Romano Romanelli. Un'espressione del classicismo nella scultura del Novecento*, Firenze 1991, da cui ho tratto importanti indicazioni per l'avvio delle mie ricerche.

33) U. OJETTI, *Mostra individuale di G. Pellizza da Volpedo*, in *Catalogo della VIII Biennale di Venezia*, Venezia 1909, pp. 96-98. Alla morte di Pellizza, Ojetti ne aveva pubblicato un commosso necrologio (*Notizie artistiche. Il pittore Pellizza da Volpedo*, in 'Corriere della Sera', 15 giugno 1907).

34) U. OJETTI, *Pellizza da Volpedo* cit. Alcuni passi della citazione comparivano anche nell'introduzione di Venezia.

35) Ibidem.

36) Ibidem.

37) A. SOFFICI, *Claudellismo ancora*, in 'La Voce', 24 ottobre 1912.

38) ID., *Divagazioni sull'arte*, ibidem, 29 agosto 1912; *Chicchi del grappolo*, in 'Lacerba', 15 marzo 1913, p. 63.

39) ID., *L'esposizione di Venezia*, III, in 'La Voce', 11 novembre 1909.

40) Cfr. G. DE LORENZI, *Ojetti e Soffici* in 'Artista', 1996, pp. 184 - 215.

41) Cfr. R. MONTI, *I postmacchiaioli*, Roma 1991; *I postmacchiaioli*, catalogo della mostra a cura di R. MONTI e G. MATTEUCCI, Roma 1993; *Il Divisionismo toscano*, catalogo della mostra, a cura di R. MONTI, Livorno 1995, Roma 1995. Per i rapporti che legarono

Ojetti fin dal primo decennio a questi artisti, di cui fu spesso appassionato collezionista, cfr. L. LLOYD, *Tempi andati*, a cura di R. PAPINI, Firenze 1951; F. DONZELLI, *Llewelyn Lloyd 1879-1949*, Firenze 1995; *Giuseppe Viner*, catalogo della mostra, Seravezza 1992; M. di SCOVOLO, *Antonio Discovolo mio padre pittore*, Piacenza 1983; F. DONZELLI, *Gino Romiti*, Bologna 1983; *Mario Puccini*, Biografia, iconografia, bibliografia di R. e F. TASSI, testo critico di R. MONTI, Firenze 1992. In occasione della Biennale di Venezia del 1912, Ojetti si chiedeva: "Quando mai questo gruppo di livornesi, Nomellini, Ghiglia, Lloyd, Romiti, Natali, Baracchini e il misterioso Puccini i cui paesaggi semplici e intensi ricordano Fattori e Cézanne, vorrà risolversi ad apparire bene armato in una mostra collettiva?" (U. OJETTI, *La decima Esposizione d'arte a Venezia, 1912*, Bergamo 1912, p. 28).

Anche Pier Ludovico Occhini, che si era accostato a Pellizza negli stessi anni di Ojetti, e ne aveva analogamente interpretato la pittura secondo i canoni di Guyau (P. L. OCCHINI, *Segni de' tempi*, in 'Il Marzocco', 2 ottobre 1898), esaltandone l'equilibrio raggiunto fra amore per la natura e significati ideali, ribadisce la validità di questi princìpi nel 1909 (ID., *Giuseppe Pellizza*, in 'Vita d'arte', III, 1909, pp. 181-194), mentre nello stesso tempo sostiene l'opera di artisti come Ghiglia (a cui nel 1908 commissiona il ritratto della moglie), Lloyd, (ID., *Llewelyn Lloyd*, in 'Vita d'arte', VI, 1910, pp. 81-93) e Discovolo (cfr. M. di SCOVOLO, *Antonio Discovolo* cit., p. 117).

42) Oltre allo stretto legame fra Grubicy e Benvenuti, si ricordi anche il rapporto di amicizia che unì l'allievo di Fattori e maestro di quasi tutti questi artisti, Guglielmo Micheli, proprio a Pellizza da Volpedo (cfr. la corrispondenza segnalata in A. SCOTTI, *Catalogo dei manoscritti* cit.).

43) U. OJETTI, *Il pittore Oscar Ghiglia*, in 'Dedalo', I, 1920, pp. 114-132.

44) L. HENRAUX, *I Cézanne nella raccolta Fabbri*, ibidem, pp. 53-70; A. MARAINI, *Cézanne, Gauguin, van Gogh*, ibidem, pp. 186-196.

45) U. OJETTI, *Il pittore Mario Puccini*, in 'Corriere della Sera', 23 giugno 1920; ID., *Mostra individuale di Mario Puccini (1869-1920)* in *Catalogo della XIII Esposizione internazionale della città di Venezia*, Milano 1922, pp. 84-87; la prefazione di Ojetti alla mostra personale di Lloyd tenuta alla Bottega d'arte di Livorno nel 1922 (ristampata in F. DONZELLI, *Llewelyn Lloyd* cit., pp. 182-183); U. OJETTI, *Il pittore Giuseppe Viner*, in 'Dedalo', VI, 1925, pp. 480-482; E. SACCHETTI, *Il pittore Rubaldo Merello*, in 'Dedalo, III, 1922, pp. 396-408.

46) U. OJETTI, *Pellizza*, in *Mostra individuale di G. Pellizza da Volpedo*, Milano, Galleria Pesaro, gennaio-febbraio 1920, pp. 5 - 11, ristampato in ID., *I nani fra le colonne*, Milano 1920, pp. 244-251. Delle opere esposte, due (*Mattino d'aprile* e *Prato dietro la casa*) facevano parte della collezione Ojetti.

47) Viene invece ridimensionato il ruolo di Segantini, che per l'internazionalismo e il simbolismo espliciti, più difficilmente si poteva ricondurre al programma ojettiano dei primi anni Venti. Nella grande mostra dell' Ottocento italiano, organizzata da Ojetti alla Biennale di Venezia del 1928, Segantini comparirà così non con le opere degli ultimi anni, ma con quelle del periodo di Savognino, l'unico ora, per il critico, definibile come "classico" (U. OJETTI, *Segantini*, in 'Corriere della Sera', 21 febbraio 1929, poi in ID., *Ritratti d'artisti italiani*, ed. postuma riveduta e ampliata, Milano 1948, pp. 535-545).

48) Questo carattere viene rivendicato ora come proprio della versione italiana del divisionismo: l'accentuazione 'nazionale' riflette il tentativo che Ojetti portava avanti già da anni, ma che diventa primario in questo momento, di identificare i caratteri del classicismo con quelli precipui della tradizione italiana. Così dell'opera stessa di Pellizza Ojetti sottolinea qui il legame alle proprie origini, alla "terra", di cui l'opera diviene frutto compiuto, ancora una volta in opposizione alla scissione tra arte e vita e al rifiuto della tradizione delle avanguardie. A una prospettiva analoga risponderà l'anno successivo la mostra del divisionismo organizzata nell'ambito della Prima Biennale romana: nella presentazione dell'esposizione Carlo Tridenti citava proprio Denis a sostegno della 'giustezza' della direzione in cui si era mosso il divisionismo italiano, che aveva considerato la tecnica un 'mezzo' per la resa dell'emozione, e aveva mantenuto nei dipinti i princìpi della tradizione (italiana per eccellenza) della "costruzione" e della "volontà riflessa" (C. TRIDENTI, *Divisionismo*, in *Prima Biennale Romana. Esposizione nazionale di Belle Arti nel Cinquantenario della Capitale*, Roma 1921, pp. 54-57).

49) U. OJETTI, *Pellizza* cit. (1920), p. 9. La lettura è parallela a quella che Ojetti dava nello stesso anno di Cézanne (U. OJETTI, *Cézanne*, in 'Corriere della Sera', 10 luglio 1920, poi in ID., *Raffaello e altre leggi*, Milano 1921, pp. 13-23).

50) U. OJETTI, *Pellizza* cit. (1920), p. 10.

51) Cfr. la successiva prefazione di Ojetti alla mostra *Arte italiana contemporanea*, tenuta sempre presso la Galleria Pesaro nell'ottobre e novembre 1921.

1. *Giuseppe Pelizza da Volpedo,* Sul Fienile, *Collezione privata.*

2. *Giuseppe Pelizza da Volpedo,* Lo specchio della vita, *Torino, Civica Galleria d'Arte Moderna.*

3. *Giovanni Segantini,* Pascoli alpini, *Milano, Pinacoteca di Brera.*

4. *Giuseppe Viner,* Fecondazione, *da 'Dedalo', 1925.*

5. *Rubaldo Merello,* San Fruttuoso, *da 'Dedalo', 1922.*

6. *Llewelyn Lloyd,* Il giardino di casa Ojetti, *Firenze, collezione privata, già Firenze, collezione Ojetti.*

7. *Mario Puccini,* Paesaggio con colline, *Lucca, collezione privata, già Firenze, collezione Ojetti.*

CONTRIBUTI

EMILIO LUCCI

PIERMATTEO D'AMELIA A ROMA
nuovi documenti (1504-1505)

Dopo la pubblicazione del volume su Piermatteo d'Amelia[1] si poteva esser ragionevolmente portati a pensare che tutta la documentazione riguardante il pittore, almeno in ambito romano, fosse ormai nota; ciò soprattutto pensando ai saggi dello Gnoli[2] e del Müntz[3], anche se, proprio basandosi su tali asserzioni era stata fissata la morte del pittore amerino al 1503, data ora smentita nella recente pubblicazione e portata almeno al 1506.

E invece, proprio a quest'arco di tempo di tre anni, tra la fine del pontificato di Alessandro VI e gli inizi di quello di Giulio II, si colloca un'altra breve serie di documenti, tutti di natura contabile, che testimoniano dell'attività del pittore amerino fino ai suoi ultimi anni di vita. Forse il Müntz, fermatosi nel suo studio sull'arte alla corte dei papi al pontificato di Pio III, morto il 22 settembre 1503, non li ha presi in esame, perché relativi al pontificato di Giulio II.

Il primo e più consistente pagamento è del 15 marzo 1504 e si riferisce ai lavori compiuti da Piermatteo e altri pittori (della sua bottega?) proprio per l'incoronazione pontificia, avvenuta «*in ecclesia sancti Johannis Lateranensis* », come specifica un'altra cedola con la stessa data, contenente il versamento di oltre trecento ducati di Camera (o 350 fiorini) ai carpentieri che avevano prestato il loro lavoro di falegnameria[4]. Anche a Piermatteo "*et aliis pictoribus*" vengono dati 316 fiorini ed è pure specificato che si tratta solo di una parte *maioris summe eis debite* (doc. 1); quindi anche la consistenza della cifra ci permette di capire che l'astro di Piermatteo non era affatto tramontato con la morte di Alessandro VI Borgia, come invece doveva essere accaduto per un altro amerino, quell'Agapito Geraldini spesso considerato come il suo protettore; il Geraldini infatti, probabilmente poco dopo la morte di Alessandro VI, o quanto meno dopo l'allontanamento definitivo da Roma di Cesare Borgia, al cui diretto servizio era stato in quegli ultimi anni, aveva rinunciato (o fu costretto a rinunciare?) alla sede arcivescovile di Manfredonia di cui era rimasto *electus* per molti anni, senza però mai ricevere la consacrazione vescovile. Piermatteo no. Continua a lavorare anche con papa Della Rovere, nemico acerrimo dei Borgia, segno quindi che i suoi protettori in Curia erano anche altri; oppure era grande la considerazione artistica di cui godeva, indipendentemente dagli appoggi politici?

Nel corso dello stesso 1504 lo troviamo ancora al lavoro «*in vinea Sanctissimi Domini Nostri*»: deve trattarsi di qualche casino di campagna, usato dai pontefici e non facilmente individuabile dalle scarne note di un registro di entrata e uscita, com'è quello da cui è emersa anche questa notizia (doc. 2). Mentre è più chiaro il riferimento di un pagamento successivo, relativo ad altri lavori, condotti in quello stesso anno, ma pagati nel successivo 1505, all'interno di Castel S. Angelo: si tratta di appena 16 fiorini, ma non possiamo capire se sono la somma totale che doveva essere versata al pittore, o soltanto un acconto (doc. 3). Forse in quest'occasione erano stati affidati a Piermatteo dei lavori di restauro in qualche ambiente non ben identificabile del Castello, nell'ambito di un più complesso intervento di ristrutturazione; pochi giorni dopo infatti, la stessa Camera Apostolica liquida altri 135 fiorini al castellano Marco Vergerio quale rimborso di tali lavori[5].

Gli ultimi due pagamenti a Piermatteo si riferiscono invece al 1505 e sono per la fattura e pittura degli sgabelli usati in due diversi concistori (doc. 4 e 5), lavori che l'amerino aveva sempre eseguito e in relazione ai quali, fino a non molti anni fa, fino cioè alla «riscoperta» da parte di Federico Zeri, era stato considerato soltanto un pittore di sgabelli e pennoni da innalzare sulle rocche pontificie[6]. Oggi sappiamo che non è così e il «catalogo» di Piermatteo, pur se numericamente limitato, mostra opere di elevata qualità pittorica.

E vorrei concludere questa breve nota accennando alla possibilità che tale catalogo venga ulteriormente arricchito di nuovi apporti. Recentemente è stato ipotizzato che potrebbero essere di Piermatteo due altre opere, scoperte a S. Erasmo di Cesi e nella chiesa di S. Maria in Monticelli, ad Amelia[7]: nel primo caso si tratta di un affresco, di cui restano pochissime tracce, che fanno però pensare ad un'*Annunciazione*; ma il luogo del rinvenimento, la chiesa cioè di S. Erasmo, già data in commenda ad Angelo Geraldini e nella quale il padre di questi, Matteo, aveva già commissionato un ciclo pittorico a Giovanni Fiorentino[8], unito al fatto che all'ombra della stessa famiglia Piermatteo abbia a lungo operato, non può non rendere suggestiva tale ipotesi. Abbastanza simile è il caso di S. Maria in Monticelli dove, in occasione del restauro di un affresco, strappato nel corso dell'Ottocento da una parete della chiesa e ricollocato sull'altare maggiore, si è potuto notare che le ridipinture ottocentesche hanno notevolmente modificato l'impostazione originale della figura della Vergine, e dai pochi saggi effettuati l'idea che potesse trattarsi di un altro lavoro di Piermatteo sembra più che una semplice ipotesi: il pittore amerino, infatti, nel 1504 era stato nominato cappellano dell'altare del S. Salvatore all'interno della stessa chiesa[9] e potrebbe esserci un nesso tra il beneficio ecclesiastico ricevuto e la committenza artistica.

Sia dunque il reperimento di queste ultime notazioni documentarie, sia le ipotesi attributive qui sopra esposte, fanno di Piermatteo un pittore ancora in grado di fornire ulteriori piacevoli sorprese.

Note

1) AA.VV., *Piermatteo d'Amelia. Pittura in Umbria meridionale fra '300 e '500,* Todi 1996

2) U. GNOLI, *Piermatteo d'Amelia* , in 'Bollettino d'Arte', 9, 1924, pp. 391-415

3) E. MÜNTZ, *Les arts à la cour des papes Innocent VII, Alexander VI et Pie III,* Paris 1898

4) Arch. Segreto Vaticano (ASV) *Introitus et exitus* 535, c. 119

5) ASV *Introitus et exitus* 536, c. 117v; il pagamento è del 24 gennaio 1505

6) F. ZERI, *Il Maestro dell'Annunciazione Gardner,* in 'Bollettino d'Arte' 2, 1953, pp. 125-139; e 3, 1953, pp. 233-249; F. ZERI, *Pier Matteo d'Amelia e gli umbri a Roma,* in *Dall'Albornoz all'età dei Borgia. Questioni di cultura figurativa nell'Umbria meridionale,* Atti del Convegno di Studi, Amelia 1987, Todi 1990, pp. 17-40

7) L'ipotesi è stata avanzata dalla dott.ssa Margherita Romano, della Soprintendenza ai Beni Ambientali, Architettonici, Artistici e Storici di Perugia, nell'ambito del Convegno *Umbria meridionale e Beni culturali* , tenuto a Narni nei giorni 12-13 dicembre 1997, ed i cui Atti sono in corso di pubblicazione.

8) G. SAPORI, *Matteo Geraldini e Giovanni Fiorentino,* in *Dall'Albornoz all'età dei Borgia. Questioni di cultura figurativa nell'Umbria meridionale,* Atti del Convegno di Studi, Amelia 1987, Todi 1990, pp. 263-272. Va anche ricordato che pure Giuliano, fratello di Piermatteo, ebbe nel 1460 la castellania di Cesi; cfr. S. FELICETTI, *Sulle tracce di Piermatteo di Manfredo. Nuove indagini archivistiche,* in *Piermatteo d'Amelia. Pittura in Umbria meridionale fra '300 e '500* , p. 247, doc. 19 del 16 giugno 1460.

9) Cfr. E. LUCCI, *Piermatteo d'Amelia: nuovi documenti,* in *Piermatteo d'Amelia. Pittura in Umbria meridionale fra '300 e '500,* Todi 1996, p. 275, doc. 148.

Appendice documentaria

Doc. 1

1504 marzo 15, Roma

Dicta die solvit ducatos trecentos tres hl (?) novem bol. 5 de carlinis X pro ducato, de mandato sub die XXIII februarii magistro Petro Matheo et aliis pictoribus deputatis in opere coronationis S.D.N. Julii pp.II pro residuo maioris summe eis debite pro eorum mercede = fior.316 bol.46

ASV, *Introitus et exitus* 535, c.119

Doc. 2

1504 luglio 24, Roma

Dicta die solvit duc. viginti de carlinis X de mandato sub die XIIII junii Petro Matheo pictori pro variis picturis factis in vinea S.D.N. = fior. 20, 60

ASV, *Introitus et exitus 535,* c.156

Doc. 3

1505 gennaio 4, Roma

Solvit similiter florenos duodecim auri de camera vigore mandati sub die presenti magistro Petro Matheo de Ameria pro nonnullis operibus per eum factis in Castro S.ti Angeli numerati sibi = fior.16, bol.18

ASV, *Introitus et exitus* 536, c.114v; e 537, c.113v

Doc. 4

1505 febbraio 6, Roma

Solvit similiter florenos sexaginta sex cum uno carleno de carlenis X pro floreno vigore mandati predicti sub die 18 januarii presentis magistro Petro Mactheo pictori pro 45 scabellis ad usum consistorii et nonnullis aliis rebus per eum factis numeratos pro eo magistro Michaeli de Imola pictori = fior.68, 62

ASV, *Introitus et exitus* 536, c.121; e 537, c.120

Doc. 5

1505 dicembre 2, Roma

Solvit ducatos trigintaunum auri de Camera de mandato sub die XXVIIII novembris magistro Petro Matheo de Ameria pro pictura LX scabellorum ad usum concistorii, numeratos eidem = fior.61, 70

ASV, *Introitus et exitus* 538, c.167

STEFANO FELICETTI

LORENZO E BARTOLOMEO TORRESANI PITTORI VERONESI NELLA CHIESA DI S. AGOSTINO DI NARNI (1523)

Questo breve intervento intende segnalare il documento, ritrovato nell'archivio notarile di Narni, con il quale il 18 marzo 1523 i membri della fraternita di S. Sebastiano commissiona- rono ai pittori Lorenzo e Bartolomeo Torresani la decorazione pittorica della cappella che la stessa fraternita aveva nella chiesa di S. Agostino di Narni.

Questi affreschi, che versano purtroppo in uno stato di preoccupante degrado, più volte segnalato, sono stati descritti ed attribuiti per la prima volta ai due pittori di origine veronese da Sacchetti Sassetti in una documentata monografia pubblicata nel 1932, che ancora oggi fa testo [1]. Una nuova, recente lettura storico-critica dell'opera dei Torresani nell'area umbro-sabina, fornita da Tiberia [2], è stata l'occasione anche per fare il punto della situazione sugli affreschi della cappella di S. Sebastiano della chiesa di S. Agostino di Narni, definita, tra l'altro, "un luogo apprezzabile della cultura antoniazzesca in Umbria" [3].

Nonostante, quindi, sia stato da tempo stabilito il giusto legame tra questo complesso e monumentale ciclo di affreschi e Lorenzo e Bartolomeo Torresani, la mancanza di supporti documentari certi ha lasciato aperte una serie di aporie e di questioni-chiave, legate in modo particolare alla esatta successione degli interventi pittorici eseguiti nel tempo su questa cappella e, quindi, ad una corretta valutazione degli stessi; unica data finora rimasta sicura – sulla quale molto si è discusso – è costituita dall'anno 1538 apposto sulla candelabra della parete sinistra della cappella e a sua volta messo in correlazione con una iscrizione posta nel cartiglio sorretto da un Angelo della scena con il *Martirio dei santi Zoe e Tranquillino*, che "in un volgare misto di veneto e d'umbro" così recita: *benché richo di cor el Toresan Lorenzo veronese foi pur constreto per povertà lasar questa opera diserta onde ne ha dolor* [4]. L'assenza di fonti archivistiche anche sulla stessa, effettiva presenza dei fratelli Torresani a Narni prima degli anni 1537-1538 non ha permesso, in definitiva, di stabilire con esattezza in quale fase dell'attività di Lorenzo e/o di Bartolomeo – espletata, com'è noto, tra Sabina, Umbria meridionale e area orientale dei Monti Cimini – occorresse collocare perlomeno l'avvio della realizzazione di questi affreschi narnesi [5].

Anche a motivo di queste brevi considerazioni si è ritenuto opportuno pubblicare l'inedito contratto del 1523, che sembra fornire elementi nuovi per una rilettura degli affreschi della cappella di S. Sebastiano e che, allo stesso tempo, può essere considerato una tessera documentaria importante per tentare di ricostruire in maniera più circostanziata le vicende biografiche degli stessi Torresani, figli, come riferisce Sacchetti Sassetti, del salumaio

Cristoforo abitante alla fine del secolo XV nella contrada S. Michele a Porta di Verona e attestati in area narnese-reatina nei primi decenni del secolo successivo già con la qualifica di *magistri pictores*. Senza entrare nel merito di considerazioni di tipo strettamente storico-artistico, mi limito in questa sede ad elencare soltanto tre dei punti enucleati da una prima lettura del documento, sui quali l'indagine e la riflessione critica potrebbero essere ulteriormente approfondite:

1. Lorenzo e Bartolomeo, che risultano abitare a Narni, vengono chiamati a dipingere insieme la cappella di S. Sebastiano in quanto entrambi *magistri* già piuttosto affermati in campo artistico, tenuto conto che il documento non lascia intravedere "gerarchie" professionali tra i due fratelli e che il compenso promesso in questa occasione si avvicina a quello di altre loro importanti imprese pittoriche successive [6].

2. Il documento è particolarmente ricco di informazioni inerenti i soggetti scelti e la tecnica esecutiva seguita dai due pittori; per quanto riguarda i primi si può constatare una pressoché totale corrispondenza tra quanto deciso in sede progettuale e quanto effettivamente realizzato ed ancora esistente, nonostante le condizioni attuali degli affreschi e le parti ancora sotto lo scialbo non ne permettano una puntuale e completa verifica; i due pittori, inoltre, avevano eseguito preliminarmente dei disegni sottoscritti dal notaio a garanzia della fraternita, la quale si impegnava a fornire l'arriccio, nonché i materiali necessari per l'intonachino, tra cui la pozzolana; ma il dato forse più interessante riguarda una delle condizioni che la stessa fraternita impose ai due pittori, cioè quella di *suplire et reattare le figure ià depe(n)te per prima in dicto Sancto Sebastiano*: l'aver addirittura indicato con esattezza i pittori le parti da restaurare costituisce un particolare non trascurabile che conferma senz'altro la giusta ipotesi formulata da Tiberia, vale a dire quella di un precedente intervento, eseguito forse negli anni dieci del '500 nella campata dell'altare da parte di un pittore rimasto purtroppo anonimo, ma dotato di una "cultura ancora quattrocentesca piuttosto composita" [7].

3. La data di questo contratto, il 18 marzo 1523, costituisce attualmente la prima attestazione documentaria sicura della presenza – a quanto sembra già radicata – dei Torresani a Narni [8] e lascia supporre, pertanto, che i legami intercorsi tra questa città e i due pittori devono essere stati più lunghi e più stretti di quanto finora accertato o supposto [9].

La scoperta di questo contratto, anche in mancanza, per ora, della relativa quietanza di pagamento, apre dunque un significativo squarcio sugli esordi dell'attività artistica dei Torresani e potrebbe stimolare la prosecuzione delle ricerche d'archivio non soltanto per quanto riguarda il complesso dell'attività artistica di Lorenzo e di Bartolomeo Torresani a Narni e nel territorio circostante [10], ma anche per ciò che attiene, ad esempio, i loro rapporti interpersonali e professionali, i matrimoni contratti, gli affari, le vicende pubbliche e private ecc.[11]. Uno spoglio documentario mirato e sistematico, condotto a mio avviso soprattutto nei registri dell'archivio notarile di Narni, porterebbe sicuramente anche ad una migliore conoscenza delle vicende legate a quanti – pittori, ma non solo – operarono nella fabbrica della stessa chiesa di S. Agostino, o di altre chiese narnesi, tra la fine del '400 ed i primi decenni del '500 [12].

Appendice

1523 marzo 18, Narni.

Maestro Lorenzo e maestro Bartolomeo di Cristoforo [Torresani] di Verona abitanti a Narni pittori promettono ai membri della fraternita di S. Sebastiano di dipingere la cappella della stessa fraternita nella chiesa di S. Agostino di Narni, impegnandosi a terminarla entro un anno e mezzo, per un compenso di 70 ducati.

(Archivio di Stato di Terni, Archivio notarile di Narni, 29, not. Antonio di Tommaso, 1512-1525, cc. 189v-190v).

Instrumentum inter fraternitatem Sancti Sibastiani et magistros Laurentium et Bartholomeum Cristofani veronensis pictores Narnie habitatores [al margine sinistro]. *Eodem mense martii, die XVIII, in presentia mei notarii etcetera. Magister Laurentius et Bartholomeus Cristofani veronensis Narnie habitatores et commorantes pictores sponte iurantes etcetera cuilibet eorum insolidum observantes etcetera alio liberentur (?) etcetera promiserunt infrascriptis hominibus sotietatis fraternitatis ecclesie Sancti Sebastiani, secundo qui de sotto apparerando.*

Imprima quisti sondo li capituli et pacti da ponerse la cappella de la fraternita de Sancto Sebastiano per li magistri Laurenzo et Bartholomeo de Cristofano sopradicti veronensis Narnie habitatores et commorantes. Supradicti inprima promiserunt:

Sei figure innela volta de dicta cappella, quatro Profeti, sancto Iovenale et Cassio, stellato lu cappo de l'azuro stellato de oro, lo azuro bono quanto quello de prima innulo ferrato [a]*, da le banne de dicta cappella una istoria per ciaschuna banna, cioè la istoria de sancto Sebastiano, secundo li desegni facti, sottoscripti de mia mano propria, con le figure designiate come de sopra.*

Innel archo XII Apostoli, metterli addoi addoi, overo secundo che piacerà ad electione de dicta fraternita de sotto de li dicti Apostoli et altre penture che vanno in dicta cappella dentro et fore per insino in terra, adornata et dipenta de adornamento, secundo se recercha dicto lavoro, de fore del archo de dicta cappella pignere doi Sebille, una per banna d'archo, in sumità del archo et fore l'alornamento secundo se recercha, secundo appare lo desegno scripto de mia mano propria, con doi agneletti secundo lo disegno.

Item in alia mano supradicti magistri promettono suplire et reattare le figureià depe(n)te per prima in dicto Sancto Sebastiano, maxime la Nunziata et li agnoletti che stando de intorno ad Cristo et la testa de sancto Iovanni Evangelista, li supradicti lavori sieno condoccti ad convenientia et honorati ad uso de boni pentori.

Item dicto lavoro sia finito et facto in termine de uno anno et mezo incominzando ogi et così sequita da farsi.

Item se obligano infrascripti de la fraternita darli li dicti muri aricciati et etiam li ponti, aciochè habelamente se possa lavorare, a le spese de dicta fraternita.

Item promettono dicti fraternitali darli calcina et pozolana per intonachare.

Item [b] *infrascripti fraternitali Anselmo de Gasparro priore, Francesco de Pella camerario de li denari, Iohanne Francisco de Biancho camerario de la cassa, fratre Agostino priore de Sancto Agostino al presente, fratre Rosato etiam de Sancto Agostino, magistro Maximo de Severino, Petriolo de Senno, Petro todescho, Alixandro de Tortona Spitola, Iohannino de Thomasso Zoppo, Sancte de Iemmino, Nitolo de Fachino, Vittorio de Nitolo, Ieronimo de Menicho de Pellano, Rimo de Filippo de Livirato, Iohanne Mattiello *** de Liteli Narni habitatori presenti, stipulanti et iuranti etcetera promiserunt solvere supradictis magistro Laurentio et Bartholomeo supradictis, darli pro pretio de pagamento a li dicti magistri ducati LXXta de carlini per li supradicti lavori, da pagarse secundo qui de sotto apparerando,* *cioè al presente ducati dece de carlini et ducati cingue innanti che finischa lu camerli(n)gato de Francesco de Pella, lo resto de anno in anno secundo che seranno la intrata de li amitamenti (?) tanto de grano, in modo che* [c] *sieno finiti da pignerse dicti magistri; ad dechiaramento de cautela (de) dicta fraternita Matteo de Vincenzo de Fecarello de Narni cognoscendo ad quisto modo essere obligato per certa sua scientia et libera voluntà promette a li dicti fraternitali fare et in tal modo procurare et promette che quando dicto lavoro non fosse finito in dicto termino o tempo pagare del suo proprio pro pena et conpositione ducati vinticinque a la dicta fraternita, cum iuramento dicto Mattheo se obligò etcetera.*

Item quando adcadesse, Dio cessi, morte overo altro ligitimo caso che dicto lavoro non fosse finito sia pagato secundo lo facto pro rata.

Item siano tenuti et obligati dicti pintori farsi pagare a li camorli(n)gi che sequitarando ad quillo tempo pro dicto [d] *lavoro.*

Li supradicti sendo obligati et promettendo pro pagamento vice et nomine de li a(l)tri compagni de dicta fraternita come qui de sopre apparerando etcetera supradicti magister Laurentius et Bartholomeus et etiam Mattheus et supradicti fraternitales sponte iurantes etcetera observantes ut supra supradicte partes renuntiantes etcetera et omni dampnum etcetera que omnia etcetera sub ypotecha etcetera generale obligatione etcetera in forma grata etcetera pena dupli etcetera et quam pena etcetera et ea pena etcetera.

Actum Narnie, in ecclesia Sancti Agustini, videlicet in dicta fraternita, iuxta suos confines etcetera, presentibus hiis fratre Pubrenzo (?) Antonii, Mattheo Iacobi Nicolai Ysonni et ser Iacobo notario producto subscripto in testem omnibus de Narnia testibus ad predicta habitis, vocatis et rogatis.

Note

1) A. SACCHETTI SASSETTI, *Lorenzo e Bartolomeo Torresani pittori del secolo XVI*, Roma 1932, pp. 17-20. L'argomento è stato ripreso ed aggiornato in C. VERANI, *Nuove attribuzioni ai Torresani, pittori del secolo XVI*, Rieti 1953 e ID., *Affreschi di Lorenzo, Bartolomeo e Alessandro Torresani a Fabrica di Roma e Corchiano*, Rieti 1962; per una scheda riepilogativa sui Torresani cfr. la voce curata da L. SERVOLINI in U. THIEME-F. BECKER, *Allgemeines lexicon der Bildenden Künstler von der antike bis zur Gegenwart* (*Künstler-Lexicon*), 33, Lipsia, s.d., pp. 301-302.

2) V. TIBERIA, *Presenze antoniazzesche e dei Torresani nell'Umbria meridionale*, in *Piermatteo d'Amelia. Pittura in Umbria meridionale fra '300 e '500*, Todi 1997, pp. 383-426.

3) Ivi, p. 398; la ricca documentazione fotografica fornita da Marcello Castrichini per il saggio di Tiberia è piuttosto eloquente anche riguardo al pessimo stato di conservazione e di abbandono in cui versano non solo questi affreschi di S. Agostino ma praticamente la quasi totalità della produzione pittorica dei Torresani esistente nel territorio dell'Umbria meridionale.

4) Cfr. Ivi, p. 399 e A. SACCHETTI SASSETTI, *Lorenzo e Bartolomeo Torresani* cit., p. 20, ove si ipotizza che "Lorenzo prese da solo ad affrescare questa cappella gratuitamente o per voto fatto al Santo o per gratificarsi i Narnesi o per altro motivo che noi ignoriamo; ma poi, spinto dal bisogno di lavorare per vivere, lasciò imperfetta l'opera, giustificando in certo modo la mancata promessa con quella confessione, entro cui suona un profondo rammarico"; la presenza della scritta L. D. LACOSTA apposta tra i fregi del costolone della cappella ha fatto poi pensare ad un successivo intervento dei figli di Lorenzo, i pittori Alessandro e Pierfrancesco, incaricati da quel personaggio che Sacchetti Sassetti, interpretando la suddetta scritta, identifica con il don Lorenzo Costa di Narni che negli anni 1548-1549 forse officiava la cappella di S. Sebastiano (cfr. *Ibid.*).

5) Stando ai documenti noti Lorenzo Torresani è attestato per la prima volta a Narni il 5 gennaio 1537, giorno in cui ottiene l'eredità della defunta cognata Albina; lo stesso documento rivela altresì che Lorenzo si era sposato, forse qualche anno pri-

ma del 1527, con la narnese Perna Faccennetta, già vedova di Giovanni Forti, e che aveva una casa situata nella parrocchia di S. Sofia di Narni, ove "in seno alla famiglia che numerosa gli cresceva intorno, accudiva a' suoi affari privati e, all'occorrenza, a quelli de' suoi parenti" (Ivi, p. 17).

6) Novanta ducati è il compenso stabilito per una tavola destinata alla chiesa di S. Pietro di Leonessa nel 1529 (cfr. Ivi, p. 13-14, 63-70), mentre per la pittura di una cappella nella chiesa del monastero di S. Benedetto di Rieti, nel 1525, vengono promessi cento ducati, una "somma ragguardevole per quei tempi" (Ivi, p. 10).

7) V. TIBERIA, *Presenze antoniazzesche e dei Torresani* cit., p. 409, ove si giunge alla conclusione che "il nodo attributivo che pesa su questa cappella non può considerarsi del tutto sciolto" (Ivi, p. 414).

8) Il marzo 1523 diventa allo stesso tempo il primo dato cronologico certo anche per ciò che riguarda la presenza dei Torresani nell'ambito dell'Italia centrale, dal momento che se si esclude il 1521 – data apposta ad un affresco nella chiesa suburbana di S. Paolo di Poggio Mirteto, peraltro solo attribuito a Lorenzo Torresani – il primo documento finora conosciuto su Lorenzo è quello del contratto per una pittura nella cappella nella chiesa di S. Maria di Rieti (24 gennaio 1524) e, per quanto concerne i due fratelli insieme, quello del contratto per la già citata chiesa del monastero di S. Benedetto di Rieti (23 agosto 1525); cfr. A. SACCHETTI SASSETTI, *Lorenzo e Bartolomeo Torresani* cit., pp. 9-10, 61-62, che dichiarava di non sapere "né dove né che cosa essi [Lorenzo e Bartolomeo] operarono nei tre anni successivi al 1521" (Ivi, p. 7); è stato comunque ipotizzato un prolungato soggiorno dei due pittori a Spoleto, prima del loro arrivo nel Reatino (cfr. C. VERANI, *Affreschi di Lorenzo, Bartolomeo e Alessandro* cit., p. 5).

9) Si è detto che "Narni è la città dell'Italia centrale dove i Torresani, quando non erano a Rieti, dimorarono di preferenza e dove, naturalmente, lasciarono più larghe tracce della loro vita privata ed artistica", tanto che sin dal 1541 è accertata la loro cittadinanza narnese e, per quanto riguarda il solo Lorenzo, fino al 1556 è documentata la sua carica di consigliere comunale (cfr. A. SACCHETTI SASSETTI, *Lorenzo e Bartolomeo* cit., pp. 17, 20, 53).

10) Come mi riferisce Marcello Castrichini, la produzione pittorica dei Torresani si è concentrata soprattutto nel comprensorio narnese e zone limitrofe; tuttavia allo stato attuale degli studi mancano serie indagini conoscitive e di recupero, necessarie per una catalogazione definitiva e quindi per una opportuna valorizzazione di opere ingiustamente trascurate. Si citano qui di seguito alcune delle opere attribuite ai Torresani: Narni, chiesa di S. Agostino, ex chiesa di S. Domenico; Giove, cappella dei Caduti (cfr. V. TIBERIA, *Presenze antoniazzesche e dei Torresani* cit., p. 411); Marcello Castrichini segnala: Narni, chiese di S. Francesco e di S. Giovenale; Piediluco, abside della chiesa Parrocchiale (affreschi inediti). Sacchetti Sassetti ha attribuito a Lorenzo un affresco nella chiesa di S. Egidio di Montoro ed ha messo in evidenza che "a Narni e nei suoi dintorni ... la dominazione torresaniana continuò anche dopo la morte dei maestri veronesi" (A. SACCHETTI SASSETTI, *Lorenzo e Bartolomeo Torresani* cit., pp. 12-13, 45), morte collocabile intorno agli anni Sessanta-Settanta del '500.

11) L'esistenza del contratto del 1523 smentisce Sacchetti Sassetti quando sostiene che "tutte le opere torresaniane di Narni" non sono documentate perché "essendo concittadini e i committenti e gli artisti, non c'era bisogno di tante cautele notarili" e lo stesso autore non convince del tutto quando, dopo aver segnalato alcuni documenti relativi a vicende familiari e patrimoniali di Lorenzo Torresani a Narni negli anni Quaranta del '500, afferma che essi hanno una importanza "scarsissima" se non "per la luce che certe date possono dare alla vita artistica" del pittore, "che mai fu oscura come in questo breve periodo di tempo" (Ivi, pp. 21, 23). Piuttosto frammentarie, al momento, sono infatti le notizie sul giro di affari e sulla consistenza economico-patrimoniale dei due pittori, che pure non dovevano essere trascurabili; lo dimostra, ad esempio, anche un documento rogato a Narni il 21 marzo 1523, giorno in cui il pittore maestro Lorenzo di Cristoforo *de Toriscianis* veronese abitante a Narni

vende a Benedetto di Giovenale di Narni un terreno situato in vocabolo S. Leonardo, per il prezzo di 39 ducati (Archivio di Stato di Terni, Archivio notarile di Narni, 29, not. Antonio di Tommaso, 1512-1525, cc. 190v-191r).

12) Recentemente ho segnalato la presenza a Narni del pittore Piermatteo di Manfredo di Amelia, al quale, com'è noto, è stato attribuito un affresco del 1482 situato nella stessa chiesa di S. Agostino: in un documento dell'ottobre di quello stesso anno il pittore amerino, infatti, risulta implicato con il narnese Marco di Lazzaro, personaggio che va forse identificato con il committente di un affresco situato in un locale attiguo alla chiesa di S. Agostino, probabile sede (oratorio?) della fraternita di S. Sebastiano ed oggi trasformato in sagrestia, ove risulterebbe rogato anche il contratto con i Torresani del 1523 (cfr. S. FELICETTI, *Sulle tracce di Piermatteo di Manfredo. Nuove indagini archivistiche*, in *Piermatteo d'Amelia* cit. p. 252 e F. MARCELLI, *Piermatteo d'Amelia a la "Liberalitas principis"*, Ivi, p. 69, nota 62). In occasione del sommario spoglio di alcuni registri dell'archivio notarile di Narni compresi tra la fine del '400 e gli inizi del '500 ho rinvenuto i seguenti documenti: del 18 dicembre 1513 è il contratto con il quale maestro Angelo di Francesco *de Sestino* abitante a Borgo S. Sepolcro promette ai frati della chiesa di S. Agostino di Narni di costruire degli organi, entro cinque mesi, per un compenso di 20 ducati; lo stesso maestro Angelo il 10 agosto 1514 verrà scelto per la costruzione di nuovi organi anche per la chiesa di S. Giovenale (Archivio di Stato di Terni, Archivio notarile di Narni, 327, not. Sante di Tommaso, 1512-1514, c. 196rv; 328, id., 1514-1517, c. 51rv); appena qualche giorno prima dell'incarico dato ai Torresani per la decorazione della cappella di S. Sebastiano, ossia l'8 marzo 1523, Cardolo dei Cardoli priore della Società delle Suore del Rosario della chiesa di S. Maria Maggiore di Narni aveva commissionato al pittore maestro Rinaldo di maestro Pancrazio di Calvi una tavola con l'*Assunzione di Maria* ed intorno i quindici *Misteri del Rosario*, da realizzare entro il settembre successivo, per un compenso di 30 ducati (Ivi, 29, not. Antonio di Tommaso, 1512-1525, cc. 188r-189r); in merito a questa chiesa segnalo anche il contratto con cui il 10 maggio 1483 maestro Simone *de Fichino* cittadino di Narni promette a Taddeo di Andrea *Pellacci*, camerario della cappella di S. Vincenzo della chiesa di S. Maria Maggiore di Narni, di costruire una cancellata di legno per la stessa cappella, simile a quella esistente nella chiesa di S. Girolamo fuori le mura di Narni (Ivi, 223, not. Antonio di Rosso, 1482-1483, c. 167v); sotto le date 19 marzo e 3 giugno 1524 trovo attestati a Narni i pittori maestro Nicolò *de Visciolis* e maestro Martino di maestro Martino, entrambi *de terra Iussole in Alemania alta*: nel primo caso i due pittori permutano con il narnese Girolamo *Cioglii* una loro casa situata nella parrocchia di S. Giovenale con un'altra casa situata nella parrocchia di S. Sofia e l'aggiunta di 150 ducati; nel secondo caso maestro Nicolò riceve da Cristoforo di Bernardino di Nino di Siena, procuratore di Sebastiano *Valentischi* cittadino romano e vescovo di Terni, la somma di 40 ducati che quest'ultimo avrebbe dovuto dare a maestro Giovanni tedesco abitante a Terni, il quale era morto senza eredi (Ivi, 157, not. Gregorio Martini [di Bernardino *de Risis*], 1524-1525, cc. 40rv, 57v-58r).

[a] La scrittura piuttosto contorta del notaio non rende sicura la lettura della parola *ferrato*, che può anche essere resa con *serrato*.

[b] **Segue *a dicta fraternita* depennato.**

[c] **Segue *che* ripetuto.**

[d] **Segue *tempore* depennato.**

(alla pagina successiva)
1-2. Bartolomeo e Lorenzo Torresani, Martirio di san Sebastiano, Flagellazione di san Sebastiano nell'ippodromo, *Narni, chiesa di S. Agostino, cappella di San Sebastiano.*

(alla pagina precedente)
3-4. Lorenzo e Bartolomeo Torresani, Un profeta, San Matteo, *Narni, chiesa di S. Agostino, volta della cappella di San Sebastiano.*
5. Lorenzo Torresani, Sant'Andrea, *Narni, chiesa di S. Agostino, parete interna dell'ingresso alla cappella di San Sebastiano.*
6. Bartolomeo Torresani, San Pietro, *Narni, chiesa di S. Agostino, parete esterna dell'ingresso alla cappella di San Sebastiano.*

7. Lorenzo Torresani, Flagellazione di san Sebastiano nell'ippodromo (particolare), *Narni, chiesa di S. Agostino, cappella di San Sebastiano.*

8. Pittore antoniazzesco, Eterno benedicente, angeli *di Bartolomeo Torresani, Narni, chiesa di S. Agostino, vela della volta della cappella di San Sebastiano.*

9. Pittore antoniazzesco, Martirio di Zoe e Tranquillino, *Narni, chiesa di S. Agostino, parete di fondo della cappella di San Sebastiano. L'angelo è dei Torresani che appongono la firma nel cartiglio.*

10. Pittore antoniazzesco con restauri di Bartolomeo Torresani, Annunciazione *(emergono dalla scialbatura soltanto due particolari con i volti della Madonna e dell'Angelo), Narni, chiesa di S. Agostino, parete di fondo della cappella di San Sebastiano.*

DAVID FRANKLIN

VASARI AS A SOURCE FOR HIMSELF: THE CASE OF THE PEDUCCI BANNER IN AREZZO

Vasari is one of the most fully documented artists of the Renaissance. Yet the sources now referred to for his own commissions are generally those composed by himself, such as his letters, "ricordanze", or *Lives of the Artists*. Seeking what we might consider to be more objective archival information about his career should provide useful insights into how Vasari presented his life and hopefully permit an even more accurate dating as well as understanding of his surviving work. This study considers some previously undiscovered archival documents for one such project, a gonfalone banner Vasari painted for the confraternity of San Giovanni Battista, known as the Peducci (a diminuitive for feet, referring presumably to their habit of going barefoot in procession). Originally in all likelihood of double-sided construction, the work survives in the Museo Diocesano in Arezzo as two canvasses of the *Preaching of Saint John the Baptist* and the *Baptism of Christ* (figs. 1-2). While confirming and supplementing our knowledge of this particular object, the documents help to define the strengths and weaknesses of Vasari as a source for his own career, and at the same time highlight some of the potential hazards of drawing overly precise conclusions from textual and archival sources. Above all, an analysis of the material for this commission indicates that whereas the "ricordanze" and documents are consistent with each other and ultimately trustworthy, Vasari could be less meticulous in presenting his own biography in the Lives of the Artists and editorial errors can sometimes be exposed.

The Peducci banner has been little discussed in the Vasari literature but when it is two sources are drawn upon, namely his autobiography of 1568 and "*ricordanze*", of which the latter is the more specific in providing a date for its inception: *Ricordo, come a dì 12 di Dicenbre 1548 la conpagnia di San Giovanni Batista d'Arezzo, ragunati insiemi, et per capo di detta conpagnia era priore maestro Nanni Buselli; et creorono 4 huomini, uno de quali fu messer Giovanni Berghigni, Francesco di Cristofono da Casoli et Matteo Francini, che avessino autorita farmi fare un gonfalone, il prezzo di quello ancora et pagarlo. Et drento vi volsono San Giovanni Batista, che predicassi alle turbe, et San Giovanni, che batezzi Christo. Et questo fu uno stendardo o gonfalone per portare a procissione, come si usa lavorato a olio a tutte mie spese, ecetto l'ornamento; il quale lo presi per prezzo di scudi quaranta di lire sette per iscudo: che tanti mi promessono pagare ogni volta, che io avessi finito et consegniato loro detta opera -- - scudi 40*[1].

This entry would lead us to believe that the work was ordered on 12th December 1548, the subject was *Saint John the Baptist preaching* and *Saint John the Baptist baptising*

Christ, the medium was oil, and that the cost was projected at forty scudi not including the expenses for framing. It does not, however, give a completion date, though based in part on this reference, an approximate date for the painting has been estimated, without discussion or debate, as either 1548 or 1549[2]. This first of all provides a good example of how narrow the "ricordanze" can be as a source for Vasari's chronology, as it often yields only one of the dates required for placing a work of art, that is the date of the initial order. And so the commissioning date of 12th December 1548 for the Arezzo banner, of which we have no direct archival notice, may correspond to a verbal or very informal written agreement that does not in itself necessarily tell us much about the real progress of the painting.

The passage about the work in Vasari's autobiography, published as the last life in the second edition of the Lives of 1568 incorporates the bare data of the "ricordanze" into a fuller, more descriptive narrative, but raises more serious questions about the writer's retrospective ordering and presentation of his own chronology by seeming to offer contradictory datings:

Andato poi, finite che ebbi quest'opere, a Fiorenza, feci quella state, in un segno da portare a processione della compagnia di San Giovanni de'Peducci d'Arezzo, esso Santo che predica alle turbe da una banda, e dall'altra il medesimo che battezza Cristo; la qual pittura avendo, subito che fu finita, mandata nelle mie case d'Arezzo, perchè fusse consegnata agli uomini di detta compagnia, avvenne che, passando per Arezzo monsignor Giorgio Cardinale d'Armignac, franzese, vide, nell'andare per altro a vedere la mia casa, il detto segno, ovvero stendardo; perchè piacutogli, fece ogni opera di averlo, offerendo gran prezzo, per mandarlo di re di Francia, ma io non volli mancar di fede a chi me l'aveva fatto fare: perciocchè, sebbene molti dicevano ch'arei potuto fare un'altro, non so se mi fusse venuto fatto così bene, e con pari diligenza[3].

Before this Vasari describes a design done for Cardinal del Monte for which he was thanked in a letter of 30th November 1548 sent from Bologna to Arezzo[4]. Yet following the quoted passage he continues to describe a painting of *Venus and Adonis* done soon after ("non molto dopo") in his words at the request of Annibale Caro which is referred to elsewhere in a letter of 10th May 1548 alluded to directly in the biography[5]. Read in conjunction with the quoted passage from the Life, this might indicate that the Peducci banner was executed in the summer of 1548, and it would have to be assumed, somewhat implausibly, that the contract was not officially signed until the end of that same year. But it is more likely that this episode provides an example of Vasari's occasionally misleading presentation of events because accepting the commissioning date of 12th December 1548 it appears certain that by "quella state" he meant the later summer of 1549 spent in Florence. Such apparent errors crept in because the artist constructed the Life working directly from the "ricordanze", supplemented in places with reference to letters, but in cases like this one precise dates were expunged because his main concern was to present a narrative rich in anecdote, not an exact chronology. This sloppiness is not that surprising either, especially for an earlier commission, because as has been recently pointed out Vasari's "ricordanze" and Lives were both retrospective documents and also ones intended for posterity, and as such they can betray lapses of memory as well as intentional adjustments on the part of the author[6]. Indeed, he had not even begun to compose either work by the period in which the Peducci gonfalone banner was painted, and so as sources they need to be read in conjunction with documents, which here offer more accurate dates for the painting's completion and information about its physical production, as well as telling us something about the patron's side of the story.

The record of archival documents add much to the history for this painting, though what they relate would be much vaguer in its implications had it not been for the other two pieces of writing from Vasari's own hand (see Appendix). Nonetheless, the archival sources can be taken as more accurate than such writings because the entries were written as the different aspects of the work appear to have progressed, and also because they were not intended for publication. To summarise them: on 20th October 1550 Vasari received what appears to have been his final payment ("il suo resto") amounting to just under two florins (Appendix A, document f). This, it turns out, may have been the only hard cash he did receive for it, as proved by the content of a notarial document from the previous January, discussed below. Payments continue to be made for the production of the gonfalone Vasari had by then delivered. The final payment for the canvas was not itself made until the end of the next month in November 1550 (Appendix A, document g). Minor disbursements covering the cost of some fine gold and a small amount of colour pigment to be given to some nuns for what was presumably their labour in its final ornamentation, were lastly made in March and May 1551 (Appendix A, documents h-i).

In addition to the new ledger entries, a previously unpublished notarial act relating to the banner drafted in the audience chamber of the company in Arezzo on 20th January 1550 (modern style), provides yet more important specific information about the project (see Appendix B). The document refers to a somewhat complex series of events. It states that when the work was completed the brotherhood had lacked the necessary funds to pay for it, and so the same four representatives who commissioned the painting from Vasari ("magnifico Georgio quondam Antonii de Vasariis, pictore Aretino"), we know for certain in December 1548, later sold a piece of farmland near Arezzo valued at thirty-eight florins to his brother Piero, acting in his familiar role as agent for the painter who was in Rome in this period. The proceeds from this sale presumably amounted to Vasari's basic fee. But this transaction had occurred about five weeks earlier without the full consent of the confraternity which this act of 20th January 1550 was finally able to ratify.

Read together with the adjusted evidence of the autobiography this would appear to indicate that, unusually, Vasari's work was not dispatched to the confraternity immediately following its completion. And so the biographical reference about the painting having been kept in his house in Arezzo even though it was painted in Florence can now be accounted for. It remained there for a few months until the payment scheme was finally settled. Four unpublished payments relating to the physical manufacture of the banner entered between the date of this notarial document and Vasari's presumed final payment in October 1550 further support the view that the banner was not finally delivered to the patron much before January of that year, for had it arrived sooner it would have already been put to use (Appendix A, documents b-e). These include payments to an "Antonio pitore" for its making, probably this was the minor Aretine artist named Antonio Ambrogio Scaramuccia, as well as one for a cross or stick on which it would have been mounted for ease in carrying it in procession.

Knowing that the work was finished fairly promptly by Vasari, the interval of more than two years between the commission and some of the payments for its ultimate manufacture indicates that it was the patron who had trouble concluding this project. This incident demonstrates that it was not always the artist who was at fault during such delays over delivery because the patron might still need to deal with financing. It would be misleading, however, to conclude this banner held little importance for Vasari. On the contrary, the painter devoted the lengthy passage already quoted to it in his autobiography of 1568. It is notable too how his description of the subject published there derives from the corresponding entry in the "ricordanze", providing an insight into how Vasari compiled his autobiography in an additive fashion from this type of source. Such an extended description of a single, fairly minor commission for Vasari's native town in the midst of so many major works demonstrates the significance of this devotional painting for the artist, certainly out of proportion to its current art historical celebrity. In this case, he singled it out largely because of the flattering attention it received from the visiting French cardinal who thought the banner of sufficient quality for the royal collection.

The visitor in question was no ordinary tourist but the princely cardinal Georges d'Armagnac (c. 1500-62). The bastard son of the last count of a former noble family, he became "one of the great ecclesiastical statesman of the sixteenth century"[7]. Important for his role in French diplomacy in Italy, and for his service as Bishop of Rodez, he has also been characterised with reference to his tastes, as the most italianate of French cardinals[8]. Promoted by Marguerite of Angoulême, he was in Venice and Rome from about 1536 to 40, during which time he became part of Vittoria Colonna's circle. He was in France in the mid-1540s and and received a promotion to Cardinal by Francis I in 1544, subsequently returning to Rome by October 1547 apparently by order of Henri II because of the illness of Pope Paul III, though he seems to have returned home again relatively soon. That he was not tied to Rome around this date is further proven by a document referring to a payment from the King after a mission he had done to Venice in 1547[9].

Georges d'Armagnac was in Rome again by 10th November 1549 for the conclave following the death of Paul III,[10] and so given the chronology of the banner traced above, it is likely he passed through Arezzo sometime prior to this date but later than the summer of 1549 when we know the finished work was languishing in Vasari's house awaiting his payment from the confraternity. In fact, his visit can be dated with absolute precision to around 10th September 1549 as it is mentioned in a flattering and humorous letter of that date written by Vincenzo Borghini in Arezzo and sent to Vasari in Florence that indicates he saw other works by the artist, in particular the also recently completed *Marriage of Esther and Ahasuerus* in the refectory of the Badia di Sante Flora e Lucilla: *"Io sono stato 4 hore intorno alla vostra tavola del refettorio: Tanto è, io veggo per l'ordinario poco lume. Hora io vi ho lasciato dentro gli ochi. Et hoggi ci è stato il cardinale Ormignac Francioso, tanto che qui non si è mangiato altro che pane et messer Giorgio*"[11]. In all likelihood when composing the passage for his Life about the Saint John the Baptist canvasses, Vasari consulted this letter from Vincenzo Borghini he would have stored so allowing him to recall a significant anecdotal event to which he himself had not been eye-witness.

In attempting to purchase Vasari's banner, the cardinal from Armagnac was acting like a broker in Italian art for the French king, in this case Henri II, which was by now an established practice between the two countries. He was in a good position to act as such an intermediary because of his close connections with Italian artists, and his personal awareness of the status their work had. He was himself a major collector of sculptures and missals: he had fourteen Greek manuscripts copied for Francis I during one earlier stay in Rome[12]. It is further known that while French ambassador in Venice he had got an invitation for Sebastiano Serlio to come to France with the support of Pietro Aretino[13]. Titian painted his portrait, surviving at Alnwick Castle, in Venice around 1540[14].

Vasari clearly relished this story about Georges d'Armagnac, which the archival sources naturally do not record, though they allow for, because of the impression it gave of important figures troubling to pass through his house in Arezzo and attempting to acquire the paintings found there. Correspondingly, such international prestige was doubtless now influential in gaining the artist commissions locally where he still had strong personal and professional interests. Vasari also seems to have been proud of his refusal to produce a replica. This comment is all the more curious considering the size of his workshop in this period, and a general conclusion about Vasari's perhaps unexpectedly precious attitude towards the copying of his art might be drawn from this incident. Perhaps it was intended as a rearguard strike against the critics who attacked the artist earlier in life for his haste of execution in other commissions. It is notable too in the context of local pride that the paintings he did for Arezzo were with few exceptions produced by the master himself.

The gonfalone banner for the confraternity of the Peducci appears to have been the first major one of this genre Vasari painted and so it is of special interest for, despite his growing stature, it was a type of painting he later supplied with some regularity[15]. The one earlier exception done for the comune of Rigutino south of Arezzo on the road towards Perugia in 18th April 1528, including a *Misericordia* and a *Trinity* had been subcontracted work and must have been modest[16]. He was later to produce four more for confraternities in Arezzo, and one other for Montepulciano. It was not so common for Tuscan painters to work on canvas supports as opposed to panel, though entries in Vasari's "ricordanze" provide evidence for numerous other examples prior to 1548, and it was much more prevalent in his oeuvre than survival would suggest. One documented early case involves the confraternity of the Annunciation in Arezzo, the company for who Rosso designed his ill-fated fresco cycle before leaving Italy for France in the later 1520s: Vasari was paid the relatively small sum of twelve lire in 1531 for painting a hanging for the high altar of the church with a depiction of the *Annunciation* - a work on canvas by the twenty-year old artist now perished[17]. Because they were partially functional objects taken out for regular public processions, new gonfalone banners were generally required when the old canvasses wore out. In the case of the Peducci one, Vasari was replacing a standard commissioned in 1473 at a cost of thirty-three florins from a pupil of Piero della Francesco named Pietro di Galeotto of Perugia[18]. On this canvas, now lost, the Umbrian had painted a Saint John the Baptist on one side and a Baptism of Christ on the other, which demonstrates the growing taste for narrative representation in the intervening years as, in a change of one of the subjects, Vasari was to ask to paint the Baptist preaching in place of the isolated saint.

His *Baptist Preaching* has the more symmetrically balanced of the two designs produced for this processional standard. It features the saint raised in the centre and encircled by attendant figures. Andrea del Sarto, who had been one of Vasari's masters, provided the ultimate model for the Baptist raised on a tuft of earth and the full-length figures placed at the sides with the heads in the middle ground, in his fresco of this subject in the cloister of the Scalzo confraternity in Florence of 1515, but the obvious repoussoir figures manipulated to reinforce the lower foreground corners are Vasari's own invention as he adapted to a strict vertical format. He also portrayed the saint in a more frontal position than Sarto had, nearer in fact in the torso and right-arm pose to his now lost Sant'Ambrogio altarpiece of about 1515.

Vasari was clearly comfortable with this particular pose as he had depended on it earlier for a John the Baptist in one of his Camaldoli altarpieces. The basic actions in both canvasses are exaggerated but with a certain restraint, surprisingly close perhaps to the feeling of Sarto's fresco. Distinctive to Vasari are the chilled flesh tones and the abstracted air of the figures with their undemonstrative expressions.

By comparison, the *Baptism of Christ* features the more novel solution with the three, here rather tenderly portrayed angels set for reasons of space in the middle of the design instead of towards the edge of the field as was more conventional. Indeed, in the preliminary drawing for this design surviving in the Louvre (fig. 3) includes one of the angels at the side - the most obvious difference between the drawing and the finished painting[19]. The two main figures are also displayed slightly more frontally in the finished picture, and Christ's left hand is perhaps more rigid compared to the drawing. The two robust flying angels appear in close proximity to the main group adding greater density to the composition than found in most versions of this popular subject. Neither design is overly rigid, but nonetheless both are compressed and kept close to the picture plane for maximum legibility because the pictures were intended to be carried outdoors in procession. With the loss of the major work of this period by Vasari in the Martelli altarpiece for San Lorenzo in Florence, the Peducci gonfalone banner assumes a larger visual importance in providing a secure example of the painter's style from this date in 1549, in addition to the lessons it teaches about some of the possible pitfalls in the use of written and archival sources, even where these are abundant.

Notes

I should like to thank Charles Hope *and* Richard Reed *for reading drafts of this article and for their very useful suggestions. I would also like to thank* Gino Corti *for his assistance with the documents.*

1) G. VASARI: *Der Literarische Nachlass*, ed. K. FREY and H. W. FREY, II, Munich 1930, p. 868.

2) For the painting in general see G. VASARI, *La Toscana nel '500*, exh. cat., Arezzo 1981, Nos. 23-24, pp. 339-40, entry by A. M. MAETZKE, where the work is correctly dated to the summer of 1549. See also W. KALLAB: *Vasaristudien*, Vienna and Leipzig 1908, p. 81; and G. F. GAMURRINI: *Le opere di Giorgio Vasari in Arezzo*, Arezzo 1911, pp. 22-23, who give the date as 1548, as does P. BAROCCHI: *Complementi al Vasari pittore*, in 'Atti e memorie dell'Accademia toscana di scienze e lettere, La Colombaria', XIV, 1963-64, p. 260, though the correct one of 1549 is implied by the same author in *Vasari pittore*, Milan 1964, pp. 34-5. For the painting see also *La Maniera moderna nell'Aretino: Dal Rosso a Santi di Tito, guida alle opere*, ed. S. CASCIU, Venice 1994, n. 41, entry by A. BARONI.

3) G. VASARI: L*e vite de più eccellenti pittori, scultori, e architettori (Florence 1568)*, ed. G. MILANESI, 9 vols. (hereafter VASARI-MILANESI, Florence 1878-85, VII, p. 689. This passage appears on fol. 999 of the 1568 edition of the book.

4) Op. cit. at n 1 above, pp. 225-7.

5) Ibid., I, pp.220-23. The corresponding entry in the "ricordanze" for this painting fell later on 6th February 1549 (II, p. 868).

6) See P. J. JACKS: *The Composition of Giorgio Vasari's "Ricordanze": Evidence from an unknown draft*, in 'Renaissance Quarterly', XLV, n. 4, 1992, pp. 739-84, especially, pp. 743 and 747.

7) According to D. POTTER: *A History of France 1460-1560: The Emergence of a Nation State*, London 1995, p. 174. For his biography see also the entry by E. G. LEDOS in the *Dictionnaire Biographie Française*, III, Paris 1936-9, cols. 677-9. He is discussed in P. FRIZON: *Gallia Purpurata*, Paris 1638, pp. 604-5.

8) N. LEMAITRE: *Le Rouergue Flamboyant: Le Clergé et les fidèles du diocèse de Rodez, 1417-1563*, Paris 1988, p. 416.

9) P. HAMON: *L'argent du roi: Les finances sous François Ier*, Paris 1994, p. 225, n 555.

10) According to the "Diarium quintum de conclavi post obitum Pauli III" of A. MASSARELLI, in *Concilii Tridentini Diariorum*, ed. S. MERKLE, II, Freibourg 1911, pp. 7-8. I owe this reference to Charles Hope.

11) Op. cit. at n 1 above, p. 243.

12) R. J. KNECHT: *Renaissance Warrior and Patron: The Reign of Francis I*, Cambridge 1994, p. 472.

13) C. SCAILLIÉREZ: *François 1er et ses artistes dans les collections du Louvre*, Paris 1992, p. 27.

14) M. JAFFÉ: *The Picture of the Secretary of Titian*, in 'The Burlington Magazine', CVIII, 1966, pp. 114-26. For his likeness and art patronage see also the two essays by C. SAMARAN, collected in *Une longue vie d'érudit*, Geneva 1978, pp. 715-727, and 827-42. 15) For the one painted for the Confraternity of the Trinity in Arezzo see D. FRANKLIN: *A gonfalone banner by Giorgio Vasari reunited*, in 'The Burlington Magazine', CXXXVII, 1995, pp. 747- 750.

16) Op. cit. at n 1 above, p. 848.

17) Florence, Archivio di Stato (hereafter)ASF, Compagnie Religiose Soppresse da Pietro Leopoldo, Arezzo, A188, SS. Annunziata d'Arezzo, Vol. 2208/34, Debitori e Creditori 1531-35, fol.35, right: "Giorgio d'Antonio di Giorgio dipentore da avere fino adì 3 di Magio 1531 lire dodici, sono per dipentura di le bandinelle di l'altare grande e di le cornicce [sic], cioè di la nusiata col'angelo, in tutto d'acordo--- lire 12."

18) See D. FRANKLIN: *The Identity of a Perugian follower of Piero della Francesca*, in 'The Burlington Magazine', CXXXV, 1993, pp. 625-627.

19) For Louvre drawing (Inv. 2093) see *Giorgio Vasari dessinateur et collectionneur*, exh. cat., Paris 1965, N.16, entry by C. MONBEIG-GOGUEL.

Documents for the confraternity of the Peducci gonfalone banner

Appendix A

ASF, Compagnie Religiose Soppresse da Pietro Leopoldo, Arezzo, G.liv, Compagnia di San Giovanni de'Peducci, Vol. 2394, No. 7, Entrate e Uscite, 1538-56:

[1550]

(a) fol. 64 recto: A Ser Grigoro di Sa[n]ti de'Pigli, notaio aretino, lire quatordici per uno contrato rogato per i'corpo dila co[m]pania, per conto d'uno pezo di tera che fu co[n]signato per conto di gonfalone e che fece Giorgino d'Antonio [followed by illegible words] di Genaio 1550 - lire - soldi 14

(b) fol. 64 verso: A maestro Antonio dipitore lire 3 e soldi dieci, per parte di magiore som[m]a per aco[n]c[i]are i'go[n]falone, e ciò come apare per ista[n]ziame[n]to de'priore - lire 3 soldi 10

(c) fol. 65 recto: A maestro Antonio pitore lire tre sedieci, per resto di lire dieci di la manefatura di gonfalone, ciò come apare per poliza di maestro Nani, nostro priore - lire 3 soldi 10
(d) A maestro Antognio pitore lire tredici e soldi dieci, e quali sono per la manefatura di gonfalone novo, per ave[r]lo lui inorato, come apare per ista[n]ziame[n]to di priore e di Francesco da Casoli- lire 13 soldi 10.
(e) fol. 65 verso: A Giosepe nostro providitore soldi sedici, per la chroce di gonfalone novo .... [second section irrelevant] - soldi 16
(f) fol. 75 recto: A messer Giorgio pittore adì 20 d'Ottobre 1550 lire tredici soldi undici denari 8, per suo resto del gonfalone, ciohè- lire 13.11.8.
(g) A Marsilio legnaiolo per resto del telaio del gonfalone adì 28 detto [Novembre 1550] lire sei, per politia del priore- lire 6.
(h) Adì 16 di Marzo 1551 lire una soldi 5 denari 4 per tanto horo scrillo comprò il proveditore per ornare il gonfalone- lire 1.5.4.
(i) fol. 75 verso: A Marco nostro spedali[eri] adì 6 di Maggio [1551] soldi 4 per colore per portare alle moniche per adornare il gonfalone- lire - soldi 4.

Appendix B

ASF, Notarile Antecosimiano, 17032, 1547-51, Gregorio di Santi Pigli, fols. 75 verso- 76 recto: MDXLIX [= modern 1550]
[margin] *Consensus hominum / Societatis Sancti Iohannis dei Peducci*
Eisdem anno, indictione et dicta sede vacante, die vero lune XX mensis Ianuarii. Actum in civitate Aretii, in audientia Societatis Sancti Iohannis de Peduccis, presentibus ibidem discretis viris, videlicet Iohanne Dominici Laurentii de Puglia Cortinarum Aretii, et Blaxio Bartholomei de dicto loco, testibus ad infrascripta vocatis et rogatis etc.
Cum fuerit et sit quod homines societatis Sancti Iohannis de Peduccis civitatis Aretii, in sufficienti numero congregati in suprascripto loco eorum solite congregationis ubi pertractari solent negocia dicte Societatis, et per eorum legitimum partitum fuerit data authoritas faciendi et instruendi seu facere et instruere curandi quemdam gonfalonem pro dicta societate infrascriptis viris videlicet: Reverendo domino Iohanni de Berghingnis, canonico aretino, magistro Nanni Antonii de Busellis, phisico et civi aretino, Francisco Christofori de Casolis et Matheo ser Bernardi de Francinis, omnibus confratribus dicte Societatis; et cum dicti quatuor electi homines fecissent facere dictum gonfalonem a magnifico Georgio quondam Antonii de Vasariis, pictore Aretino, pro pretio convento, et non habentes postea unde solverent mercedem dicti gonfalonis, vendiderunt unum petium terre laboratie, stariorum trium et tabularum XI, situm in campariis Aretii, loco dicto Gattolino, iuxta sua vocabula et confines, ser Petro Antonii de Vasariis, fratri dicti magistri Georgii, et ut procuratoris eiusdem manu ser Camilli Sensi de Calderinis, notarii publici et civis aretini, sub suo die et tempore, pro precio florenorum XVII pro quolibet stariore ad tabulam, quod capit summam in totum scutorum triginta et octo, videlicet scutorum 38. Quod quidem petium terre prefati quatuor deputati absque aliqua licentia aliorum confratrum alienaverunt et vendiderunt dicto ser Petro de Vasariis: unde hodie, hac subrascripta die, congregati et coadunati infrascripti homines confratres dicte societatis de commissione et mandato prefati magistri Nannis // (fol.76 recto) prioris dicte societatis, in suprascripta audientia, loco eorum solite congregationis, servatis servandis, habito prius inter eos maturo colloquio et longo discurso, et misso legitimo partito et per XXIX fabas obtemptum, duobus albis in contrarium non obstantibus, omnique alio meliori modo etc., dictam venditionem et alienationem dicti petii terre, attenta causa et stipendio dicti precii, ratificaverunt, emologaverunt atque approbaverunt etc. Promictentes contra dicta bona seu emptorem predictum ullo unquam tempore non contravenire, facere vel consentire, sed eam perpetuo attendere etc., pena duplici etc. Que pena etc., qua pena etc. Pro quibus omnibus et singulis obligaverunt bona alia dicte Societatis etc. Iurantes etc. Quibus guarantigiam etc. Rogantes me etc. / Nomina dictorum confratris sunt infrascripta videlicet [followed by the names of confraternity members].

1. *Giorgio Vasari,* Baptism of Christ, *Arezzo, Museo Diocesano.*

2. *Giorgio Vasari,* Preaching of Saint John the Baptist, *Arezzo, Museo Diocesano.*

3. *Giorgio Vasari,* Baptism of Christ, *Paris, Musée du Louvre.*

DANTE BERNINI

ASTERISCHI CARAVAGGESCHI

Quando recentemente (nella primavera del 1995, alla mostra "Caravaggio e la collezione Mattei" nella Galleria nazionale di Palazzo Barberini a Roma)[1], ho avuto occasione di rivedere la *Cena in Emmaus* della National Gallery di Londra, il pensiero mi è tornato subito a quel passo del Bellori[2], nel quale si ricorda che il Caravaggio "era negligentissimo nel pulirsi; mangiò molti anni sopra la tela di un ritratto, servendosene per tovaglia mattina e sera". Come non mi era capitato prima, infatti, forse per scarsa attenzione, o forse anche per una diversa condizione della superficie pittorica meno bianca e splendente di quanto oggi appare, probabilmente per effetto di una recente operazione di pulitura, di cui però non è notizia nella scheda del catalogo, mi aveva impressionato il biancore metallico della tovaglia stesa sopra il tappeto di foggia orientale. È una superficie specchiante posta quale schermo luminescente al centro del cono luminoso nel quale si sollevano le figure che, investite da quella luce folgorante come di un lampo improvviso, s'inchinano sulla simbolica celebrazione del sacrificio: il pane, il vino e l'acqua, gli elementi liturgicamente indispensabili al compimento del rito vi sono mischiati con altri simboli, l'animale ucciso cioè la vittima da consumare, la frutta raccolta ed esposta nel canestro, si direbbe addirittura una ridondanza simbolica, su cui la critica specie di recente non ha potuto che continuare ad esercitarsi.

Fra tanti simboli, la tela bianca stesa sul tavolo mi pare invece un chiaro rimando all'esperienza quotidiana del pittore, il raccordo che egli personalmente istituisce tra la realtà in cui vive e il mondo al quale invece il suo spirito è rivolto o alla cui perfezione per lo meno aspira. E quel raccordo risulta evidente dal fatto che non si tratta di una semplice tela, di un comune, ricco più o meno, tessuto per gli usi comuni della gente comune, bensì di una tela preparata per ricevere la pittura. Il suo biancore insolito, metallico, specchiante (e basta confrontarlo con l'altro tessuto bianco del panno frangiato che lì accanto sta attorto sulla gamba del discepolo di destra che dalla sedia si sporge verso il centro della tavola), è dovuto, a me pare, allo strato di preparazione in gesso e colla che è stato steso sulla faccia della tela destinata a ricevere la pittura e che ha irrigidito il tessuto, il quale infatti non si adatta morbidamente alla tavola, ma al contrario si incapsula quasi come un coperchio intorno al suo bordo. Dirò di più: quasi per confermare la negligenza rimproverata al pittore dal Bellori, quella tela è stata già adoperata, nel senso che è stata staccata da un telaio i cui spigoli affilati hanno lasciato un segno evidente sul bordo intorno, e forse, chissà (occorre verificare attentamente) i fori dei chiodi che assicuravano il tessuto al legno del telaio. L'Emmaus personale del Caravaggio si svolge nella bottega stessa del pittore, il quale, preso dalla fretta (nessuno è in grado di prevedere il momento della sua chiamata), ha imbandito come ha potuto la tavola, stendendo sul ripiano un tappeto lussuoso regalatogli non si saprebbe dire da chi ma rimasto negletto a lungo in un angolo dello stanzone con tutti gli strumenti della sua arte, e quindi, occorrendo anche assicurare al divino ospite e al sacrificio che si rinnovava su quella mensa improvvisata una superficie candida, il pittore ha staccato dal telaio la tela gessata biancheggiante nell'ombra e ne ha fatto una tovaglia liturgica.

Cristo coi discepoli in Emmaus, dunque e, nella realtà quotidiana, il pittore nella sua bottega romana, consumano il pasto sopra una tela pronta per essere dipinta, e se vogliamo prendere per buono anche nei particolari l'aneddoto riferito dal Bellori, giusto per farvi un ritratto alle cui misure la tela perfettamente si adatterebbe: e il rilievo appare tanto più vero se si tien conto del fatto che la *Cena* Mattei è eseguita in un momento in cui il Caravaggio è specialmente impegnato nell'esecuzione di ritratti[3].

Il passaggio dell'esperienza di ogni giorno nell'opera del Caravaggio come pure il percorso contrario, dal simbolo all'evento, è un processo che costantemente è stato rilevato dalla storiografia critica[4] con esempi sempre più frequenti e calzanti, da quelli più importanti e tragici (l'omicidio, la condanna, il bando) a quelli comuni e oserei dire banali, anche se banale non è mai nel pensiero del pittore l'invenzione dei legami che egli istituisce fra i fatti vissuti e le immagini, che si caricano e debbono a loro volta suggerire i significati più profondi.

Più tardi, quando nel 1606 Caravaggio dovrà dipingere un'altra *Cena in Emmaus* per i marchesi Patrizi, la straordinaria invenzione della tovaglia candida e specchiante non sarà più utilizzata, ché sarebbe risultata prevaricante rispetto al soffuso chiarore in cui la nuova rappresentazione è immersa, nel registro più dimesso e intimo che distingue l'ultimo periodo romano del pittore, trascorso nei feudi Colonna dei Castelli Romani, in quell'anno che segnò il definitivo distacco dal suo ambiente, e quindi la fuga, la peregrinazione lungo infide rotte mediterranee, la tragica quanto ancora misteriosa fine sul lido toscano[5]. Nella *Cena* di Brera, pertanto, se simile a quella di Londra è l'imbandigione, la tovaglia che è stesa sul tavolo, più che specchiarla, s'intride di luce, quasi a significare che l'artista, se proprio vogliamo tentare la via del simbolo, sulla quale ci ha posto definitivamente il Calvesi, in ogni espressione diretta e indiretta del Caravaggio, non trova più in sé l'entusiastica forza di adesione alla celebrazione del sacrifico purificatore, bensì si concentra nell'esercizio della contrizione, e tutto l'ambiente della rappresentazione simbolica si veste adeguatamente di rattristata automortificazione.

D'altra parte, per dire della difficoltà di comprensione che la simbolistica caravaggesca trovava nel suo stesso ambiente, e comunque a ridosso dei tempi del pittore, ricorderò qui una copia (delle altre copie citate, al contrario di questa, in bibliografia non ho purtroppo conoscenza diretta) che della *Cena* di Londra si conserva nella Galleria (oggi) regionale di Palazzo Abatellis a Palermo, una copia assai fedele, perfino, o quasi, nelle dimensioni (cm. 134 x 203 rispetto ai cm. 141 x 196,2 dell'originale di Londra) e di ottima mano, tanto da indurre in Raffaello Delogu che a lungo con me si soffermò nell'esame del quadro, quando trenta e più anni fa lavoravo con lui a Palermo, il sospetto che potesse trattarsi di una replica autografa piuttosto che di una copia. La quale fu eseguita certamente sulla scorta dell'originale e da un artista pressoché contemporaneo del Caravaggio.

In questa copia, che per quanto mi risulta e ho già accennato, non è nota alla critica anche la più recente, la tovaglia bianca stesa sul tappeto orientale, porta bensì la rigatura impressavi dallo spigolo del telaio dal quale è stata staccata, ma non dà minimamente l'impressione di essere stata gessata in preparazione della pittura, così come, d'altra parte, non reca nemmeno traccia della tessitura originale a "losanghe annodate", quella "trama decorata" rilevata anche dal Marini e che è tipica della tela uscita dai telai cinquecenteschi forse di Fiandra e in uso come "tovagliato" diffusamente in Italia. Il Caravaggio stesso ha avuto occasione di servirsene, e non come biancheria per la sua mensa ahimé troppo trascurata, ma proprio quale supporto per i suoi dipinti, come d'altra parte avevano fatto e continuavano a fare i pittori suoi contemporanei a cavallo dei due secoli: del Caravaggio due esempi almeno sono noti già da tempo, il *Bacco* degli Uffizi e il *Riposo nella fuga in Egitto* della Galleria Doria a Roma, sui quali ebbe occasione di intrattenersi l'Arslan in una "Nota caravaggesca" del 1959[6]. Per quanto attento, dunque, il copista non ha saputo guardare fino in fondo al raffinato metodo caravaggesco, e qualche particolare dell'originale ha trascurato. Così come noi posteri abbiamo finora tralasciato un'indagine rigorosa ed estesa sui procedimenti tecnici usati dall'artista, a parte quei pochi saggi qua e là tentati, e dei quali l'esempio più recente è rappresentato dal *S. Giovannino* capitolino, delle cui caratteristiche tecniche rese minuzioso conto la mostra del suo ultimo restauro fattasi a Roma nel 1990. L'impegno a proseguire su questa strada sarà premiato dall'esito delle indagini, giacché "sicuramente altre indagini di tipo tecnico-scientifico e l'attenta osservazione della superficie potranno apportare ulteriori utili informazioni"[7].

E non solo nel campo della pittura a olio su tela, che senza dubbio fu la più frequentata dal Caravaggio, ma anche nella pittura murale in cui - torno a ripetermi[8]- un ruolo non trascurabile dovette avere il nostro pittore alle sue prime prove romane fatte nella bottega e al seguito del Cavalier d'Arpino al tempo in cui costui era incaricato delle più grosse commissioni di decorazioni a fresco nella capitale. Non possiamo dimenticare d'altro canto che l'alunnato pittorico del Caravaggio si svolse a Milano, secondo quanto narrano i suoi biografi, col padre muratore, o architetto, o forse meglio, secondo la convincente interpretazione della Cinotti, un capo-mastro, di quelli che una volta nei piccoli centri erano l'ossatura della cultura edilizia popolare, "a far le colle ad alcuni pittori che dipingevano a fresco". In base a queste e ad altre considerazioni da me fatte in presenza del dipinto nella nota voltina del gabinetto alchemico del cardinal Del Monte nel Casino Ludovisi a Roma con *I Figli di Cronos*, avanzavo l'ipotesi che quella piccola eppur monumentale composizione fosse eseguita appunto a fresco.

Così non è perché a seguito del restauro eseguitone nel 1989 a cura del laboratorio di restauro della Soprintendenza per i Beni artistici e storici di Roma, e di cui fu dato conto dalla direttrice dei lavori M. G. Bernardini e dalle restauratrici Gabriella Gaggi e Anna Marcone in una "giornata di studio" svoltasi il 7 dicembre 1990 in Palazzo Barberini[9], è risultato che il dipinto fu eseguito effettivamente con una raffinata tecnica ad olio, e nello stesso tempo secondo le caratteristiche e coi mezzi propri della pittura su muro.

Sicché il problema, se può considerarsi risolto quanto almeno al *medium* usato per stendere il colore sull'intonaco, comunque poggia ancora su altri interrogativi, dei quali i più importanti mi paiono i seguenti: perché mai il Caravaggio dovrebbe essere stato digiuno di tecnica a fresco, se la sua educazione artistica iniziò proprio presso maestri frescanti, ed egli fu accolto in Roma a lavorare presso un altro maestro frescante come il Cavalier d'Arpino, il più celebre anzi del suo tempo? Come mai inoltre, si riscontra quel tipico fenomeno "che richiama la tecnica dell'affresco", rilevato fin dal Marangoni e quindi ricordato dalla Cinotti e ultimamente dallo Schneider[10], per cui il pittore adotta, nella preparazione delle opere a olio, la tecnica dell'incisione che è caratteristica appunto dell'affresco? È il tipico chiodo del frescante ("con un ferro si va calcando in su l'intonaco della calcina", dice il Vasari[11], il quale non manca di avvertire che "per il lavoro in fresco non si può sfuggire che non si faccia"), e il Caravaggio l'impiega per tracciare sulla superficie preparatoria della tela da dipingere il disegno generale o quanto meno i punti di riferimento essenziali per la costruzione dell'opera; di modo che la conclusione di questo discorso non può che contraddire alla nozione prevalentemente diffusa, che cioè fosse digiuno di affresco il Caravaggio, che al contrario proprio dalla pratica della pittura a fresco partì probabilmente per la sua straordinaria avventura nel mondo dell'arte. E a proposito della citata voltina Ludovisi, vorrei in questa occasione riprendere l'argomento della fonte caravaggesca, la stampa cioè del Goltzius con *Issione*, tratta dalla serie dei "Disgraziati" (un'altra allusione all'ossessiva mania persecutoria dalla quale fu afflitto?), che viene utilizzata dal Caravaggio in controparte, come non ho mancato di precisare nella mia breve nota del 1989, rimasta purtroppo senza seguito in tutti gli autori (e sono numerosi) che si sono occupati del piccolo dipinto murale in tempi successivi. Il motivo di tale utilizzazione può stare semplicemente nella disponibilità che il nostro pittore ebbe non dell'originale dell'incisore olandese, bensì di un'anonima copia trattane appunto in controparte, e della quale comunque non è traccia nel più accreditato repertorio dell'incisione nei Paesi Bassi[12]; oppure, e più verosimilmente, dall'impressione sull'intonaco fresco del cartone rovesciato, come avveniva di frequente, e per ragioni diverse, nella pratica dei frescanti.

Note

1) *Caravaggio e la collezione Mattei*, catalogo della mostra, Milano 1995.

2) G. P. BELLORI, *Le Vite de'pittori ecc.* ediz. a cura di E. Borea, Torino 1976, p. 232.

3) M. MARINI, *Michelangelo Merisi da Caravaggio "pictor praestantissimus"*, Roma 1987, spec. p. 36ss.

4) M. CALVESI, *Le realtà del Caravaggio*, Torino 1990, con bibl. preced.

5) M. CINOTTI, *Michelangelo Merisi detto il Caravaggio*

- *Tutte le opere*, Bergamo 1983: *La Vita*, p. 205ss.; M. MARINI, op. cit., p. 80ss.

6) In 'Arte antica e moderna', II, n. 6, pp. 191-218.

7) M. CORDARO, *La tecnica pittorica del Caravaggio - Alcuni problemi di metodo*, in *L'ultimo Caravaggio* ... Siracusa 1987, p. 105ss.

8) D. BERNINI, *Su alcune incerte letture intorno al Caravaggio e al suo inizio romano*, in *Caravaggio - Nuove riflessioni*, 'Quaderni di Palazzo Venezia', 6, 1989, p. 70ss.

9) In 'Art e Dossier', n. 60, sett. 1991. Prendendo spunto proprio dal restauro alla cui esecuzione aveva partecipato, Gabriella Gaggi discusse con Maurizio Calvesi nell'anno accademico 1990-91 la sua tesi di laurea in lettere dal titolo "La pittura ad olio su muro", della cui consultazione, cortesemente consentitami, la ringrazio qui cordialmente.

10) T. M. SCHNEIDER, *La "maniera" e il processo pittorico del Caravaggio*, in *L'ultimo Caravaggio*, cit., p. 117ss.

11) G. VASARI, *Le Vite*, ediz. Milanesi, 1, Firenze 1973, p. 177.

12) F. W. H. HOLLSTEIN, *Dutch and Flemish Etchings Engravings and Woodcuts*, VIII, Amsterdam s.d. (1949), ad voc.

1. *Copia da Caravaggio,* Cena in Emmaus, *Palermo, Galleria Regionale di Palazzo Abatellis.*

MARIA CHIARA CERRETANI

UN DIPINTO DI GIUSEPPE PUGLIA IN S. EGIDIO IN TRASTEVERE

Al breve catalogo di Giuseppe Puglia, che si deve alle fondamentali analisi di Fabrizio D'Amico e Herwart Röttgen e che è stato successivamente integrato dai contributi di Giampiero Donnini e di Helmut Philipp Rield[1], credo si possa aggiungere un dipinto che si trova nell'ex monastero di S. Egidio in Roma, già appartenente alle Carmelitane scalze.

È probabile che la tela, che raffigura *S. Lorenzo martire*, sia stata commissionata da Filippo Colonna, per il quale, all'incirca negli stessi anni, il Bastaro dipinse un altro quadro nella chiesa del convento di S. Carlo in Cave[2]. Si trovavano infatti nel monastero delle Carmelitane scalze di S. Egidio due figlie del Gran Connestabile, Vittoria ed Ippolita. La prima vi aveva preso l'abito il 4 ottobre 1628 col nome di suor Chiara Maria, mentre la seconda aveva già fatto il suo ingresso nello stesso monastero pochi giorni prima[3]. Inoltre, da un passo della *Vita* di suor Chiara Maria veniamo a conoscenza della sua grande devozione per S. Lorenzo martire, delle cui sofferenze ella implorava la condivisione[4].

È quindi plausibile che il Gran Connestabile abbia voluto far dono al monastero, oltre alle tante suppellettili che le monache rifiutarono, anche della nuova sacra immagine del santo martire prediletto dalla figlia.

In assenza per ora di documenti relativi al quadro, rimane incerto se esso fosse in origine nella chiesa o nel monastero o in una delle due cappellette nel giardino, che furono fatte edificare da Filippo Colonna insieme alla nuova chiesa[5]. Certo la sacra immagine deve essere stata cara non solo alla devotissima suor Chiara Maria, ma a tutte le consorelle, in quanto perpetuava il ricordo dell'antica chiesetta di S. Lorenzo *de curtibus,* presso la quale nel 1601 era avvenuto il loro primo insediamento e che nel 1610 era stata restaurata e posta sotto il titolo di S. Egidio.

Nello stesso anno in cui le due sorelle Colonna entrarono nel monastero, Giuseppe Puglia era di nuovo presente a Roma, ormai concluso il suo soggiorno a Fabriano[6]. E a questi primi anni del suo rientro nella città d'origine è databile anche il quadro che rappresenta l'*Apparizione della Madonna* di Caravaggio nella cappella omonima commissionata da Tommaso Zuppetti a Cave, nella chiesa che per volontà di Filippo Colonna era stata posta sotto il titolo di S. Carlo Borromeo, suo zio[7]. Al Gran Connestabile dunque, al cui servizio era Tommaso Zuppetti, si può riferire anche questo quadro, così come probabilmente il *S. Lorenzo martire* in S. Egidio in Trastevere, considerando tuttavia che la tela di Roma non può essere collocata prima dell'ottobre 1628, data della monacazione di Vittoria Colonna.

Nel dipinto di S. Egidio in Trastevere

ritroviamo una serie di concordanze tipologiche e compositive che riportano inevitabilmente a Giuseppe Puglia[8]. Il volto del Cristo è pressoché identico a quello delle Madonne dei quadri di Cave e della cappella Patrizi in S. Maria Maggiore e anche a quello della figura di S. Lorenzo del dipinto di Frascati, ma si può ravvisare la stessa tipologia ancora nel volto del Cristo delle *Anime purganti* di Fabriano. Nella figura del santo martire ritroviamo un altro dei tipi facciali del Puglia, con ovali assai marcati e voluminosi, fronte piccola, «occhi grandi e un poco sporgenti»[9], come nella Maddalena della *Deposizione* di S. Girolamo degli Schiavoni, nella Giannetta della tela di Cave e nella *S. Cecilia* di S. Maria in Vallicella. E così ancora, l'angioletto con l'indice puntato sul libro ha la stessa tipologia facciale del Gesù Bambino nella *Fuga in Egitto* di Oxford, come pure del putto che regge lo spartito musicale nel bellissimo quadro di Winnipeg, raffigurante *S. Cecilia.* Ma si potrebbe raffrontare anche col Gesù Bambino nella *Madonna con S. Anna* in S. Girolamo degli Schiavoni, perché le stesse tipologie ricorrono di frequente nelle opere di Giuseppe Puglia. Come sottolinea Röttgen, il repertorio delle figure del pittore romano non è molto vario, tutti i dipinti sono un po' simili, con caratteristiche figure pesanti, facce voluminose con grandi palpebre, angeli che sono quasi bambini con folte capigliature[10]. E ancora ritroviamo, nel *S. Lorenzo martire* di S. Egidio in Trastevere, la pienezza dei ricchi drappeggi, con pieghe rigide, quasi inamidate nella loro durezza, che però qui si volgono in forme più dinamiche verso le nuvole annuncianti mondi superiori. Il quadro segue lo schema più consueto del Puglia che, come ha analizzato D'Amico, «costruisce il dipinto quasi tutto sul primo piano» e centrato «su di un asse che corre nel mezzo», illuminato da una luce proveniente dalla sinistra[11]; ma, accanto alla fondamentale componente reniana, emana anche una suggestione che trae origine dal Lanfranco delle pale d'altare della fase, detta da Schleier, «borgiannesca», suggestione che bene il Donnini ha notato nei dipinti di Fabriano, e una certa più marcata enfasi dei gesti che lo avvicinano alle opere lasciate dal Bastaro nella città marchigiana, pur risultando di base le forme e le figure sempre un po' chiuse e pesanti, poco propense a dilatarsi nell'atmosfera, che rimane chiusa alle profondità barocche.

Ritroviamo insomma nella tela del *S. Lorenzo martire* gli echi di quello stile più «mosso» che il Puglia mostra nelle opere di Fabriano e che Röttgen ha riscontrato ancora nella *Fuga in Egitto* di Oxford, da lui datata alla fine degli anni venti[12], stile che, con il rientro del pittore a Roma, andrà in breve tempo decantandosi. Si può supporre quindi, considerando anche la data della monacazione di Vittoria Colonna, che il dipinto di S. Egidio in Trastevere sia riferibile ai primi tempi del nuovo soggiorno romano di Giuseppe Puglia, forse già sullo scorcio del 1628 e prima delle opere che l'artista ci ha lasciato in S. Girolamo degli Schiavoni[13].

Note

1) F. D'AMICO, *Giuseppe Puglia detto il Bastaro,* in 'Prospettiva' 15, 1978, pp. 19-28; H. RÖTTGEN, *Giuseppe Puglia, del Bastaro nominato, pittore,* in 'Pantheon' 42, 1984, 4, pp. 320-332; G. DONNINI, *Giuseppe Puglia nella Cattedrale di Urbino,* in 'Antichità viva' 24, 1985, nn. 5-6, pp. 33-36; H.P. RIELD, «*ST. Cecilia*» *by Giuseppe Puglia in Winnipeg,* in 'The Burlington Magazine', 136, 1994, pp. 616-618. Per i riferimenti bibliografici precedenti, si rimanda ai

saggi di F. D'AMICO e H. RÖTTGEN. Vedi anche A. GHIDOLI TOMEI, *Giuseppe Puglia, il Bastarino: i tre dipinti per la chiesa della nazione croata*, in *Chiesa sistina 1589-1989* , I, Roma 1989, pp. 129-140.

2) H. RÖTTGEN, op. cit., pp. 329-330.

3) Per i dati relativi alla vita monastica delle sorelle Colonna, si rimanda a I. ORSOLINI, *Vita della venerabile madre suor Chiara Maria ... nel secolo donna Vittoria Colonna, figlia di don Filippo, Gran Connestabile ...*, Roma 1708.

Ippolita, già monaca agostiniana nel monastero di S. Giuseppe a Napoli, con Breve di Urbano VIII del 30 agosto 1628, ottenne di potersi trasferire presso le Carmelitane di S. Egidio (Arch. Segreto Vaticano, Segret. Brevium 740, carta 604), dove fece il suo ingresso il 29 settembre, pochi giorni prima che la sorella Vittoria prendesse l'abito, dopo aver vinto l'opposizione del padre e aver ottenuto dal Pontefice, il 6 luglio 1628, il permesso di poter visitare il monastero di S. Egidio, quasi per mettere alla prova la sua vocazione, prima della definitiva vestizione (ASV, Segret. Brevium 739, c. 75).

4) «... crederono alcune religiose ch'essendo ella (suor Chiara Maria) divotissima di S.Lorenzo martire, havesse domandato a questo santo che le impetrasse da Nostro Signore di poter patire qualche cosa la notte, a sua imitazione; e si confermarono in questo loro sentimento, perché quando mostrarono di compatirla per li dolori sofferti la notte, essa diceva, ad imitazione dell'istesso santo levita: *mea nox obscurum non habet, sed omnia in luce clarescunt* (I. ORSOLINI, op. cit. p. 408).

5) Per le notizie relative alla storia della chiesa e del monastero, si rimanda a L. GIGLI, *Guide rionali di Roma. Rione XIII, Trastevere, parte II*, Roma 1979, pp. 54-66 e nota bibliografica p. 218.

6) Il Puglia fu assente da Roma dalla fine del 1625 al febbraio 1628, anni in cui dovette eseguire i dipinti della Cattedrale di Fabriano. (cfr. H. RÖTTGEN, op. cit. pp. 320, e G. DONNINI op. cit. pp. 35-36). Già F. D'Amico, nella nota 28 del suo saggio, aveva supposto che il pittore potesse aver soggiornato a Fabriano.

7) Per i dati relativi al dipinto di Cave e per i legami tra Filippo Colonna e la famiglia Sforza di Caravaggio, si rimanda a H. RÖTTGEN, op. cit., pp. 329-330 e M. C. CERRETANI, in *L'arte per i papi e per i principi* ... Roma 1990 ,I, pp. 66-68.

8) Per le tipologie e gli stilemi propri di Giuseppe Puglia, nonché per gli apporti e i riferimenti stilistici già analizzati nelle opere che costituiscono il suo catalogo, si rimanda principalmente ai citati saggi di F. D'AMICO, H. RÖTTGEN e G. DONNINI.

9) F. D'AMICO, op. cit., p. 22.

10) H. RÖTTGEN, op. cit., pp. 326-327 e G. DONNINI, op. cit., p. 34.

11) F. D'AMICO, op. cit., p. 20.

12) H. RÖTTGEN, op. cit., p. 329.

13) Per i documenti relativi alla committenza dei tre dipinti di S. Girolamo dei Croati, datati rispettivamente 1631, 1632 e 1633, si rimanda a G. KOKSA, *S. Girolamo degli schiavoni*, Roma 1971.

1. *Giuseppe Puglia,* San Lorenzo martire, *Roma, Sant'Egidio in Trastevere.*

INDICE DEI NOMI E DEI LUOGHI

REFERENZE FOTOGRAFICHE

Il materiale fotografico utilizzato nel volume è fornito dagli autori che si assumono la responsabilità della relativa pubblicazione.

Gert Kreytenberg: Archivio dell'autore 5, 6, 24; Archivio Fotografico Marburg 32; Ashmolean Museum, Oxford; De Giovanni, Assisi 3, 4, 22, 25, 26, 31; Diller, Kronach 2; Gab. Fot. Naz., Roma 27; Lunghi, S.M. degli Angeli 16, 17, 18, 19, 20, 23; Much, Stoccarda 21, 26; Sopr. BAS, Perugia 33, 34; sec. Gerola, 1927/28, 7; sec. Hertlein, 1966, 29; sec. Merz, 1965, 28; sec. Poeschke, 1985, 1; sec. Romanini, 1969, 30; sec. Schlumberger, 1981, 8, 9, 10, 11, 12, 13, 14, 15; sec. Schlumberger, 1901, 9.

Franco Moro: Accademia Carrara, Bergamo; Arte Fotografica, Roma; L. Artini, Firenze; Antonio Benigni, Bergamo; Arch. Castello, Milano; Frick Art, new York; Gabinetto Fotografico Nazionale, Roma; Silvio Gamberoni, Bergamo; Gemäldegalerie der Akademie, Vienna; Ist. Germanico, Firenze; Foto Lissoni 1930; Musée des Beaux-Arts de Rennes; Musei Vaticani; Museo Civico, Vicenza; Museo di Palazzo Venezia, Roma; Museum of fine Arts, Budapest; Museum Wiesbaden; National Gallery, Londra; Quadreria Arcivescovile, Milano; Studio fot. Perotti, Milano; Sopr. BAS Genova; Sopr. Bas Pinacoteca di Brera; Spin & Son LTD, Londra; Staatliche Museen zu Berlin; Foto Zucca.

Daniele Sanguineti: 4, 7, 12; Archivio fotografico del Servizio Beni Culturali del Comune di Genova 1, 2, 3, 5, 6, 8, 10, 13, 14, 15, 16; Archivio fotografico della Soprintendenza per i Beni Artistici e Storici della Liguria 11; Patrizia Magliano 9.

Riccardo Spinelli: Aurelio Amendola; Sopr. BAS, Firenze;

Stefano Felicetti: Archivio ediart.

Maria Chiara Cerretani: Sopr. Bas Roma.

Stampato dalla Tipografia Artigiana Tuderte
per i tipi della Ediart